TEMPESTADES

Alfredo Sáenz

LA NAVE Y LAS TEMPESTADES

La persecución en México y la gesta de los Cristeros

EDICIONES GLADIUS
2012

LA NAVE Y LAS TEMPESTADES

Tomo 1 Primera Tempestad. *La sinagoga y la Iglesia primitiva*
Segunda Tempestad. *Las persecuciones del Imperio Romano*
Tercera Tempestad. *El arrianismo*

Tomo 2. Cuarta Tempestad. *Las invasiones de los bárbaros*

Tomo 3. Quinta Tempestad. *La embestida del Islam*

Tomo 4. Sexta Tempestad. *La querella de las investiduras*
Séptima Tempestad. *La herejía de los cátaros*

Tomo 5. Octava Tempestad. *El Renacimiento y el peligro de mundanización de la Iglesia*

Tomo 6. Novena Tempestad. *La Reforma protestante*

Tomo 7. Décima Tempestad. *La Revolución francesa*
Primera Parte. La revolución cultural

Tomo 8. Décima Tempestad. *La Revolución francesa*
Segunda Parte. La revolución desatada

Tomo 9. Décima Tempestad. *La Revolución francesa*
Tercera Parte. Cuatro pensadores contrarrevolucionarios

Tomo 10. Décima Tempestad. *La Revolución francesa*
Cuarta Parte. La epopeya de la Vendée

Tomo 11. Undécima Tempestad. *El modernismo: crisis en las venas de la Iglesia*

Tomo 12. Duodécima Tempestad. *La persecución en México y la gesta de los Cristeros*

Queda hecho el depósito que previene la ley 11.723

Con las debidas licencias

Sáenz, Alfredo
La nave y las tempestades: La persecución en México y la gesta de los Cristeros
1ª ed. - Ciudad Autónoma de Buenos Aires - Gladius, 2012.
v. 12, 552 p. + Papel: il.; 18x11 cm.
ISBN 978-987-659-036-5
1. Historia de la Iglesia. I. Título
CDD 270

Fecha de catalogación: 23/10/2012

Índice

Muchas son las olas que nos ponen en peligro, y graves tempestades nos amenazan; sin embargo, no tememos ser sumergidos porque permanecemos firmes sobre la roca. Aun cuando el mar se desate, no romperá la roca; aunque se levanten las olas, no podrán hundir la nave de Jesús.

San Juan Crisóstomo, Hom. antes de partir al exilio, 1-3: PG 52, 427-430

Duodécima Tempestad

LA PERSECUCIÓN EN MÉXICO Y LA GESTA DE LOS CRISTEROS

Para mejor entender el ambiente en que se gestó el levantamiento heroico de los cristeros se vuelve indispensable retrotraernos a los orígenes del México independiente. Porque en esta noble nación, como entre nosotros, las cosas fueron ambivalentes, contrariamente a la ideología unívoca que intentó imponer la exégesis oficial, basada en la institucionalización de la mentira histórica. Impúsose, así, la imagen de un México bien definido, que nació y creció en el espíritu del iluminismo, debiendo afrontar los embates de las tinieblas católicas y de las raíces hispánicas. Tal es la concepción pseudo-histórica del oficialismo laicista. No resulta, pues banal destacar quiénes fueron los auténticos héroes y quienes los verdaderos traidores.

CAPÍTULO PRIMERO

DOS GRANDES VERTIENTES HISTÓRICAS

España, de la que tanto México como nosotros nos separamos, no era, por cierto, bien lo sabemos, la España de los Austrias, que fue la que nos engendró, sino la de los Borbones, tan influidos por la mentalidad iluminista. Bien ha señalado el padre jesuita Mariano Cuevas, eminente autor de una obra capital para nuestro propósito, *Historia de la Nación Mexicana*, que con razón se asigna, como una de las causas que influyeron en dicha independencia, la propagación de la literatura francesa revolucionaria, mediante la cual llegaron a nuestra tierra las doctrinas de Rousseau y de Voltaire, así como de la Enciclopedia, que penetraron sobre todo en las clases dirigentes del país. Por lo demás, la Inquisición, que hubiera podido preservarnos de dicho influjo, estaba en decadencia, e incluso algunos de sus miembros llegaron a vender secretamente las obras que contenían aquellas doctrinas disolventes. Por lo demás, la Iglesia, hablando más en general, se mostró remisa en denunciar tales escritos, de modo que parte de la clase alta se abrevó en aquellas ideas. No hay que exagerar, por supuesto, dicha defección, pero algo de ello hubo. De allí que el padre Cuevas concluya que "estando España al iniciarse el siglo XIX en un arrebato de impiedad, fácil es de comprenderse por qué desde 1810 unos eclesiásticos, y desde 1821 *todos* los eclesiásticos iniciaron y realizaron la independencia de México".

El influjo de Napoleón fue determinante. Recordemos cómo ambos Borbones, Carlos IV y su hijo Fernando VII, pusieron la corona de España a los pies de los Bonaparte, "esperando su felicidad –se dijo entonces– de las sabias disposiciones del emperador Napoleón". Más aún, la corona española desligó a sus pueblos del juramento de sumisión y vasallaje a la persona del monarca, dejándolos en libertad de elegir la forma y el personal de gobierno. Por lo demás, las autoridades peninsulares habían dado por válidas las renuncias de Carlos y de Fernando, aceptando a José Bonaparte, el hermano del Emperador, como rey de España. Desde los reinos hispánicos de América se miró con desazón dichos pasos. Ahora América había de sujetarse a la Junta de Sevilla, de impostación masónica, con la que ninguna obligación se tenía. Las autoridades de la Nueva España, como se llamaba México, virrey incluido, habían dejado de ser legítimas. "Peninsulares, pues, y no el cura Hidalgo, fueron los que iniciaron nuestras revoluciones", señala el historiador mexicano. Por lo demás, agrega, se hacía cada vez más notorio el poco respeto que los gobernantes españoles, masónico-liberales, guardaban a nuestra santa religión. A lo que hemos de añadir que una buena parte del clero sentía simpatías en favor de la Revolución. El cura Hidalgo, por ejemplo, lector de obras de la Ilustración, creía que era necesaria "la libertad francesa en esta América". Es cierto que llevaría en sus estandartes la imagen de la Guadalupana, mas se trataba no de un signo de unidad religiosa sino de dialéctica. "Viva la Virgen de Guadalupe y mueran los gachupines", gritaba.

Pero dejemos de lado la figura de Hidalgo así como la de Morelos, también él sacerdote, ya que no es nuestro propósito ofrecer una historia de la Revolución en México. Concentrémonos en lo principal, que es lo que queremos destacar. La Revolución independista tuvo dos grandes filones. El primero buscó dejar bien en claro que la independencia no lo era respecto del catolicismo ni de la gloriosa nación que nos engendró, sino sólo de la perversa política de sus representantes concretos. Dicha corriente la veremos encarnada en Agustín de Iturbide. La otra, en cambio, que proyectó un país enteramente nuevo, sin fe y sin tradición, encontraría su portaestandarte en Benito Juárez.

I. Agustín de Iturbide (1783-1824)

Las Cortes de Cádiz, abiertas en septiembre de 1810, y la Constitución por ellas promulgada en dicha ciudad, en marzo de 1812, constituyeron, en última instancia, un estímulo a separarnos de España. Aquella España de 1812 poco se parecía a la España fundacional, que por tantos años brilló en los reyes de Castilla. Tras la victoria político-religiosa de la resistencia española a la dominación napoleónica, siguió la rendición a la ideología revolucionaria. Ganaron la guerra y perdieron la paz, mostrándose indignos de seguir gobernando a sus hijos de América. Aquellos exaltados que se habían reunido en Cádiz, entre los cuales varios delegados mexicanos, libertinos e incrédulos muchos de ellos, que parecían querer emular a los revolucionarios franceses, causaron pésima impresión en los sectores tradicionales de América hispánica. La Constitución de Cádiz, bajo el influjo de la masonería británica, poco tenía que ver con las añejas y católicas instituciones de España.

El primer levantamiento en México, que se produjo en 1810, fue conducido por aquellos dos sacerdotes que acabamos de nombrar, Hidalgo y Morelos, quienes tras sucesivos avatares fueron vencidos.

1. De oficial realista a adalid de la Independencia

Traslademonos ahora al año 1820. En España, el ejército se había pronunciado por el restablecimiento del régimen constitucional, tras lo cual le impuso al rey cumplir sus demandas. En la ciudad de México, el gobierno virreinal que allí residía, al conocer la noticia, consideró peligrosa dicha medida y apoyó un plan llamado "de la Profesa", porque los convocados por el virrey se habían reunido en la antigua residencia de los jesuitas, que llevaba dicho nombre, para impedir aquel propósito. La idea era que mientras el Rey estuviese sometido a los fautores de aquella revolución, el virrey gobernase según las Leyes de Indias, en entera independencia de España. Pero el ambiente se agitó: los ambiciosos del Ejército, aprovecharon para emular en sus ventajas a los revolucionarios de la Península; muchos otros, viendo cómo se iba debilitando la autoridad española, perdieron la fe en ella y comenzaron a pensar en un gobierno propio. Al cabo, el virrey se vio obligado a desistir de su propósito.

Fue en este contexto donde actuaría Iturbide. Había nacido en Nueva España el 28 de septiembre de 1783, el mismo año que Simón Bolívar. Pertenecía a una distinguida y muy acomodada familia española, con solar en Valladolid, actual Morelia. Tras estudiar allí las primeras letras, pasó después al Seminario Conciliar, no porque sintiera el deseo de ser sacerdote sino porque en aquel entonces era el único lugar donde los jóvenes podían adquirir una buena formación. Así, durante su niñez y juventud fue arraigando en él una profunda convicción católica. A los 15 años era ya capaz de administrar la finca de su padre. El campo y los trabajos en la tierra lo hicieron crecer sano y robusto, en cotidiano contacto con la realidad. Le encantaba montar a caballo y pronto adquirió la fama de jinete consumado, que nunca perdía garbo y gallardía. Fue en el campo donde nació su vocación de soldado. Tras los cursos debidos se graduó de teniente, y en atención a su valor en el campo de batalla fue ascendido al grado de coronel. A los veintidós años contrajo matrimonio, anhelando fundar un hogar propio que fuese la réplica del de sus padres. Su mujer, que sería una esposa fiel y madre de diez hijos, cinco varones y cinco mujeres, lo acompañaría hasta el fin de su vida.

En 1810 el cura Hidalgo, que conocía sus dotes castrenses, le ofreció un rango elevado en sus filas. Iturbide, que estaba enterado de los métodos de aquel sacerdote y de la idea que tenía de la Independencia, impregnada de inquina a los españoles, se negó a la invitación. Más aún, resolvió oponerse frontalmente a aquellos designios para detener la avalancha de "desorden, sangre y destrucción", como oficial realista.

Lanzóse enseguida al cumplimiento de su propósito frente a lo que entendía ser una revolución subversiva. En la batalla del Monte de las Cruces luchó con denuedo en la línea de fuego. Luego defendió a Taxco con escasos elementos, lo que le mereció el grado de Teniente Coronel. Después derrotó al enemigo en la ciudad de Salvatierra, apoderándose de su artillería y de la misma ciudad, lo que le mereció ser ascendido a Coronel y a Comandante General de la Provincia de Guanajuato. Incluso logró vencer al jefe más famoso de los insurrectos, el Generalísimo Morelos, quien había conseguido hacer temblar al virreinato. De dicho cura guerrero Napoleón diría, al enterarse de sus hazañas, que "con seis Morelos conquistaba el mundo". El hecho es que Iturbide, con pocos centenares de valientes, logró vencer a unos 20.000 hombres de Morelos.

Pero en el interior de nuestro héroe se había ido produciendo un cambio radical. Viendo cómo estaban las cosas en España, comenzó él también a incubar en su interior el ideal de la independencia, si bien no compartiendo las posiciones de Hidalgo. Bien se cuidaría de no traicionar en modo alguno a España; por eso, como lo veremos más adelante, le ofrecería a Fernando VII el trono de México a cambio del que se bamboleaba en la Península ante la catapulta del iluminismo. Lo que Iturbide anhelaba por sobre todo era "independizar" a México de la amenaza masónica y liberal. Poco antes, como lo señalamos páginas atrás, se habían realizado en "La Profesa" unas reuniones donde se propició la emancipación de la Nueva España. Pero faltaba un hombre audaz que se dispusiera a encabezar dicho emprendimiento. ¿No sería Iturbide la persona indicada? Él era, como entonces alguien dijo, "simpático a los europeos porque había combatido a su lado contra los insurrectos, no sospechoso a los hijos del país porque era mexicano valiente, y ejercía sobre los demás la fascinación de su valor". Señalemos, asimismo, que el designio de "las Juntas de la Profesa" no era muy diferente del Plan de Iguala, que en su momento propondría Iturbide, y al que nos referiremos enseguida detenidamente.

En carta a un amigo le confiesa que él amaba la independencia; lo que no amaba, aquello por lo que no podía pasar, era el atroz sistema que seguían los insurgentes. Por eso había combatido contra ellos, por eso intentaba vencerlos, para después pensar en realizar la independencia, a ser posible sin derramamiento de sangre. Para 1820, la opinión general de los mexicanos, no sólo de los criollos sino de no pocos españoles, era favorable a la independencia. Esta inclinación se consolidó al saberse que en España había triunfado la revolución liberal-masónica encabezada por Rafael del Riego, que reimplantó la Constitución de Cádiz de 1812, antes abrogada por Fernando VII, a la que añadió reformas aún más radicales y francamente anticristianas. Para colmo, Fernando VII había vuelto a jurar la Constitución liberal que poco antes había repudiado, mientras el virrey Apodaca hacía otro tanto en México. La sociedad mexicana de entonces, visceralmente católica, anhelaba con vehemencia que aquellas leyes persecutorias no se extendiesen hasta allí. Fue en buena parte para evitar semejantes males que se pensó en acelerar la Independencia, y eso con la ayuda de la Iglesia. En 1822, un misionero peninsular podía explicar al rey de España que así como la Iglesia había ganado para la corona el México indígena del siglo XVI, lo había vuelto a hacer en 1821, cuando se encontró ante la disyuntiva de tener que optar entre la lealtad momentánea al monarca, tan dependiente del liberalismo, y la religión católica, que dicha ideología buscaba destruir. El único que podía llevar adelante con solvencia dicho propósito era don Agustín de Iturbide.

La decisión que tomó nuestro prócer de cargar sobre sus espaldas semejante empresa parece haber producido en él una honda transformación interior, unida a un acuciante sentimiento de responsabilidad. Como era un hombre inteligente, entendió que previamente se hacía necesaria una campaña de esclarecimiento, para lo cual adquirió una pequeña imprenta en Puebla. Asimismo, mediante una ofensiva diplomática se fue ganando la adhesión de los cuadros del ejército realista, del clero y de no pocos insurgentes, en orden a incluir en dicho proyecto, que quería integrador, a los criollos, los peninsulares y los indígenas, buscando así que la guerra se volviese nacional. Asimismo comenzó a mantener una nutrida correspondencia epistolar con los españoles más clarividentes, tratando de convencer especialmente a sus camaradas de combate, los generales y los principales jefes realistas.

2. El Plan de Iguala y las Tres Garantías

Como centro de operaciones eligió una pequeña ciudad, distante 134 kilómetros de la capital, llamada Iguala. Tras dejar en libertad a los oficiales que se negaron a seguirle, prefiriendo volver a las filas españolas, Iturbide siguió adelante con su proyecto. El 24 de febrero de 1821 fue el día elegido en que aquel a quien luego llamarían "el Libertador" proclamó solemnemente la emancipación de México. Así, como escribe el historiador Zamacois, "sin herir a nadie, sin incitar odio contra los hijos de la Metrópoli, sino vertiendo frases que estrechasen la unión entre los españoles y los americanos que de ellos dependían, fundó la necesidad de la independencia". Citemos algunos de los párrafos de dicha declaración:

> Americanos, bajo cuyo nombre comprendo no sólo a los nacidos en América, sino a los europeos, africanos y asiáticos que en ella residen, tened la bondad de oírme. Las naciones que se llaman grandes en la extensión del globo fueron dominadas por otras; y hasta que sus luces no les permitieron fijar su propia opinión, no se emanciparon. Los europeos, que llegaron a su mayor ilustración y policía, fueron esclavos de la romana; y este imperio, el mayor que reconoce la historia, asemejó al padre de familias, que en su ancianidad mira separarse de su casa a los hijos y los nietos por estar ya en edad de formar otras, y fijarse por sí, conservándole todo el respeto, generación y amor, como a su primitivo origen.
>
> Trescientos años hace la América Septentrional de estar bajo la tutela de la nación más católica y

piadosa, heroica y magnánima. La España la educó y engrandeció, formando esas ciudades opulentas, esos pueblos hermosos, esas provincias y reinos dilatados que en la historia del universo van a ocupar lugar muy distinguido. Aumentadas las poblaciones y las luces, conocidos todos los ramos de la natural opulencia del suelo, su riqueza metálica, las ventajas de su situación topográfica, los daños que originan la distancia del centro de su unidad, y que ya la rama es igual al tronco, la opinión pública y la general de todos los pueblos es la de la independencia absoluta de la España y de toda otra nación. Así piensa el europeo, así los americanos de todo origen.

Esta misma voz que resonó en el pueblo de los Dolores, en el año 1810, y que tantas desgracias originó al bello país de las delicias, por el desorden, el abandono y otra multitud de vicios, fijó también la opinión pública de que la unión general entre europeos y americanos, indios e indígenas, es la única base sólida en que puede descansar nuestra común felicidad... ¡Españoles europeos: vuestra patria es la América, porque en ella vivís; en ella tenéis a vuestras amadas mujeres, a vuestros tiernos hijos, a vuestras haciendas, comercio y bienes! ¡Americanos!, ¿quién de vosotros puede decir que no desciende de español? Ved la cadena dulcísima que nos une: añadid los otros lazos de la amistad, la dependencia de intereses, la educación e idioma y la conformidad de sentimientos, y veréis son tan estrechos y tan poderosos que la felicidad común del reino es necesario la hagan todos reunidos en una sola opinión y una sola voz.

Ha llegado el momento en que manifestéis la uniformidad de sentimientos, y que nuestra unión sea la mano poderosa que emancipe a la América sin necesidad de auxilios extraños. Al frente de un ejército valiente y resuelto he proclamado la independencia de la América Septentrional. Es ya libre, es ya señora

> de sí misma, ya no reconoce ni depende de la España ni de otra nación alguna. Salúdenla todos como independiente, y sean nuestros corazones bizarros los que sostengan esta dulce voz, unidos con las tropas que han resuelto morir antes que separarse de tan heroica empresa. No le anima otro deseo al ejército que el conservar pura la santa religión que profesamos, y hacer la felicidad general. Oíd, escuchad las bases sólidas en que funda su resolución.

Tras este alegato inicial, que tiene forma de preámbulo, siguen 23 disposiciones concretas. Transcribamos las más importantes:

> 1. La religión católica, apostólica, romana, sin tolerancia de otra alguna. 2. La absoluta independencia de este reino. 3. Gobierno monárquico, templado por una constitución análoga al país. 4. Fernando VII, y en sus casos los de su dinastía o de otra reinante serán los emperadores, para hallarnos con un monarca ya hecho, y precaver los atentados funestos de la ambición [...] 8. Si Fernando VII no se resolviese a venir a México, la Junta o la Regencia mandará a nombre de la nación, mientras se resuelve la testa que deba coronarse. 9. Será sostenido este gobierno por el ejército de las Tres Garantías [...]
>
> Americanos: he aquí el establecimiento y la creación de un nuevo imperio. He aquí lo que ha jurado el ejército de las Tres Garantías [...] No teniendo enemigos que batir, confiemos en el Dios de los ejércitos, que lo es también de la paz, que cuantos componemos este cuerpo de fuerzas combinadas de europeos y americanos, de disidentes y realistas, seremos unos meros protectores, unos simples espectadores de la obra grande que hoy he trazado, y que retocarán y perfeccionarán los padres de la patria [...]

> Asombrad a las naciones de la culta Europa; vean que la América Septentrional se emancipó sin derramar una sola gota de sangre. En el transporte de vuestro júbilo decid: ¡Viva la Religión Santa que profesamos! ¡Viva la América Septentrional, independiente de todas las naciones del globo! ¡Viva la unión que hizo nuestra felicidad!
>
> Y firma: Agustín de Iturbide.

Si de la implantación del Plan de Iguala iba a surgir una nueva Nación, libre e independiente, era oportuno que dicha patria estuviese encarnada en una nueva bandera que sustituyese al antiguo pabellón español, y la representase ante el mundo. Iturbide excogitó un estandarte en cuyos colores se viesen plasmadas para siempre las llamadas *Tres Garantías,* de que se habla en el documento que acabamos de citar. Dichas "garantías" formulaban la esencia de la nueva nacionalidad, parentizada en el Plan de Iguala. Lucas Alamán las resume así: "Los artículos esenciales eran la conservación de la Religión Católica, sin tolerancia de otra alguna; la absoluta independencia del nuevo reino, estableciéndose en él una monarquía moderada, llamando para ocupar el trono al rey Fernando VII, a los infantes, sus hermanos, y, en defecto de esos, a otros príncipes de la casa reinante; y la unión entre europeos y americanos". Es decir, Religión, Independencia y Unión.

Se ha dicho con acierto que para Iturbide lo primero era la unidad religiosa, anhelo que constituiría la base de toda su gestión. Véase, si no, los términos con que se expresa en una carta que por esos días le escribió al obispo de Guadalajara:

> Es el caso que por mis cuatro costados soy navarro y vizcaíno, y no puedo prescindir de aquellas ideas rancias de mis abuelos, que se transmitieron por la educación por mis venerados y amadísimo padres. No creo que hay más que una religión verdadera, que es la que profeso, y entiendo que más delicada que un espejo puro, a quien el hálito sólo empaña y oscurece. Creo igualmente que esta religión sacrosanta se halla atacada de mil maneras, y sería destruida si no hubiera espíritus de alguna fortaleza que a cara descubierta y sin rodeos salieran a su protección, y como creo también que es obligación anexa al buen católico este vigor de espíritu y decisión, me tiene ya V.E.I. en campaña.
>
> Estoy decidido a morir o vencer, y como que no es de los hombres que espero ni deseo la recompensa, me hallo animado de vigor. O se ha de mantener la religión en Nueva España pura y sin mezcla, o no ha de existir Iturbide. Plegue al cielo y para mayor gloria del Altísimo, así como en otro tiempo unos humildes pescadores fueron los destinados para propagar la fe, en el siglo XIX el hombre más pequeño de la Nueva España sea el apoyo más firme del dogma santísimo.

Entre este propósito tan definido de emancipación y el anteriormente excogitado por Hidalgo-Morelos había una diferencia abismal. Los obispos, por lo general, estuvieron en favor del plan de Iturbide, y no hubo contra él, como contra Hidalgo, ningún entredicho o excomunión. Aquí quedaba en claro que la defensa de la Independencia era la defensa de la religión. Como escribe el padre Cuevas: "Para salvar su fe México tenía que separarse de aquella España tan pervertida y representada en México por un militarismo masónico y corruptor".

El designio tripartito gestado por Iturbide –Iglesia, Imperio y Unión– quedaría expresado en los tres colores de la bandera que con este motivo se había creado: el verde representa la religión, el blanco la unión, y el rojo la independencia. Dicha bandera es todavía hoy aquella ante la que todo mexicano bien nacido se inclina reverente. En el himno nacional se incluía una estrofa donde se decía: "De Iturbide la sacra bandera", que luego dejó de cantarse por motivaciones ideológicas.

Iturbide señaló enseguida un día para que tanto él como los oficiales de su ejército concentrado en Iguala hiciesen el juramento de fidelidad. Ubicado en medio de aquella oficialidad compuesta por españoles, criollos y aborígenes, nuestro héroe se mostraba visiblemente conmovido. Sobre una mesa colocaron un crucifijo y los Santos Evangelios. Luego de que el capellán leyera el evangelio del día, Iturbide se acercó a la mesa, se puso de rodillas, y extendiendo su mano derecha sobre los Evangelios mientras tomaba con la otra la empuñadura de la espada, así le contestó al sacerdote en alta voz:

> – ¿Juráis por Dios y prometéis bajo la cruz de vuestra espada –preguntó el capellán– observar la Santa Religión Católica, Apostólica, Romana?
>
> – Sí, juro –respondió Iturbide con voz marcial y segura.

> – ¿Juráis hacer la independencia de este Imperio guardando para ello la paz y unión de europeos y americanos?
>
> – Si, juro.
>
> – ¿Juráis la obediencia al señor Don Fernando VII si adopta y jura la Constitución que haya de hacerse por las Cortes de esta América Septentrional?
>
> – Sí, juro.
>
> – Si así lo hiciereis, el Señor, Dios de los ejércitos y de la paz, os ayude; y si no, os lo demande.

A continuación todos los jefes y oficiales hicieron el mismo juramento en presencia del capellán y de su Comandante en Jefe. Finalmente se celebró la Santa Misa y se cantó solemnemente el *Te Deum*.

Por la tarde tocó a los soldados hacer el juramento en la plaza de la ciudad. Allí se hizo presente Iturbide a caballo, rodeado de su Estado Mayor. Una vez que aquéllos lo pronunciaron, se dirigió a los batallones con indisimulable emoción: "Soldados, habéis jurado observar la Religión Católica, Apostólica, Romana; hacer la independencia de esta América, proteger la unión de españoles y americanos, y prestar obediencia al Rey bajo condiciones justas. Vuestro sagrado empeño será celebrado por las naciones ilustradas. Vuestros servicios serán reconocidos por vuestros conciudadanos y vuestros nombres colocados en el templo de la inmortalidad".

Como era de esperar, el Virrey rechazó el Plan de Iguala y puso a Iturbide fuera de la ley. Comenzó entonces el enfrentamiento militar. Iturbide estaba seguro de que tarde o temprano el Plan de Iguala acabaría por persuadir a sus ocasionales adversarios, especialmente a los principales jefes militares. Por eso intensificó el diálogo y la táctica del convencimiento. Su deseo era que no se derramase más sangre de hermanos. Ya se había vertido demasiada, tanto sangre española como mexicana, sobre todo desde que Hidalgo lanzó su movimiento revolucionario al grito de "mueran los gachupines", es decir, los españoles. La campaña de Iturbide duró siete meses. Incluyamos una anécdota reveladora de la estampa de nuestro gran héroe. En cierta ocasión estaba sitiando a Querétaro. El jefe enemigo era un tal Luaces. Nuestro general, al enterarse un día de que el comandante español estaba enfermo, decidió visitarlo de noche, en zona aún ocupada obviamente por el enemigo. Al advertir la presencia de un extraño, el centinela exclamó: "¿Quién vive?". "Iturbide", respondió con voz firme y serena. El soldado, estupefacto, corrió a su encuentro. Impávido, entró el Primer Jefe en el cuartel enemigo, rodeado de oficiales y soldados españoles, que no podían menos que aplaudir semejante muestra de impavidez. "Todo Iturbide está aquí –comenta Alfonso Junco–: don de gentes, diplomacia sagaz, instinto señoril, admirable hidalguía, valor magnánimo".

Batallas sangrientas hubo pocas. Finalmente los jefes peninsulares resolvieron deponer al virrey Apodaca, tras lo cual un nuevo virrey llegó de España, desembarcando en Veracruz. Era don Juan O'Donojú, de ascendencia irlandesa. Éste, viendo perdido el conflicto para la Metrópoli, le envió dos cartas a Iturbide, que ya había ocupado la casi totalidad del país. En la primera de ellas lo trataba de "Excelencia" así como de "Primer Jefe del Ejército de las Tres Garantías", y en la segunda de "amigo". Luego entró en negociaciones con él "para asegurar por lo menos un imperio a la casa real de España", desatando sin romper los vínculos que unían a los dos continentes.

De Veracruz, O'Donojú se dirigió a Córdoba, donde el pueblo lo recibió con entusiasmo. Allí las negociaciones culminaron felizmente en el Tratado de Córdoba (24 de agosto de 1821), donde se ratificó el Plan de Iguala y se aceptaron las Tres Garantías, ofreciéndose la corona del Reino de México a Fernando VII. Un solo cambio se introdujo, que para muchos resultó genial, afirmándose que en el caso de que Fernando VII no aceptase el gobierno de la nueva nación independiente, y lo mismo hicieran los otros príncipes indicados de la casa reinante, el Gobierno recaería en la persona que fuese elegida por las Cortes Mexicanas, sin necesidad de que perteneciera a casa reinante alguna. En uno de los artículos del Tratado se agregaba: "El Emperador fijará su Corte en México, que será la capital del Imperio". O'Donojú actuó con entera libertad, como legítimo representante de la Madre Patria, asumiendo esa gran responsabilidad, si bien el Tratado quedó sujeto a la aprobación de las Cortes Españolas. Con la ratificación de O'Donojú, la campaña de Iturbide quedaba legalmente concluida. Había por fin triunfado, tras diversos avatares, lo que después de algunos meses se llamaría "el Ejército Trigarante".

Dicho Ejército comenzó a preparar el avance final a la capital. La entrada de Iturbide en la ciudad de México, a la cabeza de una columna de 16.000 hombres, fue triunfal. "Sentían todos los mexicanos –escribe el padre Cuevas–, con la manera y forma con que se había realizado nuestra libertad, vibrar al unísono las tres fibras más sensibles y más de actualidad en el corazón de la Patria. Querían ante todo y sobre todo la única y verdadera religión de nuestros padres. Todos deseaban la independencia de la política española de entonces; pero todos querían al mismo tiempo la unión con todo lo bueno que tiene esa misma España, con su lengua, con sus artes, con sus glorias; queríamos vivir sintiendo con la verdadera España, sin el yugo insoportable de sus cortes masónicas". Allí lo esperaba O'Donojú, quien lo felicitó y lo condujo a lo que fuera morada de virreyes y que a partir de ese momento tomaría el nombre de Palacio Imperial. Desde el balcón, Iturbide con O'Donojú presidieron un apoteósico desfile. Luego Iturbide se dirigió a la catedral, donde lo aguardaba el obispo, atravesando bajo palio la nave central. Al fin se entonó el *Te Deum*. Como ha señalado Justo Sierra, escritor liberal, "Iturbide aparecía más que nunca ante las multitudes como un guía y como un faro: era el orgullo nacional hecho carne".

3. Iturbide Emperador

No pocos eran los que pensaban que difícilmente se concretaría de manera satisfactoria lo del ofrecimiento de las coronas, de donde algunos empezaron a pensar en la posibilidad de elegir al propio Iturbide como Emperador. Así fue en realidad ya que, al hacerse pública la negativa de Fernando VII, ningún príncipe se inclinó a aceptar la corona vacante. De este modo quedó expedito el camino de Iturbide al trono. Incluso un escritor liberal de aquellos tiempos, Joaquín Fernández de Lizardi, le había escrito a éste con exaltada vehemencia: "Si no es V.E. emperador, maldita sea nuestra independencia. No queremos ser libres si V.E. no ha de estar al frente de sus paisanos [...] V.E. hará muy bien en no aspirar a la corona, y la patria hará muy mal si no ciñe con ella sus heroicas sienes".

Por cierto que el Ejército que luchó bajo su mando en la gloriosa campaña que culminó en 1822 con su ingreso en la capital, así lo deseaba. De hecho, el primer grito de *¡Viva Agustín I!* salió de la boca de un militar. Según la cláusula convenida, al negarse la casa real española a aceptar el trono de México, el Congreso ya designado podía, conforme a la enmienda introducida en el Tratado de Córdoba, elegir a otra persona, aunque no fuera de sangre real. Pero el Congreso, por razones que ignoramos, no daba paso alguno, lo que irritó a la gente. ¿Quién otro más digno para ocupar el trono, comentaban, que el hombre que declaró la Independencia? Y así un día la multitud se lanzó a la calle al grito de ¡Viva Agustin I!, confluyendo frente al palacio de Iturbide. Al escuchar el clamor, éste se asomó al balcón, saludando a sus seguidores. El Congreso acabó por consentir en dar al asunto el debido tratamiento. Se organizó entonces una marcha triunfal. El pueblo quitó los caballos de la carroza en que iba Iturbide y en medio de aclamaciones arrastró su coche, llevándolo hasta las puertas de la Cámara.

Tras una acalorada discusión entre los diputados, tomó la palabra Valentín Gómez Farías: "Si la soberbia España hubiera aceptado nuestra oferta, y Fernando VII no hubiera despreciado los Tratados de Córdoba; si no se nos hiciera la guerra, ni hubiera provocado a otras naciones a que no reconocieran nuestra emancipación, entonces, fieles al juramento y consecuentes a nuestras promesas, ceñiríamos las sienes del monarca español con la corona del Imperio de México. Pero rotos ya el Plan de Iguala y los Tratados de Córdoba, yo me creo en poder, conforme al artículo tercero de los mismos Tratados, para votar por que se corone al gran Iturbide". La inmensa mayoría acabó por coincidir.

Luego, el presidente del Congreso cedió su puesto al Emperador electo, tras lo cual fue nuevamente conducido a su casa en medio de una multitud delirante. Para corroborar el voto del Congreso empezaron a llegar de todas partes calurosas adhesiones y felicitaciones. "En todas las provincias –escribe Alamán– fue unánime el aplauso con que se recibió la elevación del Generalísimo al trono. Jefes políticos, generales, comandantes, diputaciones provinciales, ayuntamientos, obispados, cabildos eclesiásticos, colegios, comunidades religiosas, todos se apresuraron a ofrecerle sus felicitaciones".

La independencia consumada por obra y arte de Iturbide, había sido algo así como la legítima emancipación de un hijo llegado a su mayoría de edad. Gracias a la herencia recibida de España, la nueva Patria podía ingresar en el ámbito de las naciones que integraban la Cristiandad. Nada mejor para gobernarla que un régimen monárquico, como el que hasta entonces habían conocido. Por ello, cuando en cierta ocasión el astuto Joel Robert Poinsett, agente de los Estados Unidos, le ponderara a Iturbide, ya emperador, el régimen republicano de su país, éste le diría que dicho gobierno sería bueno para ellos pero no para México. Los hechos posteriores se encargarían de confirmar dicha afirmación, ya que con los ulteriores gobiernos republicanos México nunca encontró estabilidad política ni social.

El acto solemne de la coronación se llevó a cabo dos meses después, el 21 de julio de 1822, siguiéndose puntualmente el ceremonial de las cortes europeas. Desde el amanecer, los cañones reiteraban sus salvas cada hora, mientras las campanas de los templos tañían una tras otra. En las ventanas, balcones y fachadas de las casas particulares ondeaban sendas banderas. Era el homenaje de las familias al primer Emperador de México. La Catedral relucía con sus mejores ornatos. En el lado del evangelio se colocaron dos tronos, uno cerca del coro, y otro, mayor, en un lugar más elevado, junto al presbiterio, reservado al Emperador. Cerca de éste se encontraban los sitiales de su padre y de su esposa. Luego, en orden descendente, los de los miembros de la familia imperial; detrás, los asientos reservados a los miembros de la Corte; del otro lado, los diputados. En la nave central se ubicaron los miembros de las diversas corporaciones por orden de dignidad. El obispo de Guadalajara, monseñor Cabañas, presidió la Santa Misa y la ceremonia de coronación de Sus Majestades. Concluida la cual, el Jefe de Armas exclamó en alta voz: "El muy piadoso y muy augusto Emperador Constitucional primero de los mexicanos, Agustín, está coronado y entronizado. ¡Viva el Emperador!" Todos reiteraron la proclama y la aclamación.

Pocos días después de la coronación se inauguró en México una nueva Orden, la de los Caballeros de Guadalupe, propuesta desde hacía tiempo por Iturbide. El Gran Maestre de la Orden sería el mismo Emperador, y sus miembros los caballeros más distinguidos por sus méritos personales, que llevarían el título de Nobles o Grandes del Imperio. Por uno de los principales incisos de sus estatutos se comprometían a profesar una filial devoción a la Virgen de Guadalupe como a Patrona de todo el Imperio. Cualquiera que sepa lo que la Virgen de Guadalupe significa para todos los mexicanos entenderá los alcances no sólo religiosos sino también políticos, de la fundación de esta Orden.

Bien escribe el padre Macías en su magnífica obra *Iturbide,* que sin duda fue éste uno de los momentos más gloriosos de la historia de México, nueva nación soberana, encabezada por un caballero sin tacha, inteligente, sensato, desinteresado, corajudo. Fue tal su prestigio y el del Imperio por él fundado, que diversas naciones y provincias, incluso ajenas al antiguo virreinato, pidieron la anexión al novel Imperio. La primera provincia que se adhirió fue la de Yucatán. La segunda, más importante, la Capitanía de Guatemala y de toda Centroamérica, que hasta entonces no habían dependido de la Nueva España. Primero se declararon independientes, y luego expresaron su voluntad de incorporarse al nuevo Imperio. Otro tanto hizo la provincia de Chiapas, que dependía de Guatemala. De este modo los límites del Imperio llegaron hasta Panamá. Lo mismo hicieron las provincias del norte, que ya pertenecían a la Nueva España:

Nueva México, la Alta California, Texas, Arizona, y Nueva León, se declararon primero independientes y luego se anexaron. Así la bandera de las Tres Garantías flameó desde Panamá por el sur, y por el norte desde la Alta California hasta el río Misisipi. De este modo México pasó a ser la primera potencia del Nuevo Mundo. A principios de 1822 Iturbide recibía desde Colombia una carta llena de ponderaciones que le enviaba Simón Bolívar.

4. El drama del novel Emperador

Por desgracia, pronto aparecieron las primeras dificultades. Un grupo de liberales españoles logró introducirse en la Junta Gubernativa, de la que se fueron apoderando poco a poco. En 1822 se instaló el Primer Congreso Nacional Constituyente, donde había algunos republicanos, ciegos admiradores de los Estados Unidos. No obstante lo cual todos juraron guardar la independencia de la nación bajo las bases fundamentales del Plan de Iguala y el Tratado de Córdoba.

De hecho, poco duraría el promisorio Imperio iniciado por Iturbide. Sólo unos 300 días. Es cierto que el novel Emperador se encontraba en pleno vigor físico, pues aún no había cumplido los 40 años, era amado por el pueblo, y tenía todavía el apoyo del Ejército Trigarante. ¿Cuáles fueron entonces las causas de su declinación y ulterior caída? Hubo, ante todo, problemas económicos, pero eso Iturbide lo hubiera podido solucionar sin mayores dificultades. Lo que más le ha de haber afectado fue la oposición que encontró en el Congreso, sobre todo en los diputados de ideas iluministas. Era la otra cara de México. Entre los grupos que erosionaban dicha institución se contaban en primer lugar los diputados borbonistas, sobre todo españoles, quienes no veían con buenos ojos que un político adorado por los mexicanos fuese el jefe de la Nación. El segundo lo constituían los antiguos insurgentes, continuadores del espíritu antihispánico de Hidalgo y de otros semejantes. El tercer sector lo integraban los republicanos, de tendencia democrático-liberal, manejados por las logias de rito escocés que, como asegura Bocanegra, "imponían en sus tenidas lo que había de proponerse al Congreso y lo que debía acordarse por su mayoría". De estos grupos saldría el futuro Partido Liberal Mexicano, con sus proyectos masónicos y anticatólicos.

Refiriéndose al Primer Congreso Constituyente, Iturbide, ya caído, escribiría de él: "Algunos hombres verdaderamente dignos, de acendrado patriotismo, fueron confundidos con una multitud de intrigantes presumidos y de intenciones siniestras". Amparados en el slogan de la "soberanía del pueblo", sigue diciendo, "bastaba que el que había de elegirse fuera mi enemigo, o tan ignorante para que pudiese ser persuadido con facilidad", para que resultase favorecido, aduciéndose que "la soberanía nacional reside en este Congreso Constituyente". Cada discusión en el Congreso llevaba el sello de un ataque contra Iturbide. Como escribe Cuevas, "su primer artículo de fe" era "hacer la guerra de todos modos al héroe de Iguala". Y ello a tal punto, que un diputado se atrevió a proponer la abolición del Plan de Iguala, que acababan de jurar.

Sin embargo, y a pesar de tantas obstrucciones, la gente común mantenía irrestricto su apoyo al Emperador. Más aún, al ir advirtiendo las incesantes trabas que le ponía la oposición, impidiéndole gobernar, comenzaron a pedirle que disolviese aquel Congreso. Tras algunas vacilaciones, Iturbide aceptó la sugerencia. Pero ello provocó la rebelión de un sector del ejército, ya sabemos influido por quiénes, que pidió su restablecimiento, a lo que desgraciadamente el Emperador acabó por acceder.

Mas la oposición del Congreso no fue la única. A ella se agregó la influencia decisiva que Joel R. Poinsset ejerció sobre políticos y militares. ¿Quién era este señor y cómo entró en la política de México? Iturbide había estado pensando en la posibilidad de establecer relaciones diplomáticas con Estados Unidos, en orden a lo cual gestionó los primeros contactos. A los tres meses de haber asumido se le informó que la nación del Norte se disponía a enviar un observador. Tras diversas averiguaciones se enteró de que el candidato elegido era un norteamericano de origen francés, proveniente de una familia protestante puritana. Tratábase de un espía intrigante, de actuación ya conocida en América del sur. En realidad, el Gobierno norteamericano no lo enviaba en misión oficial, sino como agente confidencial, es decir, prácticamente, como espía, para que observara y luego mandara información sobre el nuevo Imperio y especialmente sobre la personalidad del Emperador. Si bien Iturbide se resistía a dejarlo entrar, el general Santa Anna, que estaba en Veracruz, le permitió desembarcar, dándole una cordial bienvenida. Poinsset llegó finalmente a la ciudad de México, donde Iturbide consintió en concederle una audiencia. Páginas atrás hemos señalado cómo este "espía" le habló sobre la conveniencia de implantar en México una Constitución como la de los Estados Unidos, y que el Emperador le había señalado la diferencia que había entre los dos pueblos, por lo que su sugerencia le parecía no sólo inviable sino también inconveniente.

El fin de su viaje tenía por objetivo, en última instancia, conspirar contra el Emperador, con el respaldo de varios de los diputados radicales del Congreso así como de "intelectuales" de la misma laya. Lo que sacó en limpio fueron tres cosas: que Iturbide era muy inteligente, que México era un país esclavizado, y que había que sacar al tirano y usurpador. El informe que, a su retorno, presentó en Washington contribuyó a que Estados Unidos no reconociese al gobierno de Iturbide. Por su parte el presidente Monroe así le escribía a Jefferson en 1822: "Iturbide habrá de abandonar la aspiración al poder hereditario; de no hacerlo así será destronado y desterrado". Desde entonces se levantó la bandera del "Destino Manifiesto" y el famoso lema de "América para los americanos".

Al fin Iturbide resolvió entregar el poder. Como escribe Cuevas: "Mucha gratitud y filial amor debemos los mexicanos al Emperador Iturbide, pero no podemos menos de condenar esta debilidad". La causa que más influyó en su ánimo para decidirlo a la abdicación y ulterior alejamiento de la escena política fue la traición de varios generales, enrolados en la masonería. El principal de ellos fue Santa Anna, que gobernaba en Veracruz; de decidido súbdito del Imperio se había vuelto ferviente partidario del "antiautoritarismo" y de la República, sublevando la tropa. Para recobrar dicho puerto, que estaba en rebelión, Iturbide mandó a uno de sus hombres de más confianza, José Antonio Echávarri, oficial español que encarnaba la idea de la "unión" entre peninsulares y americanos... Iturbide ignoraba que su amigo acababa de ingresar en las logias masónicas, donde se le había ordenado ponerse de acuerdo con los sublevados de Veracruz. Así lo hizo bajo la consigna de acabar con el Imperio y proclamar la República. Iturbide quedó consternado por la defección de Echávarri. Pero no quiso derramar sangre. Y así, en 1823, envió su abdicación al Congreso y anunció su propósito de expatriarse. El Congreso, ya en manos del enemigo, declaró nula su coronación porque, como adujo falazmente, había sido efecto de la violencia. Declaró asimismo caducos el Plan de Iguala y los Tratados de Córdoba, y dispuso el destierro del ex-emperador a Italia. Iturbide salió de la capital el 11 de marzo. Pensaba partir la víspera por la tarde, pero cuando el pueblo advirtió lo que estaba sucediendo, tramado a sus espaldas, se abalanzó al coche que lo llevaba, desunció los caballos, y tirando de él lo condujo de nuevo al palacio. Ello fue inútil ya que la decisión estaba tomada. Y así don Agustín y su familia se dirigieron a Veracruz, donde se embarcaron en una fragata mercante inglesa.

5. El inesperado retorno de Iturbide

Antes de expatriarse, el gran prócer de la nación mexicana había dicho: "El amor a mi Patria me condujo a Iguala; él me llevó al trono; él me hizo descender de tan peligrosa altura y todavía no me arrepiento ni de dejar el cetro, ni de haber obrado como obré". Tras una larga navegación, los pasajeros desembarcaron en Liorna (Livorno). De allí Iturbide intentó dirigirse a Roma, pero no le permitieron establecerse en dicha ciudad por la oposición del embajador de España ante la Santa Sede. Entonces alquiló una casa cercana a Livorno. Allí escribió un *Manifiesto* o *Testamento de Liorna*, bajo el título de *Breve diseño crítico de la emancipación y libertad de México.* Alguien le advirtió que Fernando VII estaba pensando en hacerlo capturar y que no podía sentirse seguro en ningún país dependiente de la Santa Alianza. Resolvió entonces embarcarse para Londres, dado que Inglaterra no integraba dicha Alianza. Una fuerte tormenta lo obligó a retornar, por lo que hubo de viajar por tierra, debiendo atravesar los Alpes en pleno invierno.

La nostalgia de la Patria amada lo acuciaba sin tregua. Hasta que por fin decidió regresar. Según el padre Macías, aparte de aquella nostalgia, varias parecen haber sido las causas de su retorno. Durante su estadía en Italia, y especialmente en Inglaterra, donde permaneció más tiempo, había recibido numerosas cartas de partidarios y amigos que le pintaban la situación caótica en que se encontraba México, sobre todo por el desmembramiento de algunas provincias y regiones que se habían incorporado al Imperio. Instantemente le pedían que retornara para salvar a la Patria que se disgregaba. Pero la razón más apremiante parece haber sido otra: se enteró de que España, respaldada por las naciones que integraban la Santa Alianza, proyectaba la reconquista de México. Sus temores se acrecentaron al recibir una carta de Torrente, amigo suyo, en que le informaba de una larga entrevista que había mantenido con el embajador español en París, quien le hacía a Iturbide la invitación formal de ponerse al frente de la expedición. Indignado nuestro héroe, ni siquiera le contestó al diplomático. Pero quedó confirmado en el propósito que tenía España de emprender la reconquista de México. Fue entonces cuando tomó la resolución de regresar a su Patria, como simple soldado, pero para defenderla, poniéndose a disposición del Gobierno. Escribió entonces al Congreso: "A los representantes de esa gran nación pertenece calcular y decidir si mis servicios como un simple militar, por el prestigio que acaso subsistirá en mi favor, puede ser de utilidad para reunir los votos de los pueblos y contribuir con ello y con mi espada, a asegurar la independencia y libertad de ese país. A mí me toca sólo manifestar la disposición en que me hallo para servir".

Sin esperar la respuesta, ya que ingenuamente confiaba que su proposición iba a ser aceptada, y apremiado por las cartas que recibía de la Patria, resolvió disponerse al retorno. El 11 de mayo de 1824, un año después de haber dejado México, zarpó otra vez en un velero inglés. Durante el viaje se mostró alegre y optimista, pues ignoraba algo que acababa de ocurrir en México. Cuatro días antes de que se embarcara, el Congreso, por medio de un público decreto, lo había condenado a muerte. En dicho documento se decía: "Se declara traidor y fuera de la ley a don Agustín de Iturbide, siempre que bajo cualquier título se presente en cualquier punto de nuestro territorio. En este caso queda, por el mismo hecho, enemigo público del Estado y cualquiera puede darle muerte".

Macías nos refiere los detalles de su trágico retorno. No bien desembarcó en su amada tierra, alguien lo reconoció. Un pelotón de soldados lo detuvo y lo llevó ante el general De la Garza. Iturbide no ocultó la verdad: dijo que venía a ofrecer sus servicios a la Patria, y que sólo lo acompañaban dos hijos pequeños y su esposa grávida. De la Garza se sintió obligado a comunicarle el terrible decreto que pesaba sobre él. Al día siguiente le notificó que se preparase a morir dentro de tres horas. Iturbide no se inmutó. Sólo pidió que se le permitiera confesarse con su capellán, que había quedado a bordo. De la Garza estaba conmovido a la vez que consternado, no sabiendo qué hacer, al recordar tantos beneficios que la nación había recibido del hombre al que debía fusilar. Suspendió entonces la ejecución y decidió marchar a Padilla, juntamente con Iturbide, donde se encontraba el Congreso del estado de Tamaupilas, para poner en sus manos la causa del ilustre prisionero. En Iturbide renació la esperanza. Trataría de entrar en contacto con los miembros del Congreso y convencerlos. Todo fue inútil. Debía morir ese mismo día. Fue entonces encerrado como prisionero en la cárcel del lugar y se le comunicó que dentro de tres horas sería pasado por las armas. Iturbide preguntó por qué crimen se lo condenaba... ¿por sus servicios a la Patria? Pidió, al menos, un día de prórroga, pues quería oír Misa y comulgar. No, sería fusilado a las seis de la tarde, le respondieron. Algo logró escribir: "Veía ejecutar esta pena sin oírme, y lo que más es, sin darme el tiempo necesario para disponerme como cristiano. Veía seis hijos tiernos en un país extranjero y en el que no es dominante la religión santa que profesamos [se refería a Inglaterra, donde habían quedado]; otros dos, de cuatro y diecisiete meses, a bordo del bergantín, con su infeliz madre, que lleva en el vientre a otro inocente [...]".

Los últimos minutos los dedicó a escribir una conmovedora carta a su esposa: "Ana, santa mujer de mi alma: la legislatura va a cometer en mi persona el crimen más injustificado [...] Dentro de pocos momentos habré dejado de existir, y quiero dejarte en estos renglones para ti y para mis hijos todos mis pensamientos, todos mis afectos. Cuando des a mis hijos el último adiós de su padre, les dirás que muero buscando el bien de mi adorada patria [...]". Luego le daba algunos consejos sobre la futura educación de sus hijos y le rogaba que se estableciera donde sus hijos pudieran ser educados en la misma religión de su padre, es decir, en la católica. ¡Hasta el último, católico cabal!

Llegada la hora, él mismo se lo comunicó al oficial de guardia. Al llegar a las cercanías del sitio de la ejecución dijo: "A ver, muchachos, echaré al mundo el último vistazo". Tras recorrer con los ojos la plaza, miró al cielo. Como comenta Macías: "De la patria donde viven los compatriotas que lo han condenado el cielo donde está la verdadera justicia y la recompensa eterna". Inquirió enseguida sobre el lugar exacto donde iba a morir. Distaba unos ochenta pasos que recorrió erguido, marcial y sereno a la vez. Después, ante el pelotón de soldados que iba a fusilarlo y ante el pueblo expectante que había concurrido a contemplar aquel fusilamiento para todos incomprensible, pronunció las siguientes palabras que pueden ser consideradas su testamento:

> Mexicanos: en el acto mismo de mi muerte os recomiendo el amor a la Patria y la observancia de nuestra Santa Religión: ella es la que os ha de conducir a la gloria. Muero por haber venido a ayudaros y muero gustoso porque muero entre vosotros; muero con honor, no como traidor; no quedará a mis hijos y a su posteridad esta mancha; no soy traidor, no. Guardad subordinación y prestad obediencia a vuestros jefes, que haciendo lo que ellos os mandan, es cumplir con Dios. No digo esto lleno de vanidad, porque estoy muy distante de tenerla.

Luego, recordando que en sus bolsillos tenía tres onzas de oro en pequeñas monedas, las repartió entre los soldados que iban a matarlo. Se puso luego de rodillas y rezó fervorosamente el Credo. Después volvió a arrepentirse de sus pecados diciendo el acto de contrición, y finalmente besó por última vez el crucifijo que le presentó el sacerdote que lo asistía. El oficial hizo la señal y sonó la descarga fatal. "El parricidio estaba consumado", comenta Macías. Un escritor mexicano ha dicho que fue "la mancha mayor de nuestra historia". No deja de ser sintomático que tras ese "asesinato" volviera Poinsset a México en 1825, esta vez como embajador. Durante su misión diplomática se metió de lleno en la política mexicana y en sus revueltas. Las constantes protestas del pueblo de México, pidiendo su retiro, hizo que se lo despidiera en 1829.

Tras la muerte de Iturbide se hizo todo lo posible para borrar su memoria. Gracias a Dios no lo lograron del todo. En el siglo XIX hubo tres fechas en las que su imagen y su gloria resplandecieron, aunque fugazmente. La primera fue en 1835, cuando se puso su nombre en la Cámara de Sesiones del Congreso. La segunda en 1838, durante el primer período presidencial de Anastasio Bustamante, en que se decretó que los restos mortales del Libertador, que yacían olvidados en la vieja iglesia de Padilla, fueran trasladados, pública y solemnemente, a la capital, y sepultados con todos los honores en la Catedral. Poco antes, ambas Cámaras, diputados y senadores, coincidieron en conferirle el título de "Consumador Glorioso de la Independencia de México", determinando enseguida que sus restos fuesen colocados en la Catedral de la capital. De Padilla el cortejo fúnebre se dirigió primero a Ciudad Victoria, capital de la Provincia, en cuya iglesia se le rindieron homenajes. Luego, durante el largo trayecto de Ciudad Victoria hasta la ciudad de México, no hubo lugar de alguna importancia donde el séquito no se detuviera, a pedido del gentío que, de todos lados, incluidos los ranchos, acudió a la cita.

Tras casi un mes de triunfal recorrido, arribó la comitiva a Villa de Guadalupe, donde se cantó un solemne responso. Luego el cortejo retomó su marcha hacia la capital. Al llegar a sus proximidades, las campanas de la Catedral y de todas las iglesias comenzaron a repicar. Casi no hubo casa que no pusiese algún crespón negro, junto con grandes retratos del héroe. A los lados del féretro marchaban gallardamente los cadetes del Colegio Militar. Luego seguía el claustro de la Universidad. Detrás, la infantería y la caballería. El túmulo que se puso en la Catedral fue el mismo que en un tiempo había servido para los funerales de los Reyes de España. Destaca el padre Macías un detalle sugerente. Los venerados restos fueron colocados en la capilla donde descansan los restos de San Felipe de Jesús, el protomártir mexicano que en Japón dio su sangre por amor a Cristo. Agustín de Iturbide fue, también él, mártir de la más grande injusticia, muriendo por la Patria. Los dos están junto a Dios orando por México. Sobre el túmulo del gran prócer se lee la siguiente inscripción: "Agustín de Iturbide. Autor de la Independencia Americana. Compatriota, llóralo; pasajero, admíralo. Este monumento guarda las cenizas de un héroe. Su alma descansa en el seno de Dios".

El tercero y último homenaje oficial fue el que le tributó en 1853 Antonio López de Santa Anna, en su última actuación como Presidente del país, al disponer que se le diera a Iturbide el título de "Libertador", y se expusiera su retrato en todas las oficinas del Gobierno, en las salas capitulares y en los establecimientos nacionales.

Sin embargo, al paso de los años, se buscó ir borrando su memoria. Celerino Salmerón señala con dolor cómo en las escuelas de todos los tipos, lo mismo oficiales que particulares, se ataca innoblemente a Iturbide, sin siquiera conocerlo. En la prensa, en la radio y en la televisión casi siempre se lo critica. El monumento que se le erigió en Padilla, en el lugar de su muerte, ha sido constantemente profanado por sus enemigos de siempre, que hoy perduran, los liberales, los masones, los marxistas; hasta las lápidas conmemorativas han sido retiradas y destruidas. Muy recientemente, con motivo de la construcción de una represa, Padilla ha desaparecido del mapa, juntamente con el lugar de la muerte de Iturbide. En 1921 su nombre fue arrancado y proscrito de la Cámara de Diputados. Luego se dispuso la mutilación del himno nacional, suprimiéndose las estrofas donde se exaltaba la figura de Iturbide. Una verdadera *deletio memoriae*...

El historiador Bulnes, gran defensor de nuestro héroe, expone las razones de dicho olvido o repudio: "¿Cómo se explica el atentado contra la memoria de Iturbide, denigrándolo y dirigiendo sobre ella la odiosidad del pueblo? La respuesta es tan bochornosa como fácil, dado el analfabetismo de nuestras masas y su organización tan científica para el servilismo demagógico. El jacobinismo dispone temporalmente de todos los lugares de la historia patria, sin que en frente puedan ponérsele los pocos escritores elevados que en México se ocupan de asuntos históricos. Entre nosotros, y desgraciadamente, la historia es una especie de club faccioso, en cuya tribuna dominan los que hacen de la literatura un puñal, de la verdad un delito, de la lógica una ofensa a la nación y de la justicia un vaso de embriaguez, pérfida y degradante". Celerino Salmerón, por su parte, escribe: "En virtud de esa misma historia partidista, el grueso de los mexicanos, en las garras de la enseñanza oficial, por donde corre a ríos la mentira histórica, se ha convertido en esclavo de la mentira y en esclavo de todos los malvados". Algo de eso conocemos en nuestra patria.

II. Benito Juárez (1806-1872)

Para graficar las dos grandes tendencias que se enfrentaron en el México independiente, debemos referirnos a otra figura, en las antípodas de la anterior, Benito Juárez, quien entendió la emancipación de España como una ruptura con la tradición ibérica y el ideal de Cristiandad. Es cierto que ya los padres Hidalgo y Morelos habían propiciado la separación de España con otro espíritu que el gran Iturbide. Excedería nuestro propósito referirnos detenidamente a las tremendas guerras civiles que ensangrentaron a México tras la desaparición del caudillo católico, que incluyeron diversas intervenciones de Estados Unidos, merced a las cuales lograron anexar a Texas y a otras regiones de la nación. Los presidentes se sucedían en el poder. Fue cuando uno de ellos, Juan Álvarez, entró en la capital, en noviembre de 1855, y comenzó a organizar su gobierno, que alcanzó singular figuración Benito Juárez, a quien aquel presidente nombró ministro de Justicia y Relaciones Eclesiásticas.

¿Quién era Benito Juárez? Nació en 1806, en un pueblito llamado Guelatao, en el estado de Oaxaca. Era Benito de raza india. Su madre murió en el parto de su hijo, y su padre falleció cuando él tenía tres años, quedando a cargo de un tío que lo trató de manera brutal, encargándole de pastorear su ganado. Era Benito un niño dotado de una rara energía y de inteligencia poco común. A los 12 años se escapó a Oaxaca, encontrando allí protección en la casa de un encuadernador, que lo tomó de empleado, al tiempo que lo hizo estudiar. Luego, teniendo su protegido 15 años, logró que entrase en el seminario diocesano. Allí permaneció siete años, quizás llegando a recibir las Órdenes Menores. Luego él se referiría al "fastidio que le causaba el estudio de la teología por lo incomprensible de sus principios". Salió entonces del seminario y comenzó a estudiar derecho, inscribiéndose en el Instituto Civil de Ciencias y Artes del Estado, un establecimiento laico, revolucionario, el primero de una serie que en pocos años se irían fundando en diversas ciudades de México según el plan de la masonería. De la mujer con quien Benito se casó tendría siete hijos.

En 1834 obtuvo el grado de doctor en leyes, y desde entonces se dedicó al ejercicio de dicha profesión, al tiempo que se iniciaba en la política. Ya por aquel entonces había perdido la fe, comenzando a asistir a las tenidas de las logias. Nombrado gobernador del estado de Oaxaca, en 1856 fue elegido representante de dicho estado en el Congreso de México. Al año siguiente ocupó la presidencia del Tribunal Supremo de Justicia.

Su mentor ideológico fue Melchor Ocampo. Para captar algo del ideologismo de dicho personaje baste con ver cómo entendía las Tres Garantías de Iturbide: "*Independencia*, que en la realidad de las circunstancias no era sino para que los españoles no recibiesen ya de España ni corrección, ni dirección, ni superiores. *Religión*, para que el clero se hiciese dueño y señor de sí mismo, entregándose impunemente a toda especie de abusos, hasta llegar al caso increíble de que uno de los príncipes se atreviese a decir oficialmente y dirigiéndose al gobierno supremo de la República, que el clero era independiente del poder civil y que con el clero tenía que tratarse de potencia a potencia [...] *Unión*, para que la abyecta humildad de los antes conquistados perdonara el vilipendio y opresión de tres siglos, y no extrañase ni procurara reprimir la elación, el orgullo de los que aún se juzgaban conquistadores y de los que aún hoy mismo se creen si no triunfantes, sí muy superiores a los hijos del país". Tras dicha tergiversación volteriana concluye proponiendo lo suyo: "Nuestro dogma político es la soberanía del pueblo, la voluntad de la mayoría". Para concluir: "Hoy no hay Cristo: bastan las doctrinas que él sembró: a nadie pueden atribuirse los nuevos adelantos del espíritu humano. Crecen éstos y se desarrollan a sí mismos, porque son la obra de muchos: son la obra de la democracia".

En enero de 1858, el general Ignacio Comonfort, quien encabezaba un nefasto gobierno, sintiéndose abandonado por todos, se fue de la capital, sin haber renunciado. Una junta que reunía representantes de 27 Departamentos eligió Presidente interino al general Félix Zuloaga, hombre tradicional y católico. Zuloaga siguió una buena política interior. Entre otras justas medidas, canceló la Constitución liberal, de que en seguida hablaremos, al tiempo que reanudó la costumbre de que las autoridades se hicieran presentes en las manifestaciones religiosas, como desde hacía tres siglos se acostumbraba. Buena señal de que iba bien encaminado, es la desconfianza que Estados Unidos sentía por él. No en vano el ministro Forsyth le escribía, en carta reservada, a uno de sus colaboradores, Lewis Cass: "El gobierno de Zuloaga acaba de echar abajo las esperanzas que yo me había aventurado a concebir acerca de aquello [la secesión de los Estados del norte de México]... Los liberales, desde que están fuera del Gobierno, tratan de apoyarse solamente en un protectorado americano y alimentan esperanzas de ponerlo en práctica cuando vuelvan al poder [...] Cuando he escrito al Departamento de Estado de Washington acerca de los hombres públicos de

México, más de una vez he expresado mi opinión de que Miguel Lerdo de Tejada [hombre muy cercano a Juárez] es el mejor y el más listo de todos los que yo he tratado. Él abandonó el gabinete de Comonfort, disgustado; este Presidente empezó a detenerse en el camino político que lo había conducido al poder y empezó a cortejar al clero. Este caballero [Lerdo] ha perdido ya toda su esperanza de su país y está completamente convertido a la doctrina de que un americano y protestante será el único remedio de México. Él desea que el ejército mexicano se disuelva porque no es más que un invernadero de corrupción y de revolución, y que ese ejército sea sustituido por tropas americanas para que pongan orden y limpien los caminos de bandidos", llegando finalmente a propiciar: "Si es posible, yo extirparía la lengua española". Por lo visto, desde mediados de 1858 los Estados Unidos empezaron a respaldar claramente el movimiento anticatólico. Mientras tanto, Juárez había ya arreglado con las logias de Nueva Orleans su plan de campaña, que se reducía a entregarse al comando de los Estados Unidos contra la voluntad de la mayoría de los mexicanos.

Cuando a fines de 1858 Zuloaga se retiró, el general Miguel Miramón, a comienzos de 1859, lo sucedió en el gobierno. El padre Cuevas exalta la figura de este gran general, a cuyo solo nombre los liberales huían. Junto a él, el historiador mexicano evoca a otro hombre de hierro, el general Tomás

Mejía. Aparte de sus méritos castrenses, Miramón rebosaba de simpatía. Zuloaga, en uso de sus facultades, tras declararlo Presidente Sustituto de la República, se había retirado a la vida privada. Juárez se negó a acatar al nuevo Presidente, instalándose en Veracruz, donde organizó un gobierno de resistencia, lo que ocasionó el estallido de una guerra civil entre los conservadores, como se llamaba a los católicos que se negaban a romper con la tradición recibida, y los liberales, que miraban con admiración a Estados Unidos, guerra que duraría hasta 1862. Más que de guerra civil, se trató de una lucha desigual entre el espíritu de la "Ilustración" y el espíritu de Cristiandad, heredado de la vieja España. Miramón caería derrotado en 1861, haciendo Juárez su entrada en la capital de México. Ese mismo año fue "reelegido" Presidente.

1. La Constitución

Antes de que Juárez accediera al poder, cuando todavía ocupaba la presidencia el general Comonfort (1855-1857), se había llevado adelante la reforma liberal, que puede ser considerada como un anticipo de la futura Constitución. Por la llamada Ley de Desamortización, promulgada en 1856, se había prohibido a las corporaciones eclesiásticas y civiles poseer bienes raíces, los cuales debían ser adjudicados a los inquilinos y arrendatarios o venderse en pública subasta. A primera vista la finalidad de dicha ley parecía ser de índole económica, pero en realidad su objetivo principal era político, e incluso religioso, ya que en buena parte lo que buscaba era empobrecer al clero y humillarlo por odio a la religión.

Esta legislación fue la preparación inmediata para el gran emprendimiento liberal que al año siguiente –1857– emprendiera el llamado Congreso Constituyente, la Constitución. Dicho documento sería, por cierto, jacobino. Es verdad que en él se hace mención de "la Providencia divina", del "Supremo Legislador", pero al expresarse así se estaba tomando el nombre de Dios en vano. Como observa Meyer, los constituyentes conservaban de sus orígenes católicos una suerte "de religiosidad apasionada, la cual, secularizándose, hizo de la doctrina política una verdadera fe". Aquella Asamblea "parecía un concilio de padres, y el presidente un pontífice que hacía declaraciones dogmáticas. La Constitución era vista como un documento sagrado, infalible, con una fraseología de indudable cuño religioso. Primero se quiso romper con la madre España, ahora se rompen puentes con la madre Iglesia. El choque entre la herencia católica y la mentalidad de un grupo «progresista», brotada del encuentro del espíritu norteamericano, protestante y pragmático, y de las llamadas Luces de la Revolución francesa, es de donde salió esta Constitución".

Juárez no intervino, hay que decirlo, en la elaboración de dicho documento, pero no por ello dejó de estar al tanto de lo que se estaba elaborando, y en todo se mostró de absoluto acuerdo. Allí se obviaba la enseñanza religiosa, implementándose la enseñanza "libre", al tiempo que se suprimían los votos religiosos. "La ley –rezaba el artículo 5– no puede autorizar ningún contrato que tenga por objeto la pérdida o el irrevocable sacrificio de la libertad del hombre, ya sea por causa de trabajo, de educación o de voto religioso". Se abría la puerta a la libertad de prensa sin restricciones, y se autorizaba la intervención del Poder Federal en los actos de culto.

"Esta Constitución –afirma José Bravo Ugarte en su *Compendio de Historia de México*–, como Ley Fundamental del pueblo mexicano tenía que ser, según los principios liberales de sus autores, la expresión de la voluntad general y el principal ejercicio de la soberanía del pueblo; pero como ni expresaba la voluntad general, que era católica, ni era el ejercicio de la soberanía del pueblo sino la imposición de una minoría exaltada que excluye del Constituyente a los otros partidos, no fue Constitución en el sentido dicho mientras no fue aceptada por la mayoría". De hecho "la voluntad general" se mostró contraria a ella. Con todo, el Gobierno obligó a jurar el novel documento, que pasó a ser algo así como una enseña de guerra, según afirma Parra, queriéndose obligar a los católicos a "invocar el nombre de Dios para destruir la obra de Dios, valiéndose de la religión para destruir la religión".

Los obispos señalaron que no se podía votar una Constitución que avasallaba a la Iglesia y que admitía nuevos cultos. Comonfort, por su parte, no vaciló en suprimir la Pontificia y Nacional Universidad de México. Había que castigar a una Universidad que desde su fundación, tres siglos atrás, había proclamado constantemente la Inmaculada Concepción de María. No fueron pocos los que se negaron a jurar la Constitución, prefiriendo renunciar a sus empleos. Otros se sublevaron de manera más drástica, estallando por doquier numerosas insurrecciones. En un Consistorio secreto de 1856, Pío IX condenó expresamente la nueva Constitución, cuyo contenido ya se conocía poco antes de ser promulgada. A su juicio, los autores de dicho documento eran "perversos, injustos y sacrílegos".

2. Las Leyes de Reforma

Ya lo tenemos a Juárez encabezando el gobierno, e imponiendo por doquier la Constitución. Pero no se quedó en eso sino que quiso radicalizar la confrontación, ya no militar sino ideológica, promulgando las llamadas "Leyes de Reforma". A juicio de Jean Meyer la palabra "reforma" debe ser entendida en el sentido luterano del siglo XVI, en un ambiente de combate contra la Iglesia Católica. Respondía a la antigua idea de los llamados "filósofos" de que el protestantismo era superior al catolicismo, por representar la libertad, el progreso y la tolerancia. El vencedor norteamericano era protestante y el vencido mexicano era católico. Los liberales se habían propuesto "reformar" el país.

Las leyes que acababan de promulgarse eran 25. En una de ellas se decía que la Nación entraba en posesión de todos los bienes que el clero secular y regular había estado administrando por diversos títulos, fueran cuales fuesen. Por otro artículo quedaban suprimidas todas las órdenes religiosas de varones que había en el país, debiéndose secularizar los sacerdotes que se contaban en ellas; igualmente las archicofradías, congregaciones y hermandades anexas a las comunidades religiosas, catedrales y parroquias. Con ese dinero se habían sostenido hasta entonces hospitales, colegios y obras pías. Se creó, asimismo, el registro civil; el matrimonio era considerado mero contrato, con lo que se buscaba dar por concluido el matrimonio cristiano. Se prohibía también la erección de nuevos conventos, el uso de la sotana, el ingreso en los noviciados de monjas. Se secularizaron los cementerios, se suprimieron varios días festivos, se prohibió la asistencia de funcionarios del Gobierno a funciones religiosas, y finalmente se instauró la libertad de cultos y la consiguiente renuncia a la catolicidad del Estado. Los libros, antigüedades y demás objetos pertenecientes a las comunidades religiosas suprimidas se habían de entregar a los museos, bibliotecas y otros establecimientos públicos.

El arzobispo de México, monseñor Lázaro de la Garza y Ballesteros, rechazó altivamente las leyes. "Quienes las han hecho son los que con violencia han intentado que el clero obrase contra el juicio de sus prelados. Ni éstos ni el clero han hecho otra cosa que repetir lo que los apóstoles contestaron a quienes intentaban que obrasen contra lo que debían, «no podemos», y para decir y sostener estas dos palabras no se necesita hacer guerra a nadie, sino únicamente no faltar a Dios y no engañar a los fieles haciendo lo que no se debía hacer".

Según Salvador Abascal, la Reforma arruinó a los católicos que eran ricos por herencia o por su trabajo, y que sostenían, organizados en asociaciones, las obras de servicio social, mientras que enriqueció a una turba de advenedizos extranjeros y masones mexicanos, que pasaron a constituir la nueva clase privilegiada de burgueses revolucionarios, con la consiguiente aparición de un proletariado miserable, esclavizado. Bien hizo en afirmar el liberal Francisco Bulnes que la Reforma tuvo por partidarios "a casi todo el bandidaje acumulado en 40 años de guerra civil". El mismo autor, que además de ser liberal era reformista, no vacilaba en reconocer: "Las Leyes de Reforma fueron acogidas por la mayoría del pueblo con ira, con horror, con asco, con desesperación, y sólo las armas pudieron imponerlas; sólo las armas las han sostenido eficazmente, y sólo al amparo de las armas van adquiriendo favor poco a poco en la conciencia nacional. Jamás el pueblo mexicano ha sentido necesidad de las leyes de Reforma. Ésa mayoría fue bárbaramente católica".

No les bastó la Constitución, prosigue Abascal, para consumar los planes de la masonería. Había que agregarle la Reforma, para radicalizarla aún más. La Constitución de 1857 contenía implícitamente la Reforma, pero había que hacerla más explícita, había que desarrollar el germen que era aquélla, afirmándose siempre que así lo pedía el pueblo. Se decía, eso sí, que la Reforma no era contraria a la religión, que no alteraba sus dogmas, que no combatía ninguna creencia. Pero ellos bien sabían lo que estaban haciendo.

Melchor Ocampo, jefe del gabinete de Juárez y mentor suyo, que fue el principal autor de la Reforma, dijo que "estas leyes significaban la ruptura del último vínculo entre el México viejo y el México nuevo, entre la tradición y la idea moderna, entre lo podrido e inútil y lo pujante y lozano". Asimismo declaró, en prueba de la absoluta separación de la Iglesia y del Estado, que ya no era más patrona de México la Virgen de Guadalupe, cuya aparición se atrevió a negar "en uso de sus facultades".

Varios obispos fustigaron la Reforma. Uno de ellos así se expresaba: "Luchan por emancipar, como dicen, la política de la religión, por establecer la perfecta independencia entre la Iglesia y el Estado; y sin embargo invaden a mano armada por dondequiera el ministerio católico, impelen hacia el altar a clérigos apóstatas, para que profanen escandalosamente los augustos y tremendos misterios de la religión [...]". Uno de los sostenedores de la Reforma, Porfirio Parra, decía: "Salió ganando aun la moral misma, asentada en bases más firmes y de mayor solidez. La moral pública dimanada de la Reforma es también laica, descansa sobre fundamentos accesibles a la inteligencia y no sobre dogmas de fe; podrá un individuo, siguiendo corrientes del espíritu, abandonar la fe que le enseñaron sus padres, abandonar aun todo símbolo religioso, y sin embargo la moral laica, la basada en la ciencia positiva, continuará orientando su conducta". Refiriéndose a la separación de la Iglesia y el Estado, denunciaban los obispos: "La pretendida independencia entre la Iglesia y el Estado y la pomposa promesa de protección a todos los cultos son cosas para los cultos falsos y meras palabras antifrásticas para el culto verdadero; todo para el error, nada para la verdad; todo para la herejía, nada para el dogma [...] Desengañémonos: esos hombres no tratan más que de arrojar de nuestra patria la Iglesia Católica, apostólica, romana". Concluían los obispos su alegato declarando que Juárez y sus colaboradores quedaban excomulgados.

De manera taxativa afirma José Vasconcelos que "Juárez y su Reforma están condenados por nuestra historia", y que el presunto prócer ha pasado "a la categoría de los agentes del Imperialismo anglosajón". No exageraba el gran pensador mexicano, como lo probaron los hechos ulteriores. En 1859, el enviado MacLane recibió instrucciones en que se le decía que "la simpatía de los Estados Unidos estaba toda de parte del grupo de Juárez". Ni deja de resultar sintomático que en ese mismo año el gobierno de Juárez firmase un Tratado de Alianza ofensivo y defensivo entre México y los Estados Unidos, "para facilitar la radicación y desarrollo de los principios democráticos", se dijo, con la obligación mutua de acudir al instante con su bandera y sus ejércitos en ayuda de la otra nación, y así mantener el orden y la seguridad en ambos países. Con lo que concedía México, en su propio territorio, a los Estados Unidos la facultad suprema de policía. El Secretario de Estado norteamericano, restregándose las manos, afirmó que su gobierno aceptaría "la libertad de intervenir"..., para agregar, en el colmo del caradurismo, "mas no la obligación".

El pueblo se burlaba con esta ocurrencia:

> Juárez, capitanillo,
> de inicua fama,
> hizo audaz con el yanqui
> pacto de alianza [...]
>
> ¡Cuánto me alegro!
> Indio que mira al Norte
> y se vuelve negro.

Aun desde los Estados Unidos se atacó a Juárez por su extremo servilismo. En un boletín de la diócesis de Nueva Orleans leemos: "Puede ser que México esté destinado a perder su nacionalidad, pero hubiéramos querido que la perdiese noblemente, por lo menos. A Juárez le quedó envilecer a la nación, para perderla más fácilmente, y para ahogar el espíritu de independencia en el cieno más asqueroso". *The Atlantic,* de Boston, así lo comentó: "Con la esperanza quizá de asegurarse para sí un gobierno más firme y duradero, Juárez vino a representar un papel no común en su país, el de destruir su independencia".

No podemos detenernos en detallar las canalladas que acompañaron a la implementación de las Leyes de Reforma, más allá de los sacrilegios y saqueos de conventos. Pongamos sólo un ejemplo. En cierta ocasión se simuló una corrida de toros para tomar el pelo a los católicos. A los sucesivos toros que iban saliendo al ruedo se les ponía nombres de papas. Los toreros se disfrazaron de obispos, con tiaras, mitras y solideos. Los picadores eran Miramón, Mejía, Márquez... La chusma, beoda, gritaba: "Pica a Pío IX, general Miramón. Ahora tú, general Márquez, pica a Benedicto". También allí se veían custodias, cálices y copones. Una bacanal sacrílega.

La guerra que siguió a la Reforma fue terrible. Los católicos se insurreccionaron en varios lugares del país, preludiando el futuro levantamiento de los cristeros. Hubo, por cierto, encarnizamiento por ambas partes. Pero mientras los jefes conservadores no fusilaban sin causa, los liberales recurrían a la crueldad casi por método. De dos de ellos, Carvajal y Rojas, se dice que acostumbraban primero atormentar a sus prisioneros de las más imaginarias maneras. A un coronel católico llamado Daza, por ejemplo, después de hacerle sufrir los más odiosos ultrajes, Carvajal hizo que le sacaran los ojos para rellenar con pólvora las concavidades y luego prenderle fuego.

Ni bien tomó el poder Juárez puso en vigor sus planes persecutorios, al tiempo que hizo aplicar a rajatabla las Leyes de Reforma. Dispuso ante todo que con el dinero de los párrocos se pagasen los gastos que le ocasionó la guerra civil. Luego expulsó al Ministro de España. Poco más adelante ordenó que el Delegado Apostólico y los obispos más valientes se fueran de México, persiguiéndoselos a pedradas, como a bestias feroces. Esbirros suyos entraron en la Catedral y robaron sus tesoros, ostensorios, cálices, copones, un tesoro magnífico, comparable al de cualquier catedral europea. Por esos días se hizo presente en la Casa de Gobierno el nuevo embajador de Estados Unidos, Thomas Corwin, para presentar sus credenciales: "El pueblo de los Estados Unidos –le dijo a Juárez– no puede menos que simpatizar con el de México por la tenaz y prolongada lucha que ha sostenido para establecer la libertad civil y religiosa con leyes e instituciones adecuadas y que emanan de la voluntad pública predominante".

Sabemos que ya desde su estadía en Veracruz había ido pergeñando su política futura, para cuando venciera: persecución a la Iglesia y sumisión al ideario liberal y a la política de los Estados Unidos. Un informe confidencial de un político yanqui nos informa de tales planes: "El programa del Gobierno constitucional, bajo Juárez, se ha sometido a mi consideración en la forma más confidencial [...] Es eminentemente liberal de principio a fin". Según Abascal, a Juárez lo movían dos tremendas pasiones: el odio a la Iglesia y la ambición de poder. No hay, pues, de qué extrañarse cuando se lee lo que agregaba aquel diplomático: "Sin duda alguna, las simpatías de Estados Unidos están fuertemente inclinadas en favor del partido de Juárez, ahora establecido en Veracruz, y este Gobierno vería su triunfo con satisfacción. Esto se debe no sólo al hecho de que sea considerado como Gobierno Constitucional, sino también porque su ideología parece más liberal que la del partido rival y porque, sobre todo, parece manifestar sentimientos amistosos hacia los Estados Unidos". Cuando McLane llegó a Veracruz y presentó sus credenciales, Juárez le había dicho: "Me esforzaré en merecer la confianza que V.E. manifiesta de que mi administración consolidará entre nosotros los grandes principios de la libertad constitucional [...] Puedo asegurar a V.E. que México ya ha entrado en esa buena vía [...] Procuraré, asimismo, corresponder a la benévola simpatía con que el pueblo de los Estados Unidos se ha dignado distinguirme y a la muestra de amistad y de justificación que su sensato e ilustre presidente da el día de hoy a México".

Mientras se encontraba todavía en Veracruz, esa política pro-yanqui tenía un solo peligro: que el general Miramón lograra apoderarse de esa ciudad donde Juárez había establecido su gobierno paralelo. ¿Qué ocurrirá si lo consigue?, se preguntaban en los Estados Unidos. El "New York Herald" aseguraba que si Miramón llegaba a apoderarse de aquel puerto, a Juárez se lo esperaba en Nueva York para poner a su disposición buenos generales y 50.000 hombres, que en tres meses lo repondrían en México.

3. Juárez y Maximiliano

Hemos señalado que luego de la cruel lucha entre conservadores y liberales, y tras la victoria de estos últimos sobre el general Miramón, Juárez había logrado entrar en la capital, extremando sus medidas contra la Iglesia. Entonces el arzobispo Labastiga, el general Miramón y otros conservadores se dirigieron a París, desde donde comenzaron a actuar sobre el nuevo gobierno, especialmente a raíz de su dependencia ruinosa respecto de los Estados Unidos. A dicho intento ayudó un acto muy impolítico del nuevo Congreso juarista, según el cual se suspendía por dos años todo pago de la deuda extranjera. Inglaterra, a la que se le debían 70 millones; Francia, que reclamaba 27, y España, que exigía 10, se concertaron en Londres para intervenir en México. La idea era apoderarse de las aduanas y cobrarse. Algunos de los conservadores mexicanos desterrados, proyectaban, por su parte, la instauración de una monarquía, quizás un poco en continuidad con la de Iturbide.

Napoleón III, sobrino de Napoleón I, antes Presidente de Francia, y ahora Emperador, que además de buscar una solución adecuada para el cobro de aquella deuda monetaria tenía la secreta intención de congraciarse con Austria, favoreció esos planes y tomó la iniciativa de una acción en común: España, Francia e Inglaterra se comprometían a intervenir conjuntamente, para obtener satisfacción a las reclamaciones justas de sus súbditos, obtener protección para las vidas y propiedades de los extranjeros residentes en México, y poner al pueblo mexicano en condiciones de elegirse un gobierno que asegurase la tranquilidad interior. Las escuadras de las tres potencias llegaron así al puerto de Veracruz en septiembre de 1861, y al mes siguiente se celebró una conferencia entre los comisionados de las tres naciones y un representante de México. Luego, los soldados ingleses y los españoles se volvieron, restando los franceses, en espera de refuerzos que pronto llegaron de Francia.

Tras diversas batallas, en junio de 1863 las tropas francesas, juntamente con numerosos mexicanos a ellos aliados, que soñaban con probar por segunda vez la solución imperial, ensayada por Iturbide, entraron en la ciudad de México. Dos meses después, una junta de mexicanos convocada por el comandante francés y compuesta por 200 conservadores declaró: "La nación acepta una monarquía hereditaria, representada por un príncipe católico, que llevará el título de emperador, y ofrece la corona al duque Fernando Maximiliano de Austria", que era el candidato que había propuesto Napoleón III. Porque también las tres potencias tenían ese proyecto: ayudar a México a salir de la anarquía, mediante la instauración de un gobierno fuerte por ellas protegido. Francia y España habían pensado de manera general en una monarquía, y sólo Francia en una candidatura concreta. Al que se le ocurrió esta última idea fue a un diplomático mexicano llamado José Manuel Hidalgo, un hombre con mucha influencia en la corte de Napoleón III mediante la emperatriz Eugenia, la cual propuso como posible rey o emperador de México al archiduque Maximiliano de Habsburgo, idea no compartida por sus aliados, pero que al final fue la que prosperó. Entretanto Juárez, que huyó de la capital, se había establecido primero en San Luis Potosí, y luego en otras ciudades.

No nos resulta posible detallar las operaciones de la llamada "Intervención". Sólo reiteremos que, tras la partida de los españoles y los ingleses, sólo quedaron los franceses, cuyo Emperador se inclinó a mantener la intervención por una idea superior al mero cobro de la deuda, a saber, la rehabilitación de la raza latina en América mediante un fuerte Imperio, que contrarrestase el poder avasallante de los Estados Unidos. Su idea fue ocupar militarmente el país para liberarlo de la tiranía juarista y garantizar un plebiscito por ver si el pueblo mexicano apoyaba dicha forma de gobierno, tras lo cual, en caso de un resultado positivo, establecer el Imperio, y en él a Maximiliano. El partido monárquico mexicano apoyó el proyecto, ganándose a todos los conservadores, e incluso a no pocos liberales, hartos ya de tanto desorden. Entraron así los franceses en territorio mexicano, recibidos como liberadores. Cuando desde Veracruz se dirigían a la capital, ocupando diversas ciudades, eran acogidos con ramos de flores. Fue una recepción sin igual en la historia. Entonces un grupo de notables declararon que "la Nación Mexicana adoptaba por forma de gobierno la monarquía moderada [...] y se ofrecía la corona imperial de México al Príncipe Fernando Maximiliano de Habsburgo". Napoleón pidió una aceptación más expresa de parte del pueblo. Para cumplimentar dicho deseo, muchísima gente de las ciudades, villas y pueblos hicieron manifiesta su adhesión al proyecto.

Ante el avance arrollador de las tropas, compuestas de unos 22.000 franceses y 8.000 mexicanos, al mando del mariscal Forey, Juárez se vio obligado a abandonar la ciudad de México, con lo que el pueblo empezó a respirar. Se echaron a vuelo las campanas y se volvió a enarbolar por doquier la bandera tradicional, la de las Tres Garantías. Un segundo Emperador venía a tomar en sus manos el pabellón del primero. La sociedad mexicana era todavía monárquica por los hábitos, los sentimientos, las tradiciones, la educación, las leyes. Los pueblos daban gracias a Dios cuando se retiraban de ellos los liberales, que tan mal los habían tratado. Ya estaban hartos de Juárez. A los pocos días se celebró la fiesta de Corpus; tras la prohibición de las procesiones impuestas por las Leyes de Reforma, ésta se festejó con la mayor solemnidad.

Cuando las tropas entraron en la ciudad de México iba a su frente, con uniforme de gala, el general Leonardo Márquez, que había vencido a Juárez en varias batallas. Tras él, las tropas francesas, entre vítores del pueblo. Por desgracia Forey, su comandante, "hombre impulsivo e insensato", lo califica Cuevas, no bien entró en la ciudad pronunció un discurso totalmente inadecuado; allí dijo que no venía, como Hernán Cortés, a destruir y esclavizar. Discurso disparatado, ya que mostraba una enorme ignorancia tanto de la realidad histórica como de lo que pensaban los católicos mexicanos, tan admiradores de Cortés. Luego comenzó a lanzar decretos, a veces con considerandos absurdos, por ejemplo, que la Intervención venía a establecer la libertad de cultos, idea liberal o juarista. No olvidemos que en la Francia de Napoleón III estaban demasiado vigentes las ideas de la Revolución francesa. Para consuelo de los buenos mexicanos, pronto llegó al frente de dos mil hombres el general Tomás Mejía, "el indio más grande de toda la América", como fue llamado en su momento, quien puso su espada al servicio del nuevo gobierno.

Convocóse, entonces, a la Junta de Notables, un nutrido grupo de pensadores mexicanos que habían estado elaborando este plan, el único que parecía viable en aquellas apremiantes circunstancias. Tras dejar bien en claro, en presencia de las tropas francesas, la soberanía e independencia de México respecto de toda nación extranjera, aprobó un trascendental dictamen. Allí se decía: 1. Que la nación adoptaba la forma de monarquía moderada, hereditaria, con un príncipe católico. 2. Que el soberano tomaría el título de Emperador de México. 3. Que la corona imperial se ofrecería a su alteza imperial y real, el príncipe Fernando Maximiliano, archiduque de Austria, para sí y para sus descendientes. 4. Que en el caso que por circunstancias imposibles de prever, el archiduque no llegase a tomar posesión del trono que se le ofrecía, la Nación mexicana se remitía a la benevolencia del Emperador de los franceses para que le "indicase" otro príncipe católico.

Previamente a la publicación del dictamen, se leyó en las Cámaras ante numeroso público un discurso de Alejandro Arango y Escandón, secretario de la Asamblea. Allí se justificaba la independencia del país "porque tan notable inspiración la ha impreso Dios en todos los corazones y por eso las leyes civiles han fijado el tiempo y las circunstancias en que el hijo de familia, sustrayéndose a la potestad paterna, debe quedar expedito en el ejercicio de sus derechos"; pero, agregaba el secretario, México se dejó seducir "por el ejemplo de la efímera prosperidad de un pueblo vecino: poniendo en tortura sus antiguos hábitos y las propensiones de su origen [...] cambió radicalmente su manera de ser sin dejar casi nada en pie de la legislación y el orden antiguos que habían formado sus hábitos y costumbres [...] Se hizo más honda la división que antes existía entre los ciudadanos y se exacerbó más el odio de los Estados Unidos, cuyo crecimiento se hacía depender de nuestras desgracias, se reunieron al fin en logias para aumentar los medios de su mutua destrucción". Luego de recordar los males de México bajo los gobiernos republicanos, expuso las ventajas de un gobierno monárquico, tal como el que rigió en la época hispánica. Aun concediendo lo que puede temerse de la humana fragilidad, la monarquía era mejor que el decantado progreso de la Reforma. Hacia el final sintetiza: "Los vestigios de tres siglos, la memoria tradicional de la felicidad que disfrutaron nuestros abuelos, las habitudes contraídas por la educación, por la herencia, por las heridas que están abiertas en nuestro pecho, hacen clamar a Maximiliano por el restablecimiento de la monarquía". Magnífica pieza oratoria, comenta Cuevas, preciosa síntesis de la filosofía de la historia de México.

La Asamblea estaba en el espíritu del Plan de Iguala y del ideal de las Tres Garantías. "Es preciso confesar –reconocía Mr. Bigelow, embajador de los Estados Unidos en París– que la prueba que se ha hecho en México, hace casi medio siglo, de las instituciones democráticas y republicanas, está muy lejos de serle favorable, y que ella le ha causado a este desgraciado país más males que procurarle beneficios". La Asamblea terminó anunciándose que esta voluntad del pueblo mexicano se remitiría al Sumo Pontífice, rogándole se dignase bendecir la obra de verdadera regeneración que ahora se inauguraba y al príncipe que la nación había elegido por soberano. Todo el país exultaba al unísono con la Plaza de Armas de la capital. El día terminó con un solemne *Te Deum* en la Catedral. Mientras tanto, varios jefes juaristas se iban pasando al Imperio. El general Marimón se presentó ante Forey. Era el momento de empezar a organizar bien un ejército realmente nacional, pero por desgracia ese tiempo nunca llegó, ni siquiera en los momentos críticos para el Imperio.

De la mano del padre Cuevas, relatemos los hechos que siguieron. Llegó la hora de que una comisión fuese a buscar al nuevo emperador, que se encontraba en Miramar, lugar distante una legua de Trieste, en Italia. En tres elegantes carruajes los enviados mexicanos se dirigieron al castillo-palacio. Poco tiempo antes se le había ofrecido a Maximiliano la corona de Grecia, mas no le pareció conveniente, quizás porque aspiraba a suceder en la corona del Imperio a su hermano mayor, Franz

Josef, entonces reinante. Todo cambió cuando Napoleón III le propuso esta variante tan insólita como inimaginable. Maximiliano tenía un temperamento algo poético y bohemio, y lo que se le ofrecía no dejaría de resultarle original y atractivo, así que acabó por aceptar. El archiduque esperó a la comitiva en la sala de audiencias del palacio. Llevaba sobre el pecho el Toisón de Oro y la Gran Cruz de San Esteban. A él se dirigió el presidente de la Comisión, Gutiérrez Estrada.

> No hablaremos, señor, de nuestras tribulaciones y nuestros infortunios de todos conocidos, al punto de haberse hecho para tantos el nombre de México sinónimo de desolación y ruina [...] Cerca de medio siglo ha pasado nuestra patria en esa triste existencia, toda de padecimientos estériles y de vergüenza intolerable. No murió, empero, entre nosotros todo espíritu de vida, toda fe en el porvenir. Puesta nuestra firme confianza en el Regulador y Árbitro Soberano de las sociedades, no cesamos de esperar y de solicitar con ahínco el anhelado remedio de sus tormentos siempre crecientes. Pero si es grande y fundada esa fe en las instituciones monárquicas, no puede ser completa, si éstas no se personifican en un príncipe dotado de las altas prendas que el cielo os ha dispensado con mano pródiga. Intérpretes harto débiles nosotros, de ese aplauso general del amor, de las esperanzas y los ruegos de toda una nación, venimos a presentar en su nombre a vuestra alteza imperial la corona del imperio mexicano [...] No se nos oculta, señor, toda la abnegación que vuestra alteza imperial necesita y que sólo puede hacer llevadera el sentimiento de sus deberes para con la Providencia divina –que no en vano hace los príncipes y los dota de grandes

> cualidades– mostrándose vuestra alteza imperial dispuesto a aceptar con todas sus consecuencias una misión tan penosa y ardua, a tanta distancia de su patria y del trono ilustre y poderoso en cuyas gradas se halla colocado, el primero, vuestra alteza imperial y tan lejos de esta Europa, centro y emporio de la civilización del mundo...

A lo que, entre otros conceptos, respondió Maximiliano: "Lisonjero es para nuestra Casa que las miradas de vuestros compatriotas se hayan vuelto hacia la familia de Carlos V tan luego como se pronunció la palabra monarquía [...]".

Días después salieron los comisionados de Miramar y se dirigieron a París, para ofrecer a Napoleón III un pergamino, con frases de gratitud por lo que hasta entonces había hecho en favor de México. La tercera visita fue a Pío IX, quien les dio su aliento y su bendición.

Maximiliano había puesto dos condiciones para aceptar el trono: que el pueblo de México lo llamase, y que su hermano, Francisco José, le diese su imperial permiso. La primera parte se cumplió ya que un número inmenso de actas de adhesión al Imperio y a la persona de Maximiliano llegaron de todos los puntos del país. En Viena se insistió en que Maximiliano, para aceptar la corona de México, debía primero renunciar a la de Austria, lo que él hizo para sí y sus herederos, luego de una larga conversación con su hermano el Emperador Habsburgo. Luego Maximiliano convocó a los diputados mexicanos, que aguardaban en Trieste. Gutiérrez Estrada tomó la palabra y ofreció formalmente el trono de México al descendiente, le dijo, "de Carlos V, bajo cuyo amparo, con las instituciones y los medios que el transcurso de los tiempos han hecho necesarios en el gobierno de las sociedades, pueda México colocarse un día en el elevado puesto que está llamado a ocupar entre las naciones. *In hoc signo vinces.* A estos dos principios, católicos y monárquicos que introdujo en México el pueblo noble y caballeresco que hizo su descubrimiento arrancándolo de los errores y de las tinieblas de la idolatría, a estos dos principios que nos hicieron nacer para la civilización, deberemos esta vez también nuestra salud".

Maximiliano contestó en español: "[...] Acepto de manos de la nación mexicana la corona que ella me ofrece. México, siguiendo las tradiciones de ese nuevo continente, lleno de fuerza y de porvenir, ha usado el derecho de darse a sí mismo un gobierno conforme a sus votos y a sus necesidades y ha colocado sus esperanzas en un vástago de esta casa de Habsburgo, la que hace tres siglos transplantó a su suelo la monarquía cristiana. Yo aprecio en todo su valor tan alta muestra de confianza y procuraré corresponder a ella. Acepto el poder constituyente con que ha querido investirme la nación, cuyo órgano sois vosotros, señores, pero sólo lo conservaré el tiempo preciso para crear en México un orden regular, y para restablecer instituciones sabiamente liberales. Así que me apresuraré a colocar la monarquía bajo la autoridad de leyes constitucionales, tan luego como la pacificación del país se haya conseguido completamente". Bien señala el padre Cuevas que si el adjetivo "liberal" se refiere al "liberalismo" no era de admitirse como programa de gobierno para México.

Llegó, por fin, Maximiliano a la capital azteca. Al gigante austríaco, esbelto, de espesa barba rubia, de afabilidad solemne y pecho bien condecorado, se le hicieron grandes recepciones, tanto de parte de las autoridades como del pueblo sencillo. Bajaban indiadas de todos los cerros; algunos llevaban mole, enchiladas y pulque para agasajar a los Habsburgos, Maximiliano y su señora Carlota, nacida en Bélgica. No quisieron los príncipes entrar en la capital del Imperio sin antes visitar a la Virgen de Guadalupe. El entusiasmo popular fue inmenso. Desde azoteas y balcones tiraban flores a los gritos de ¡Viva el emperador Maximiliano! ¡Viva la emperatriz Carlota! La Catedral lucía sus más espléndidas galas. Tras el *Te Deum*, los soberanos se dirigieron al palacio.

A Juárez, mientras tanto, que dominaba la zona no ocupada por los franceses, no le quedaba sino lanzar una guerra de guerrillas. Para los buenos mexicanos, lo de Maximiliano era todo una esperanza. Sin embargo su posición no se mostraba del todo clara. Él tenía, al parecer, ciertas tendencias liberales, lo que ya había advertido el Emperador austríaco. Para peor, Aquiles Bazaine, el comandante francés, en modo alguno colaboraba con los mexicanos del partido conservador sino que se mostraba muy en contra de ellos. Maximiliano, por su parte, hacía "buena letra" con los liberales. En cierta oportunidad visitó con devoción la casa del cura Hidalgo en Dolores, lo que no dejó de suscitar disgustos. Con todo, el elemento sano de México, y a su cabeza el arzobispo, no podían manifestar mucho su disgusto, pues ello hubiera contribuido a sublevar al pueblo contra un régimen que, si bien estaba en un plano inclinado, era de todas maneras muy preferible al juarismo. Pero Maximiliano siguió dando pasos desgraciados, llamando por ejemplo a colaboradores de extracción liberal, con lo que su gabinete no parecía demasiado distinto al de Juárez. Para colmo, Miguel Miramón, un auténtico caballero, el más ilustre de todos los mexicanos, con un pasado militar glorioso, con una hoja de servicios impecable en favor de la Iglesia y de la Patria, era considerado como un extremista. No tuvo Maximiliano para él ni una condecoración, ni un elogio, sino sólo un "honorífico cargo" pero... en Berlín, a donde fue enviado con la excusa de estudiar los adelantos de la artillería germánica. En el fondo no se trataba sino de un destierro disimulado, lejos del nefasto y envidioso Bazaine, quien sí tenía poder en el nuevo gobierno.

En estas circunstancias llegó de Roma el Nuncio Apostólico, quien le entregó a Maximiliano una espléndida carta particular de ese gran Papa que fue Pío IX. "Señor –allí le decía– en nombre de esa fe y de esa piedad que son el ornato de vuestra augusta familia, en nombre de esa Iglesia de que, a pesar de ser indignos, nos ha instituido jefe y pastor Jesucristo; en nombre de Dios omnipotente que os ha elegido para gobernar esa nación católica con el único objeto de cicatrizar sus llagas y de volver a honrar su religión, os rogamos que pongáis mano a la obra". Pocos días después le hicieron llegar un proyecto para un Concordato con la Santa Sede. Poco se logró. Maximiliano, ya tocado por algunas ideas de la Revolución francesa, iba asumiendo el liberalismo mexicano, si bien atemperado. Pronto alejó de la corte al general Leonardo Márquez, un soldado cabal y fidelísimo, enviándolo como embajador ante el Sultán de Turquía... Con tal política, Maximiliano no contentaba a nadie. El arzobispo de Morelia escribiría: "El Partido Conservador, con el pueblo, odia a muerte la Reforma. El Partido Liberal, con o sin pueblo, odia a muerte la Intervención y la forma monárquica. Luego Maximiliano se queda solo contra toda la Nación". Sin duda que el pobre Emperador no tenía las agallas necesarias. Era, por cierto, hermano del emperador Francisco José, pero en buena parte dependía de la mentalidad de Napoleón III, quien se oponía a toda "política reaccionaria". Por eso no logró mejorar demasiado las cosas. En vez de volver a las Leyes tradicionales de la Nueva España, que trajeron a México sus antecesores Habsburgos, y al ideario del México de Iturbide, prefirió apoyarse más bien en los liberales, se rodeó de liberales, e incluso introdujo algunas leyes como la de pluralidad de cultos, registro civil, etc., de típica raigambre liberal. Eran las leyes de la Reforma. El Nuncio del Papa, quien llegó a decir que jamás hubiera imaginado que, "el Gobierno imperial iba a proponer y rematar la obra de Juárez", tuvo que retirarse.

Relata el padre Cuevas que ya por aquel entonces los masones de México se movían en las cercanías del trono, hasta el punto de haberle llegado a ofrecer a Maximiliano, según se dice, la presidencia del Supremo Consejo. El Emperador les habría respondido que las circunstancias políticas del país no le permitían aceptar dicho puesto honorífico, pero que estaba dispuesto a aceptar el título de "protector de la Orden". Los buenos mexicanos se sentían abandonados. De muchos pueblos comenzaron a llegar cartas al Emperador señalándole el desconsuelo en que se hallaban por tales decisiones y la enorme decepción que les venía de donde menos lo hubieran esperado. Otros católicos, más mundanos, se sentían cómodos con el ceremonial versallesco de la corte, y miraban para un costado. Maximiliano pensó incluso en acercarse a Juárez y a recibirlo "entre sus amigos". En contraposición con estos pasos negativos, señalemos uno positivo, no carente de hondo simbolismo. Como Maximiliano y Carlota sabían que no tendrían hijos, dispusieron adoptar para que heredara el trono a un nieto de Iturbide, que se llamaba también Agustín, como su ilustre abuelo.

Mientras tanto, el caudillo de la Reforma seguía con la suya. Por su correspondencia de aquellos momentos advertimos que se había acentuado su odio a todo lo sagrado, en contraste con la acogida efusiva y hasta emocionada que le rindió a una cuadrilla de italianos garibaldinos, portadores de un mensaje masónico del propio Garibaldi.

El gobierno de Maximiliano duraría poco más de tres años (de 1864 a 1867). En los dos primeros se mostró subordinado enteramente a Napoleón, cuya orientación política –liberal– siguió fielmente. Mientras tanto, Juárez continuaba su combate. Estados Unidos lo ayudaba, al tiempo que presionaba a los gobiernos europeos para que no prestasen socorro alguno a Maximiliano. Y a Napoleón, que por aquel entonces se encontraba, para colmo, en peligro de una guerra con Prusia, el caudillo mexicano le exigió la pronta retirada de sus tropas. Así se lo anunció el emperador de Francia a Maximiliano, quitándole todo su sostén. Una verdadera traición, ya que previamente le había garantizado el apoyo de sus efectivos militares hasta 1868. Maximiliano, viendo que todo se derrumbaba a su alrededor, pensó en abdicar y volverse a Europa. Pero su mujer, Carlota, tras lograr disuadirlo, se dirigió a París para hacer gestiones ante Napoleón, exigiéndole el cumplimiento de sus compromisos, y luego a Roma, para negociar con el Santo Padre la solución de las cuestiones religiosas pendientes. Pero ya estaba mal de la cabeza, y en Roma se volvió rematadamente loca. El pueblo de México, ignorante de lo que sucedía, continuaba enarbolando por todas partes el pabellón de las Tres Garantías. Juárez, en el entretanto, seguía abocado a buscar hombres, armas y municiones, contra la Intervención y el Imperio, sobre todo de Estados Unidos.

Por fin, Maximiliano se resolvió a dar un viraje hacia el tradicionalismo, único soporte que le quedaba, y formó un ministerio de conservadores. Todo México se reanimó. Los obispos comenzaron a delinear proyectos esperanzadores. Volvieron de su "destierro" los generales Leonardo Márquez y Miguel Miramón. Al verlo a este último, Maximiliano se echó en sus brazos, y él le prometió apoyarlo hasta la muerte. Mientras tanto, Estados Unidos insistía en instaurar "el gobierno republicano que quería el pueblo". A la verdad, el pueblo no lo seguía a Juárez, no sólo porque ocupaba ilegítimamente su cargo, sino sobre todo por sus traiciones y su entrega a los Estados Unidos. Todos los patriotas rodearon entonces a Maximiliano. Incluso algunos generales republicanos se pasaron al ejército imperial. El general francés, Bazaine, que asistía impasible a la toma de plazas por las partidas juaristas, resolvió finalmente irse de vuelta a Francia, entre las maldiciones de todo el mundo y la vergüenza de los propios compatriotas.

Ahora Maximiliano, abandonado por los franceses, mal visto por muchos liberales, y atacado por el juarismo con apoyo yanqui, sólo podía contar con el sostén que heroicamente quisieron darle los viejos conservadores. Salió entonces de la ciudad de México, juntamente con los generales Mejía y Miramón, y se dirigió a Querétaro. Pero al llegar se enteró que, sin saberlo él, dicha plaza se había entregado por traición a los juaristas. Siendo su situación insostenible, hizo enarbolar la bandera blanca, lo que significaba la rendición de su persona, de la plaza y del Imperio. "Si es preciso derramar alguna sangre, que sea solamente la mía", dijo. Inmediatamente fue detenido y condenado, juntamente con los generales que lo acompañaban, siendo llevado con ellos al convento de los capuchinos, los tres en calidad de prisioneros. Tras unos días, fueron condenados a muerte. Ninguno de ellos perdió la serenidad. Maximiliano se dedicó a escribir cartas a sus amigos, a sus familiares y al papa Pío IX, pidiéndole a este último perdón por los disgustos que le había causado por no tomar las resoluciones en el campo religioso que él le había sugerido. Miramón, por su parte, le escribió una misiva a su hermano, donde le decía que no tratasen de vengarlo y que él se ofrecía a Dios en sacrificio. Un sacerdote los confesó y los tres comulgaron con particular devoción. Maximiliano le escribió también a Juárez: "Perderé con gusto mi vida –le decía–, si mi sacrificio puede contribuir a la paz y prosperidad de mi nueva patria". Llegados al Cerro de las Campanas, en las afueras de Querétaro, les dio una onza de oro a cada uno de los soldados del pelotón. Luego, tras abrazar a Miramón y a Mejía, les dijo: "Dentro de breves momentos nos veremos en el cielo". Luego cedió su puesto a Miramón: "General, un valiente debe ser admirado hasta por los monarcas; antes de morir quiero cederos el lugar de honor", y le hizo colocar en el centro. A continuación, adelantándose unos pasos y alzando el tono para ser oído, exclamó con voz firme: "Voy a morir por una causa justa, la independencia y la libertad de México. Que mi sangre selle las desgracias de mi amada patria. ¡Viva México!" ¿No se cumplía en este trágico momento, aunque de manera inesperada, una de las Tres Garantías, la de la unión? Miramón era mexicano, Mejía indio, y Maximiliano europeo. Este último, que había llegado liberal, o casi liberal, al poder, ahora, se tomaba de la mano con dos grandes a quienes había "alejado" por extremistas. Una verdadera conversión que lo honra. Murió como un caballero.

El cadáver de Miramón fue retirado por su viuda y sepultado en el panteón de San Fernando, de la ciudad de México, hasta que, años después, al enterarse ella de que al frente iba a levantarse una tumba-monumento de quien fuera su asesino, es decir, de Juárez, permitió a un grupo de católicos, que así se lo pidieron, el traslado de su marido a la catedral de Puebla, donde hoy se encuentra. Años después se lo halló incorrupto. Mejía está enterrado en el panteón de San Fernando, a pocos metros del sepulcro de Juárez. Maximiliano, después de haber sido embalsamado, fue llevado a la ciudad de México donde, bajo la excusa de un nuevo embalsamamiento, se dejó su cadáver colgado durante varias semanas boca abajo en la iglesia de San Andrés, se dice que para que pudiera verlo Juárez, saboreando su triunfo sobre el Emperador de México. Luego, a petición de la familia imperial, sus restos fueron trasladados a Austria, donde descansan en la iglesia de los capuchinos de Viena.

El padre Cuevas considera a Miramón como el más grande de los soldados mexicanos, un verdadero Macabeo. A caballo, nos dice, atravesó heroicamente 340 leguas de territorio ocupado por juaristas dispuestos a pulverizarlo dondequiera lo encontrasen. Mezcla de Cid y de Quijote, siempre tuvo la noble pasión de correr grandes peligros por la buena causa.

Tras su victoria sobre el Emperador, Juárez entró en la capital en julio de 1867. En 1871 fue "reelegido" Presidente, pero murió de manera repentina el 18 de julio de 1872.

Según Salvador Abascal, Juárez logró segar las raíces católicas de México, con mucha más eficacia que como lo haría Calles en el siglo XX. He aquí sus golpes de guadaña:

- la educación atea de la niñez y de la juventud en las escuelas oficiales

- la legislación atea que esclavizó a la Iglesia al gobierno impío

- el matrimonio civil, que luego traería el divorcio

- la introducción de las sectas protestantes

- el saqueo de todos los templos y conventos y el robo de sus bienes

- el destierro de los obispos y el asesinato de no pocos sacerdotes

- el despojo de las asociaciones de seglares que mantenían hospicios, colegios, etc.

- el terror material y moral más cruel y cruento: asesinatos individuales y masivos, muchos con espantosos martirios.

Con tales medidas Juárez logró cambiar la fisonomía de México, su cultura, su tradición. Por lo demás perseveró en su conato a lo largo de toda su trayectoria como Presidente, siempre de facto, es decir, durante catorce largos años. Sabía lo que hacía, concluye Abascal. No olvidemos los años que pasó en el seminario de Oaxaca. Tenía algo de apóstata. "Los gobiernos civiles no deben tener religión –afirmó en cierta ocasión– porque siendo su deber proteger imparcialmente la libertad que los gobernados tienen de seguir y practicar la religión que gusten adoptar, no llenarían fielmente ese deber si fueran sectarios de alguna". Abascal no vacila en calificarlo no sólo de liberal sino también de marxista antes de tiempo. Su libro se llama, precisamente, *Juárez marxista*. Así lo sostiene porque, a su juicio, le impulsó el mismo propósito revolucionario materialista que a Marx "de convertir la sociedad mexicana de católica en atea". En 1855 el gobierno Labastida llamó "socialismo" al programa reformista. Dos años antes, José María Manzo le escribía a su amigo Melchor Ocampo que "su principio de sociabilidad es enteramente comunista". Y en 1863 Ignacio Aguilar y Marocho afirmaba que la Reforma no era sino "el desarrollo inicial del sistema del comunismo".

Pero así como la historia oficial creó una imagen demonizada de Iturbide, también se propuso la deificación de Juárez. Podríase decir que fue en 1887 cuando se decretó dicha divinización. Así leemos en "El Diario del Hogar": "La religión de los pueblos cultos debe ser la deificación de sus grandes hombres. México ha llegado a un momento histórico en que es indispensable para su salvación política esta religión santa y poner en su cielo, antes de sus héroes, y en primer término, al autor de la segunda independencia y de la Reforma".

El presidente Porfirio Díaz se vería coaccionado por la masonería, no obstante su antipatía personal por Juárez, a ordenar la construcción del hemiciclo que hoy se eleva en su honor, e inaugurarlo en las fiestas de 1910 como acto religioso oficial. Juárez pasó, así, a ser "un dios", "una enorme fuerza de la naturaleza o una enorme fuerza psíquica", como dijo de él un panegirista. De este modo, quedó exento de toda crítica ya que, como han afirmado los sedicentes defensores de la libertad de prensa, "juzgar los actos de Juárez es insultar a la nación". Estatuas, calles, plazas, edificios, colegios, homenajes, fiestas de guardar, una ciudad entera que lleva su nombre, pregonan el culto a Juárez. Y para que nadie falte, concluye Abascal, tiene una iglesia de las muchas arrebatadas: la de San Francisco en Veracruz. Toda ella fue previamente desmantelada, para entronizar allí una enorme estatua del héroe, sobre alto pedestal, en el lugar del altar mayor, escoltado por los principales Santos de la Reforma.

***

He aquí las dos figuras: Iturbide y Juárez, dos maneras de entender la Independencia, el primero tratando de no cortar raíces para edificar sin rupturas con la tradición. El segundo buscando nuevas raíces, no ya de la España fundacional sino de la Francia revolucionaria y de los Estados Unidos. Maximiliano puede ser consideradro como una figura intermedia. Siendo algo liberal, asume el poder llevando adelante una política que desconcierta a todos, tradicionalistas y liberales. Por fin los hechos lo llevan a ver las cosas como son, consumando su vida en el heroísmo.

Capítulo Segundo

LA PERSECUCIÓN RELIGIOSA DEL SIGLO XX

Hasta acá hemos considerado lo acontecido en México durante buena parte del siglo XIX, tratando de corporizar dicho lapso de su historia en dos destacados caudillos: Iturbide y Juárez.

Nos adentraremos ahora en el siglo XX, para irnos colocando en los umbrales del levantamiento cristero, lo que nos permitirá detectar mejor su origen y sus causas. Como señala Luis Alfonso Orozco, en su excelente libro *El martirio en México durante la persecución religiosa,* la gran nación del norte vivió en la primera mitad de dicho siglo una de las épocas más turbulentas de su historia. En las últimas décadas del siglo XIX y la primera del XX, ocupó el poder una figura verdaderamente relevante. Nos referimos a Porfirio Díaz. Este general, oriundo de Oaxaca, gobernó aquel convulsionado país desde 1867 a 1911. Su régimen, por cierto dictatorial –¿cabía otra manera de gobernar al México desquiciado?–, se prolongaría por más de cuatro décadas. Es cierto que ya en 1910, en que comenzó la llamada "Revolución Mexicana", se fue cerrando la era porfirista. Durante aquel gobierno México experimentó un notable progreso material, y cierta pacificación de los espíritus. Más allá de su carácter dictatorial, si lo comparamos con los gobernantes que lo precedieron, sedicentes "democráticos", don Porfirio permitió que el país gozara de amplias libertades. Era, por cierto, liberal, pero no se puede negar que le dio más de cuarenta años de serenidad a un país sacudido por ininterrumpidas turbulencias. Durante su gobierno nació el llamado Partido Católico Nacional. Luego de tantas vicisitudes, los católicos pudieron respirar.

Vayamos a los hechos. En 1910 se convocó a elecciones, y el general Porfirio Díaz, ya octogenario, fue reelecto. Entonces Francisco Madero decidió recurrir a las armas, considerando nulo aquel sufragio. El movimiento contestatario se extendió por el norte y el centro del país. Tras diversos avatares se llegó a un acuerdo entre los contendientes, y el general optó por retirarse, dirigiéndose a Veracruz para luego embarcarse a Europa. Madero tomó entonces posesión del poder ejecutivo. Era una buena persona, con ciertos toques liberales, pero no logró alcanzar la pacificación nacional. En 1913, tanto él como su vicepresidente fueron asesinados. Pronto el recientemente creado Partido Católico Nacional desapareció de la escena.

El período que vino a continuación, en que diversos caudillos tomaron el poder político, cubrió un marco aproximado de otros treinta años. Carranza, Obregón, Calles, Portes Gil y Cárdenas, serían los protagonistas de la llamada Revolución Mexicana. Principalmente de los tres primeros nos ocuparemos enseguida. Digamos desde ya que fueron por lo general militares de ideología masónica y anticristiana, manchados de sangre y de ambiciones personales. El libro que Joseph Schlarman escribió sobre aquella época turbulenta del país lo tituló con propiedad, *México, Tierra de Volcanes*.

Agudamente señala Jean Meyer, en su magnífico libro *La cristiada* que, desde 1914, la Revolución Mexicana fue cosa de la gente del norte del país. Carranza, Obregón y Calles, así como sus mejores colaboradores, provenían de allí, una zona que había permanecido ajena al México tradicional, católico e hispánico, indio y mestizo. Tratábase de la más dura de las fronteras, víctima privilegiada del insolente imperialismo norteamericano. No pocos de "los hombres del norte", como fueron llamados por la gente, miraban a los del sur y centro de México con indisimulado desdén, considerándose los portadores de la civilización. A juicio del gran pensador mexicano José Vasconcelos, "procuraban ajustar todos sus actos al mimetismo de los amos actuales de la región [...] destrozando la cultura latino-española de nuestros padres, para sustituirla con el primitivismo norteamericano". Se sentían a distancia sideral del indio, del campesino, del párroco rural, a quienes parecían incapaces de comprender.

Expondremos a continuación el accionar de los primeros caudillos, sobre todo en lo que toca a la política que siguieron en relación con la Iglesia y el pueblo cristiano.

I. Venustiano Carranza (1917-1920)

Entre las diversas personalidades que llevaron adelante la Revolución se destaca don Venustiano, que había sido senador en 1901 y luego colaborador de Madero. Pronto, un grupo de revolucionarios se alzaron contra Madero. El general Victoriano Huerta, encargado de las operaciones militares para reprimir a los sublevados, se dio vuelta, poniendo en prisión al presidente y al vicepresidente, quienes acabaron por firmar su renuncia, tras lo cual Huerta tomó el poder. Cuando en el año 1913 Madero fue asesinado, como ya lo hemos referido, Carranza asumió la jefatura del Partido llamado Constitucionalista. Luego, en 1914, se alzó contra Huerta, a quien pronto obligó a exiliarse, haciéndose elegir Presidente de la República, cargo que mantendría hasta 1920.

1. La política persecutoria de Carranza

A juicio de Orozco, tres fueron las corrientes ideológicas que influyeron sobre Carranza y su entorno político. Ante todo el liberalismo jacobino, inspirado en la Revolución francesa, que según lo señalamos páginas atrás, ya se había ido infiltrando en el país desde los primeros tiempos de la Independencia; en segundo lugar, el protestantismo, que provenía de Norteamérica, desde donde se ofrecían abundantes recursos económicos si se favorecía dicha interferencia; finalmente la masonería, que ya desde 1823 venía urdiendo sus propósitos en México, pero que en estos momentos estaba adquiriendo gran poder en el campo de la política y sobre todo en el ámbito militar.

Detengámonos un tanto en el influjo masónico, condensando lo que sobre ello nos dice el mismo Orozco. Ya existía en México, aun en los tiempos del dominio de España, como se puede advertir, por ejemplo, en la persona del último virrey, Juan O'Donojú, pero dicho influjo se intensificó grandemente con la ingerencia política de Norteamérica en los asuntos mexicanos, según lo revela palmariamente el actuar del intrigante y astuto Joel R. Poinsett, en los primeros años de la Independencia, quien logró dividir a los masones mexicanos introduciendo el rito yorkino para contrarrestar a los masones del rito escocés. En el telón de fondo de dicha política se incluía el propósito norteamericano de arrebatarle a México los inmensos territorios que se encontraban al norte del río Bravo (California, Texas, New México, Arizona), como de hecho lo lograrían más adelante. Por lo demás, tanto Poinsett como los liberales jacobinos, al estilo de Juárez y tantos más, eran enemigos declarados de la monarquía española y de la Iglesia Católica, e hicieron todo lo posible para derrocar al primer emperador que tuvo México, Agustín de Iturbide, héroe de una independencia bien entendida, católica e hispanista. México había logrado independizarse de la Madre Patria, es cierto, pero en la práctica quedó a merced del poderoso vecino del Norte. Poinsett impulsó decididamente en aquella nación la penetración del liberalismo y de la masonería en las cúpulas del poder. El 28 de junio de 1914, el periódico "The New York Herald" revelaba que se estaba suministrando ayuda por un millón de dólares al movimiento carrancista. En su libro *América peligra,* Salvador Borrego nos cuenta que allí se nombra a un tal Pierce Henry Clay, que representaba a la organización económico-política de John Davison Rockefeller, el cual precisamente entonces estaba organizando el poderoso Consejo de Relaciones Exteriores, o sea, "el gobierno invisible" internacional. Dicho *Council of Foreign Relations* controlaba los principales diarios y radios de los Estados Unidos, así como una enorme cadena de organizaciones que incluían las del control de la natalidad y el *National Council of Churches.*

Las consignas de la masonería para México y, más en general, América Hispana, eran categóricas. En el fondo no hacían sino responder a las establecidas por la masonería internacional en un Congreso realizado en Buenos Aires en 1906: erradicar el catolicismo de Hispanoamérica, comenzando por México. En este país, el Estado y la masonería estuvieron tan relacionados que para acceder a los puestos de importancia: gobiernos, ministerios, cámaras de diputados y senadores, fuerzas armadas, era requisito indispensable ser miembro de la secta.

Es cierto que bajo Porfirio Díaz la masonería mexicana se vio controlada y restringida. Pero a partir de 1914 había retomado activamente el papel que ejerciera en la época de la Reforma. Como era de esperar, su principal enemigo era el clero, por lo que no disimulaba su intención de destruir "el poder maléfico de Roma", apoyándose en el Estado. A juicio de Orozco, la Revolución, la masonería y los turbios intereses yanquis formaban una triple e inmensa conjuración en orden a erradicar para siempre a la Iglesia Católica del suelo mexicano. Podríamos agregar, asimismo, el protestantismo. Años más adelante, en 1927, durante el gobierno de Calles, el doctor Robert A. Greenfiel declararía en una conferencia panamericana reunida en Cuba: "Como protestante que soy y partidario de la masonería [...] en lucha de exterminio contra el catolicismo, sí estamos seguramente de acuerdo masones y protestantes [...] Salir del catolicismo para entrar en el campo amplísimo del protestantismo, es, sin duda, un adelanto; y además nosotros, los norteamericanos, hemos creído siempre que la religión católica es un obstáculo insuperable para la fusión de todos los países de América".

Pues bien, volvamos a Carranza. ¿Quién era Carranza? De él sabemos que durante los veinte años que sirvió en el régimen porfirista, se mostró como una persona serena y equilibrada. En su juventud había sido católico practicante y aunque luego dejó de ir a la iglesia, nunca mostró, que se sepa, hostilidad hacia ella. Como el régimen maderista, al que Carranza decía seguir fielmente, siempre se había mostrado benévolo con la Iglesia, no deja de resultar extraño que luego imprimiera a su movimiento un sello tan anticatólico. ¿De dónde esta anomalía? Para Borrego ello se explicaría por factores de influjo exterior, sobre todo de los Estados Unidos, como hemos señalado poco atrás. Francis Clement Kelley, en su espléndido libro *México, el país de los altares ensangrentados*, afirma, sin vueltas, que Carranza fue electo en México por el Presidente de los Estados Unidos, Tomás Woodrow Wilson. En 1914, el arzobispo Mora y del Río, estando en el destierro, llegó a decir en una Carta Pastoral, que la hostilidad del carrancismo contra los católicos era el resultado de una connivencia entre los "constitucionalistas", los masones, y "ciertas corporaciones protestantes de los Estados Unidos". Sea lo que fuere, resulta innegable que una nota distintiva de su política sería la persecución religiosa. No bien subió al poder, acusó al clero de ser responsable de la muerte de Madero, con lo que se radicalizó la oposición que había existido durante más de un siglo entre la Iglesia y el liberalismo mexicano. Eran las mismas premisas, pero ahora con una virulencia incentivada.

Pero ya antes de esa declaración, cuando todavía estaba en camino hacia México, a donde se dirigía con su ejército para tomar el poder, fue cometiendo desmanes a su paso por los diversos pueblos de que se iba apoderando. Es cierto que la persecución de Carranza no fue la primera, ya que tuvo antecedentes en el siglo anterior, por ejemplo en la guerra de tres años (1859-1861), desencadenada para imponer la Constitución de 1857. Pero, como bien lo señala López Beltrán, aquélla fue un mero ensayo comparada con ésta. Si es cierto que en aquel entonces saquearon templos, desterraron obispos y asesinaron sacerdotes, ésta fue una orgía de sangre, un ciclón que se desencadenó sobre México, desde Sonora hasta Yucatán. En aquélla fueron algunos jefes liberales los causantes de los males. En la carrancista fueron todos los que a su paso iban quedando en el poder de las diversas regiones conquistadas, que parecían competir por ver quiénes ocasionaban peores males. Por donde pasaron las tropas de Carranza hubo incendios, asesinatos, estupros, violaciones; destruían templos, quemaban confesonarios e imágenes sagradas. No vacilaron tampoco en promulgar leyes absurdas, como por ejemplo la prohibición de celebrar misa fuera de los domingos, de confesar a alguien que no estuviese moribundo, y entonces en voz alta y delante de un empleado del Gobierno... No pocas veces metían a los sacerdotes en furgones de animales y los hacían bajar en la frontera de los Estados Unidos. En algunas partes se posesionaron de iglesias, colegios y seminarios, violaron a monjas carmelitas, tiraron a la calle los restos de obispos ya fallecidos; los soldados adornaban sus caballos con ornamentos sagrados, o entregaban a prostitutas dichos ornamentos para que, vestidas con ellos, paseasen por las ciudades.

De hecho Estados Unidos apoyó este comportamiento sin regateos, nos asegura Borrego. Al recibir informes de algunas de las tropelías de los soldados de Carranza, el presidente Tomás W. Wilson comentó: "Los mexicanos tienen derecho a derramar tanta sangre como quieran y por todo el tiempo que quieran. He comenzado esta empresa y no retrocederé hasta no emancipar al 85% del pueblo mexicano [se refiere a los analfabetos] y fundar un nuevo orden de cosas basado en la libertad humana y los derechos del hombre". Dicho presidente, asegura Francis C. Kelley, "me dijo a mí personalmente, en su oficina de la Casa Blanca, que así como en la Revolución francesa –que había derramado tanta sangre como Carranza y sus hombres–, había surgido una inspiración para la democracia, tal vez algo bueno surgiría de la *débâcle* mexicana".

Un capellán del ejército de los Estados Unidos, el padre T. F. Joyce, refiere que, en cierta ocasión, lo fue a ver al cónsul de aquel país en México, para hablarle en favor de unas monjas perseguidas. A lo que el diplomático le contestó: "Es cosa generalmente aceptada por todos, que lo peor que hay en México, después de la prostitución, es la Iglesia Católica, y ambas cosas deben desaparecer".

En 1915 el gobierno yanqui reconoció al gobierno de Carranza y prohibió vender armas a los no carrancistas. Pancho Villa estaba furioso contra lo que entendió era una evidente expresión del intervencionismo extranjero en una contienda entre mexicanos, y no encontró otra forma de vengarse que impulsando una audaz incursión dentro del territorio de los Estados Unidos. Al frente de 240 jinetes penetró en 1916 en territorio norteamericano, llegando a la base de Columbus, Nueva México, y saqueó los fondos del banco. Wilson ordenó al general Pershing que en tres columnas, con 10.000 hombres, invadiera México y aniquilara a Villa. Pero éste, jugando a las escondidas –aparecía en un lugar y poco después se encontraba en otro muy distante, desconcertando al enemigo– luchó a la vez contra americanos y carrancistas.

Volvamos a aquel avance de las tropas carrancistas en su marcha sobre México, tan acompañada de exacciones sacrílegas. Jamás la gente olvidaría lo que debieron sufrir ante semejante espectáculo. En una investigación de la época, llevada a cabo en los Estados Unidos, podemos leer: "En cuanto entraban en una ciudad se apoderaban de las llaves de las iglesias [...], tomaban los copones y vaciaban las hostias consagradas en los pesebres de los caballos [...], ponían los ornamentos sacerdotales en los lomos de los caballos, disparaban contra los tabernáculos [...], quemaban los confesonarios, bebían en los cálices". El 31 de julio de 1914, en un órgano oficial de Monterrey, ciudad ocupada por la fracción carrancista, apareció la siguiente declaración, muy expresiva de la actitud del momento:

> Antonio I. Villarreal, gobernador y comandante militar del estado de Nueva León, a todos sus habitantes, sabed:
>
> Por motivos de salud pública, y atendiendo al dictado de ineludibles deberes de moralidad y justicia, este gobierno se ha propuesto castigar, dentro de los límites del estado de Nueva León, al clero católico romano, teniendo en cuenta las siguientes declaraciones:
>
> *Primera:* Durante toda nuestra vida nacional, el clero de México ha sido un factor de desorganización y discordia, pues olvidando como secundaria su misión espiritual, única que tiene razón de ser ante el espíritu tolerante de las sociedades modernas, se ha consagrado principalmente a conquistar la dirección de los asuntos públicos y el dominio completo de la política del país. Para conseguir tal objeto ha procurado siempre la alianza con los gobiernos reaccionarios y despóticos y hasta con invasores extranjeros, y

cuando no ha tenido para ayudarle a un Bustamante o un Santa Anna, ha llamado de Europa a un Maximiliano. Por el contrario, desde la independencia y la revolución de Ayutla, hasta la actual, se ha mostrado implacable enemigo de todo movimiento liberal y progresista, y ha fulminado sus ridículas excomuniones sobre los más grandes benefactores de la patria: Hidalgo, Juárez, Lerdo de Tejada.

Segunda: Las dictaduras pretorianas y clericales de Porfirio Díaz y Victoriano Huerta, contra las que ha venido luchando heroicamente el pueblo en estos últimos años, han tenido la simpatía y todo el apoyo de la Iglesia mexicana que siempre ha procurado evitar que se haga luz en los cerebros de los oprimidos y ha querido remachar las cadenas de los que sufren. El clero ha tenido bendiciones para los crímenes y corrupción repugnantes de Huerta y ha trabajado –afortunadamente sin éxito– para que la masa popular creyente se levantara contra el movimiento constitucionalista que viene a redimirlo.

Tercera: El clero, por su propio carácter y peculiar modo de ser, en abierta contradicción contra la naturaleza cuyas leyes no se violan impunemente, tiende a la corrupción, lleva en sí mismo los gérmenes de la corrupción, que alcanza el exceso cuando, como ha sucedido entre nosotros, son excesivos su privilegio y su poder. La corrupción clerical ha llegado a ser una amenaza para la moralidad de México. El confesonario y las sacristías son temibles como un antro de prostitución. Suprimirlos es obra sana y regeneradora, como lo es también la clausura de las escuelas católicas y la expulsión de jesuitas y frailes extranjeros y mexicanos que hizo este gobierno [...] En los colegios católicos se deforma la verdad, se deforma el alma cándida y pura de la niñez, el alma idealista y ardiente de la juventud, y se aleccionan para instrumento de las ambiciones clericales a espíritus que en un ambiente más libre y más honrado hubieran llegado quizás a ser apóstoles de libertades y progreso. Por eso es preciso someter la escuela clerical más que en nombre del presente en nombre del porvenir.

Cuarta: Es una suprema necesidad nacional y una evolución ineludible de la revolución constitucionalista tomar una acción enérgica y efectiva para cortar de raíz, de una vez y para siempre, los arraigados abusos del clero católico y acabar con el grave peligro que representa esta institución, más política que religiosa, para la tranquilidad y el progreso futuro de la patria [...] Teniendo este gobierno la firme resolución de mantener al clero y culto católicos dentro de los límites de su misión espiritual, sin influencia política, económica y educativa, ha tenido a bien expedir el siguiente reglamento de escuelas y culto católicos:

1. Se expulsa del estado de Nueva León a todos los sacerdotes católicos extranjeros, y a todos los jesuitas de cualquier nacionalidad que sean [...]

3. Las iglesias estarán abiertas de las 6 am a la 1 pm [...]

4. Se prohíben los confesonarios y la confesión [...]

6. Las campanas de los templos se usarán únicamente para celebrar las fiestas patrias y los triunfos de las armas constitucionalistas.

7. Se clausurarán todos los colegios católicos que no se sometan estrictamente a los programas y textos oficiales [...]

El general Plutarco Elías Calles, por su parte, gobernador del estado de Sonora, expulsó a todo el clero católico, al tiempo que intentó radicalizar, en un sentido anticlerical, la escuela, que ya era laicista: "La enseñanza primaria, tanto en las escuelas particulares como en las escuelas oficiales, es racional, porque combate el error en todos sus reductos, a diferencia de la enseñanza laica, que no enseña el error, no lo predica, pero, en cambio, lo tolera con hipócrita resignación. Los ministros de culto, especialmente los frailes católicos, no tienen acceso a las escuelas primarias sonorenses, porque sabemos que estos señores, cuando intervienen en la escuela, siempre hallan la manera de imbuir sus errores en las conciencias de los niños, aun cuando den clases de taquigrafía, mecanografía, música [...]".

Mientras tanto, las diversas columnas de soldados carrancistas, en su avance hacia la capital, no dejaban desmán por cometer. Obregón decía en un discurso en 1915: "La división que tengo el orgullo de mandar ha cruzado la República de un extremo al otro en medio de las maldiciones de los frailes y de los anatemas de los burgueses. No hay para mí gloria mayor: la maldición de los frailes aporta la glorificación". En algunos lugares intentaron revolucionar hasta la toponimia, cambiando, en un sentido naturalista, los nombres de ciudades y de personas que podían evocar el recuerdo de santos o de fiestas religiosas, según las prácticas ya empleadas por los jacobinos franceses.

Después de la caída de Huerta, la revolución se había dividido en dos campos. Zapata y Villa, de una parte, que si bien no eran ejemplares tampoco se mostraban anticlericales, y Carranza de la otra. Los villistas llevaban en sus pechos medallas y escapularios. Zapata gustaba cargar las andas del santo de su pueblo en la procesión. Ante la molestia que le producía su figura, Carranza ofreció cien mil pesos a quien lo capturase, vivo o muerto. Un coronel lo encontró, y, fingiéndose amigo, lo asesinó en abril de 1919. La cabeza de Zapata fue paseada por diversos pueblos de Morelia, y Carranza ascendió al coronel asesino. Tanto Villa como Zapata respetaban las iglesias y se preocupaban por tener capellanes en sus tropas. Cuando Zapata entró en México, mientras tañían las campanas de la ciudad, él tomó sobre sus hombros el estandarte de la Virgen de Guadalupe, así como dispuso la reapertura de todas las iglesias que habían sido clausuradas. Escribe Vasconcelos que "el culto a la Virgen de Guadalupe [...] fue una de las causas del choque entre zapatistas y carrancistas, cuando éstos hicieron arrancar a los zapatistas la imagen religiosa". Tampoco Villa compartió jamás los sentimientos de los jacobinos; sus seguidores, luego de tomar Guadalajara y Morelia, en poder de los carrancistas, liberaron a los sacerdotes detenidos y reabrieron las iglesias. En las zonas por ellos dominadas jamás hubo persecución religiosa.

Como se ve, la actitud fue completamente diferente. Refiriéndose a la persecución de Carranza, cuenta Meyer que, en cierta ocasión, un viejo campesino, contemporáneo y testigo de los hechos, le decía "que se tenía el gobierno muchas culpas ante la Santa Madre Iglesia, pues Venustiano Carranza y sus secuaces como el changuito Joaquín Amaro [quien sería luego Secretario de Guerra bajo la presidencia de Calles] y otros de su misma bajeza, no podrán negar sus desmanes contra la Iglesia, aun en nuestro Coalcomán, pues el Dr. Sanguino, Melitón Alcaraz y otros jarros sí intentaban prohibir a la Iglesia todos los ritos y cultos públicos, si no se sometía al capricho del gobierno del Anticristo. Sí, se pusieron de mal color los gobernantes y se querían hacer de las suyas, pero le tenían miedo a la rancherada católica".

2. La consagración de México a Cristo Rey

No podemos preterir un importante gesto de la Iglesia, previo al gobierno de Carranza. A fines de 1913, todavía bajo el gobierno del general Huerta, un obispo, monseñor Ruiz y Flores, previo acuerdo con los demás prelados, había ido a verlo al papa Pío X, para proponerle que proclamase el Reino de Cristo sobre todas las naciones, empezando por México. El Santo Padre aprobó la sugerencia con gran satisfacción. Se decidió entonces consagrar al Sagrado Corazón de Jesús, coronado con las insignias de su Realeza, la nación mexicana. Ello, como era de esperar, provocó la ira de liberales y masones, quienes organizaron en su contra un acto público, lo que no intimidó a los católicos. Y así, a pesar de que las Leyes de Reforma habían prohibido toda manifestación externa de culto, el domingo 11 de enero de 1914 se reunió una gran multitud, que recorrió el trayecto que media entre la estatua ecuestre de Carlos IV y la catedral. En la diócesis de Guadalajara, monseñor Orozco organizó una ceremonia semejante; lo mismo ocurrió en el resto del país. La iniciativa de la Iglesia en México tuvo resonancia universal. Pocos años después, en 1925, inspirándose en lo que se hizo en México, Pío XI publicó la encíclica *Quas primas*, donde se instauraría la solemnidad de Cristo Rey para toda la Cristiandad.

Bien señala Meyer que la proclamación del Reino de Cristo en México constituyó de hecho una respuesta categórica a la persecución ya declarada en 1913, que se intensificaría en los años sucesivos. Nada, pues, de extraño que los obispos hicieran pública una pastoral colectiva sobre dicho tema.

3. La Constitución de Querétaro

En diciembre de 1916, Carranza convocó un Congreso Constituyente, para reformar la Constitución de 1857. No deja de resultar paradójico que fuese precisamente Carranza, celoso custodio de la Constitución del 57, que tantos trastornos había causado en México, quien ahora saliera con la idea de derogar aquella Constitución y establecer otra, cosa que jamás se le había ocurrido a nadie en los ambientes mexicanos revolucionarios. Como era de esperar, ni villistas ni zapatistas tuvieron acceso al Congreso de Querétaro, sino sólo los pequeños sectores liberales protestantizantes y marxistas.

Tras dos meses de debates tempestuosos, entre blasfemias, bebidas y tiros, se pudo pergeñar y hacer público el texto de la llamada Constitución de 1917, peor aún que la de 1857, ya que agravaba todavía más la situación jurídica de la Iglesia católica. Son 136 sus artículos. Quedémonos preferentemente en los que se relacionan más con la política religiosa. Ya durante los trabajos preparatorios de la comisión nombrada para elaborar dicho documento, así como en los debates mismos de la Asamblea, se pudo advertir con claridad la tendencia dominante. Observa Meyer cómo allí se manifiesta en los diputados esa mezcla revolucionaria de protestantismo, masonería y liberalismo jacobino, así como ideas del socialismo incipiente. Mezcla radicalmente anticatólica. Una afirmación que se encuentra en el *Diario de Debates*, y que pertenece al diputado Alonso Romero, basta para advertirlo: "Se ha dicho en esta tribuna que mientras no se resuelva satisfactoriamente el problema agrario no se habrá hecho labor revolucionaria, y yo agrego que en tanto que no se resuelva satisfactoriamente el problema religioso, mucho menos se habrá hecho labor revolucionaria".

Particularmente interesante es la visión de la política educativa que se trasunta en los debates. No sólo se afirmaba la neutralidad de la enseñanza, que excluye la trasmisión de la doctrina católica, sino que se propiciaba una escuela anticatólica, "racional", como se decía, en el sentido de racionalista. Uno de los oradores, Luis G. Monzón, afirmó:

> En el siglo XIX la enseñanza oficial en México dejó de ser religiosa, y, por ende, directamente fanatizante, y entró francamente por un sendero de tolerancias y condescendencias inmorales. El maestro dejó de enseñar la mentira que envilece, pero la toleraba con seráfica benevolencia. La patria le confiaba sus pequeños retoños para que los transformase en hombres completos, y el bienaventurado dómine no desempeñaba a conciencia su misión, pues permitía que en el alma de sus educandos siguiera anidando el error, el absurdo, la superstición y el fanatismo, todo lo cual autorizaba aquél en su evangélico silencio. Sin embargo, debemos excusarlo, porque una ley inexorable le ordenaba que procediera de este modo: esa ley debería designarse por un vocablo indecoroso que la decencia prohíbe estampar en estas líneas, pero que la suspicacia científica bautizó con el nombre de laicismo [...]
>
> La soberanía de un pueblo que ha luchado por su dignificación y engrandecimiento nos ha confiado la tarea de que quebrantemos los hierros del siglo XIX en beneficio de la posteridad, y nuestro principal deber es destruir las hipócritas doctrinas de la escuela laica, de la escuela de las condescendencias y de las tolerancias inmorales, y declarar vigente en México la escuela racional, que destruye la mentira, el error, el absurdo, dondequiera se presenten.

El enemigo que se había de combatir era principalmente el clero, sobre todo "el clero que se mete en política". Había que denunciar sus prácticas, como la confesión auricular, desde donde aquellos congresales pensaban que los sacerdotes ejercían influencia sobre la gente. Recuérdese cómo, según lo señalamos más atrás, los mismos que propulsaron esta Constitución no habían trepidado en quemar simbólicamente numerosos confesonarios durante la campaña militar de 1914-1915. Refiriéndose a ello dijo uno de los asambleístas llamado Recio: "La confesión auricular. Esta es una de las grandes inmoralidades, este es un gran delito que se ha venido cometiendo, y nosotros debemos pedir de una manera vigorosa, y de una vez por todas, que sea abolida por completo". En el mismo sentido intervino González Galindo: "Los jefes revolucionarios que entraron triunfantes en cada pueblo de la República vinieron sacando los confesonarios y quemándolos públicamente, y esto lo hacían porque estaban conscientes de que los ministros de la religión católica habían querido aquel mueble para conspirar contra la revolución, contra el constitucionalismo [...] Le hemos arrebatado al clericalismo la niñez, con la votación del artículo 3°. Ahora bien, ¿por qué no le hemos de arrebatar la mujer? De la mujer se sirve para sus fines políticos; la mujer es el instrumento de la clerecía [...], ¿por qué no hemos de arrebatarle la mujer del confesonario, ya que le arrebatan el honor de hogar, valiéndose de la confesión auricular?"

Atacóse también al clero en el artículo 127, donde se afirmaba que la Iglesia no tenía derecho a poseer, adquirir o administrar propiedades, ni siquiera dirigir obras de beneficencia, ni ejercer ninguna clase de dominio sobre ellas; todos los lugares de culto pasaban a ser propiedad de la nación. En dicha medida se insinuaba ya cierta tendencia colectivista, al limitarse así el derecho a la propiedad privada, que luego se extendería a la sociedad civil. Recuérdese que fue en el transcurso del mismo año en que se promulgó la Constitución que Lenin se había apoderado del poder en Rusia, con el apoyo de magnates capitalistas, como el banquero Jacobo Schiff, Kuhn-Loeb, Apfelbaum y Rosenfeld, conocidos estos dos últimos bajo los nombres rusos de Zinoviev y Kamanev, para introducir el comunismo en Rusia. Con Carranza, afirma Borrego, estaban los más radicales izquierdistas. El mismo núcleo de conspiración internacional, inspirado en las huestes de Trotski y Lenin en Rusia, trataba de influir en la Revolución mexicana.

Se prohibían también las órdenes religiosas y los votos, al tiempo que el matrimonio era considerado como mero contrato civil. Asimismo se determinaba que la Iglesia no podía ocuparse de establecimientos de beneficencia ni de investigación científica; sus ministros no tenían tampoco derecho a hacer política; por lo demás ninguna publicación de carácter religioso podía comentar un "hecho político", lo cual hacía inviable el conjunto de la prensa católica. Se decía, asimismo, que los Estados de la federación eran los únicos que podían decidir el número de sacerdotes, según las necesidades de cada localidad. Solamente si alguien era mexicano de nacimiento estaba capacitado para ejercer el ministerio pastoral. En el artículo 130 se le negaba a la Iglesia toda personería jurídica y se otorgaba al gobierno federal el poder de "intervenir según la ley en materia de culto y de disciplina externa". De este modo la religión católica pasaba a ser un delito en México y sus seguidores simples delincuentes. En el artículo 24 se concedía a todos la más amplia libertad para profesar cualquier opinión religiosa, pero en el mismo artículo se prohibía profesarla en público.

La violencia en las palabras de los congresales se volvió extrema, según podemos observar, a modo de ejemplo, por el tono del discurso de uno de ellos, C. Cravioto:

> Señores diputados: Si cuerdas faltan para ahorcar tiranos, tripas de fraile tejerán mis manos. Así empezaba yo mi discurso de debut en la tribuna de México hace algunos años, y he citado esto para que la asamblea se dé cuenta de mi criterio absolutamente liberal [...] Yo aplaudiré en mi curul a todo el que injurie aquí a los curas [...] Todos sentimos odio contra el clero; sí, todos, si pudiéramos, nos comeríamos a los curas, sí, yo, señores diputados, que no soy jacobino sectario, no bautizo a mis hijos, ni tengo ninguna de las esclavitudes del catolicismo tradicional [...] Yo comprendo sin dificultad que un señor general ameritado, patriota, valiente, liberal, despreocu-

> pado, y solamente atento a saber cumplir su papel como soldado revolucionario en acción, venga a la plaza de Querétaro e incendie los confesonarios de todas las iglesias en la plaza pública, que funda las campanas, que se apropie de las escuelas del clero [...] y hasta que cuelgue a algunos frailes. Todo esto me parece perfectamente explicable entre nosotros, nadie lo condenará en el momento de la guerra, si es hombre imparcial e ilustrado [...]
>
> Por último, me declaro partidario de que para ejercer el sacerdocio de cualquier culto se requiera ser casado civilmente, si se es menor de cincuenta años [...] Os leeré algunos documentos importantes que aunque no hará falta para que votéis en pro del dictamen, sí servirán para que sepan allende el Bravo dónde existe nuestro problema religioso, sepan conocer a fondo todas las razones y motivos que los mexicanos hemos tenido, no sólo para perseguir sino aun para exterminar a esa hidra que se llama clero [...], estos vampiros, que es el calificativo correcto que se les debe dar [...], ese traje negro y fatídico de quienes lo portan [...], con el propósito sincero y firme de no descansar hasta que no hagamos desaparecer el pequeño número de vampiros que tenemos en México, y hasta que no consigamos exterminarlos, porque para mí, señores, lo confieso que sería lo ideal [...], la gran justicia que el pueblo mexicano ha tenido cuando ha procedido con tanta saña, con tanta crueldad, a veces con tanta ferocidad increíble para perseguir lo que aquí llamamos clero y que debía llamarse una banda de ladrones, de forajidos y de estafadores.

Según Meyer, los constituyentes de 1917, con algunas excepciones, pensaban que el catolicismo era un “cáncer” y, como opinaba el general Mújica, les parecía que existían razones sobradas "no sólo para perseguir, sino aún para exterminar a esa hidra a la que llaman clero [...], a esa canalla que ha venido a hacer que la sociedad mexicana sea retardataria".

En abril de 1917, los obispos mexicanos, varios de los cuales habían previamente debido refugiarse en Estados Unidos, hicieron pública una protesta formal, sobre todo contra los artículos que hemos citado de la nueva Constitución, que de hecho conferían un carácter legal a la persecución. "El código de 1917 –allí se decía– hiere los derechos sacratísimos de la Iglesia católica, de la sociedad mexicana y los individuales de los cristianos, y proclama principios contrarios a la verdad enseñada por Jesucristo, la cual forma el tesoro de la Iglesia y el mejor patrimonio de la humanidad, y arranca de cuajo los pocos derechos que la Constitución de 1857 [...] reconoció a la Iglesia como sociedad y a los católicos como individuos".

El 24 junio de 1917 levantó su voz monseñor Orozco y Jiménez, arzobispo de Guadalajara. Este gran prelado, que había sido primero arzobispo de Chiapas, intervino en el asunto con la energía que lo caracterizaba. Digamos algo de este singular pastor. Ya en 1914, cuando otros obispos, la mayoría, tomaron el camino del destierro, el prefirió permanecer en México, escondido en el campo, siendo por ello declarado conspirador y sedicioso. Es cierto que en 1915 y 1916, tuvo que irse por un tiempo al extranjero, pero ni bien pudo retornó a su sede, "movido por el sentimiento de mis deberes", según dijo, y comenzó a visitar su diócesis desde la clandestinidad, protegido por los campesinos del acoso de las patrullas militares. Fue entonces cuando hizo leer en los púlpitos una carta pastoral suya donde se condenaba la Constitución de 1917. En revancha, el gobierno de Jalisco ordenó cerrar todas las iglesias de Guadalajara en que se hubiese leído la pastoral. Luego el obispo fue aprehendido en Lagos. El pueblo quiso liberarlo por la fuerza pero él pidió al párroco que calmara a la multitud, siendo finalmente deportado a los Estados Unidos, de donde este hombre santamente "incorregible" regresó en 1919.

Pronto Carranza comenzó a amainar en su ataque contra la Iglesia por razones de política nacional e internacional, derogando parte del artículo 130 de la Constitución. Entonces los prelados resolvieron ir retornando a sus respectivas sedes. Por los demás, los días del Presidente estaban contados, ya que en secreto Obregón se iba aprestando a reemplazarlo. Él, sin embargo, se sentía firme. Con motivo de la primera guerra mundial lanzó una exhortación a todas las naciones neutrales para que dejaran de vender material de guerra a los países beligerantes. Ello sólo podía afectar a los aliados. Entonces el presidente Wilson, sumamente contrariado, dio un viraje completo en su política anterior, prohibiendo toda venta de armas al gobierno de Carranza. En 1920, el presidente mexicano advirtió que algo se estaba tramando contra su gobierno en el estado de Sonora, reducto de Obregón, de Calles y del gobernador Adolfo de la Huerta. De este modo, las mismas fuerzas que lo habían llevado al poder, lo empezaron a abandonar. Cuando la Casa Blanca le retirara el apoyo, su suerte estaría echada.

II. Álvaro Obregón (1920-1924)

Los tiempos finales de Carranza le fueron muy adversos, debiendo reprimir cruelmente sucesivos levantamientos militares. Últimamente se rebeló el general Obregón, que hasta entonces lo había servido fielmente. Él le debía todo a don Venustiano, su carrera militar, su ascendiente político, los elogios y ditirambos que siempre le dedicaba la prensa. Fue, en realidad, el hombre de su mayor confianza, al punto de que la gente lo consideraba el niño mimado de Carranza. Sea lo que fuere, ahora se había sublevado, logrando la adhesión de varios gobernadores y generales del ejército. Carranza, viéndose sin recursos para resistir en la ciudad de México, se dirigió a Veracruz, llevando consigo todo el personal del Gobierno y buena provisión de dinero. Durante el viaje, el convoy fue atacado en una localidad del estado de Puebla. Tras breve combate, sus tropas se pasaron al enemigo, y así el Primer Jefe debió huir a la sierra de Puebla, escondiéndose en una miserable choza. Siete días después, tras ser encontrado, fue asesinado por orden del general Obregón. Se cuenta que, más tarde, cuando su familia recibió su cartera, encontró en ella un crucifijo y una medalla religiosa, en la que aparecía esta inscripción: "Madre mía, sálvame". Al parecer, había resuelto presentarse ante el Congreso con una iniciativa que modificaba la Constitución para así poner fin a la persecución religiosa. Ello no podía ser consentido. En orden a completar el período de Carranza, el Congreso puso como Presidente provisional a Adolfo De la Huerta quien, al cabo de cinco meses, entregó el mando a Obregón. Subió éste al poder en 1920, gobernando hasta 1924.

Era Obregón, nos dice Borrego, una persona inteligente, enérgica, y un buen organizador. Particularmente acertada fue su decisión de nombrar a José Vasconcelos en la Secretaría de Educación Pública. Este hombre de bien, lleno de iniciativas, al tiempo que fomentó la enseñanza en el campo mediante la proliferación de escuelas rurales, fundó bibliotecas y desplegó un intenso abanico de proyectos culturales. Confiriendo a la enseñanza un matiz nacionalista, infundió a la juventud confianza en sí misma. Todo ello le valdría más tarde el calificativo de "maestro de juventudes". Por desgracia, tiempo después se creyó obligado a renunciar, contrariado por diversos asesinatos perpetrados por el régimen. Otro nombramiento, éste nada bueno, por cierto, fue el de Calles para la Secretaría de la Gobernación.

En principio la Casa Blanca estaba de acuerdo con el sucesor de Carranza y confiaba en que sería suficientemente flexible a sus "requerimientos".

1. El gobierno de Obregón

Una de las primeras iniciativas que se tomaron durante su administración fue la de llevar adelante una reforma agraria. Había doce millones de hectáreas aptas para la siembra, y sólo se cultivaba menos de la mitad. Pero dicha reforma tuvo un sesgo bien izquierdizante. En esos momentos la Comisión Nacional Agraria había adoptado el axioma marxista de que la producción debía tender a ser "colectiva" porque "el régimen de propiedad privada es totalmente anticuado". Y así se fue imponiendo el control estatal de las tierras, lo que significó la instalación de ejidos colectivos, al estilo de los *koljoz* soviéticos. Es cierto que Obregón no apoyó todo esto, pero tampoco se animó a desautorizarlo.

Fue, asimismo, durante su gestión que se formalizó una organización social vinculada a la internacional roja, cuyo núcleo era la llamada CROM (Confederación Regional Obrera Mexicana). Dicha asociación la había fundado Luis M. Morones años atrás, más precisamente, en 1918, durante el gobierno de Carranza. A lo largo de su gestión Obregón facilitó la conversión de dicho movimiento en un instrumento político para controlar a las masas trabajadoras. Al parecer tenía cierta complacencia con los procomunistas, a pesar de no ser simpatizante del comunismo.

2. Su política religiosa

Nunca Obregón se afilió a la masonería, pero sí aceptó la amistad de las Logias y dejó que lo llamaran honoríficamente "Gran Maestro". ¿Cuál fue su actitud frente al catolicismo? Con motivo de su elección a la presidencia hubo manifestaciones donde se atacó categóricamente a la Iglesia. En una de ellas habló Morones y otro "camarada", señalándose que "no había otro camino que el de Lenin". Al principio Obregón se mostró astuto con la Iglesia, no aplicando del todo la Constitución de 1917, hasta el punto de devolver los templos confiscados desde 1914 a 1919. La Iglesia, por su parte, no dejaba de dar muestras de vitalidad. En enero de 1921 se reunieron grandes multitudes de católicos con motivo de la coronación de la Virgen de Zapopan, en Guadalajara. La gente, que estaba de rodillas en la calle, ya que no cabía en la catedral, llenaba la plaza de armas. "¡Viva la Iglesia Católica!", gritaban, "¡Viva el Episcopado Mexicano!" "¡Viva la libertad religiosa!". Doce grupos de danzantes rindieron homenaje a Nuestra Señora.

Quince días después explotó una bomba en la puerta del arzobispado de México. Era, sin duda, una elocuente respuesta a lo acontecido en Zapopan. Se organizó enseguida una manifestación católica. E, inmediatamente, una contramanifestación de los obreros de la CROM, que fue dispersada por los católicos del Distrito Federal, quienes llenaron el Zócalo, y aclamaron a Cristo Rey, al Papa y a los Obispos, al tiempo que gritaban: "¡Muera Juárez!". Obregón comentó que seguramente no se había querido hacer un atentado contra la Iglesia sino sólo una advertencia al arzobispado de Guadalajara que había hablado recientemente en contra del comunismo, por lo cual, concluía, era conveniente que la Iglesia no se metiera en cuestiones políticas. En Guadalajara hubo también disturbios, tolerados por el gobierno. Sin embargo, como bien señala Borrego, aunque a veces Obregón intervenía para poner coto a algunos actos hostiles, no tocaba a sus verdaderos organizadores.

Por lo demás, ya desde años atrás, se había querido instituir el llamado "matrimonio socialista", en el que los líderes del CROM suplían a los sacerdotes, y la gente cantaba a los novios la Internacional. El gobernador de Yucatán, por su parte, no había vacilado en tomar posesión de su cargo con un desfile bajo el estandarte soviético, pronunciando un discurso donde ponderó al marxismo. El proceso seguía adelante. Se multiplicaron los "bautismos socialistas", decorados con flores rojas, mientras el Partido Socialista llegó a decir en una proclama: "Trabajadores: ¡Preparaos para la república comunista! Los trabajadores del mundo se preparan para establecer el imperio de la equidad de la Dictadura del Proletariado [...]Para alcanzar este objetivo de comunizar la sociedad, hay que ser bolcheviques".

Y así, en diversos Estados se fueron produciendo enfrentamientos con la Iglesia. Meyer nos ha dejado el relato de algunos de ellos. En Michoacán, por ejemplo, el general Mújica, que era gobernador desde septiembre de 1920, es decir, el año en que subió Obregón al poder en el orden nacional, irritó con jacobinismo desenfrenado a los católicos, lo que provocó agitación. Dicho gobernador, que en sus mocedades había sido seminarista, no vaciló en denunciar a Obregón el papel "subversivo" de los sacerdotes. En el transcurso de una manifestación socialista contra la Iglesia, algunos de sus componentes treparon a las torres de la catedral para tocar las campanas mientras colocaban en lo alto la bandera roja y negra. Un obrero católico subió, la arrancó y la quemó. En revancha, esa misma tarde un grupo de izquierdistas acuchilló un cuadro que representaba a la Virgen de Guadalupe, lo que a su vez provocó manifestaciones católicas de desagravio al grito de "Viva Cristo Rey" y "Viva la Virgen de Guadalupe".

Hechos semejantes acontecieron en Guadalajara, en mayo de 1921. También allí un grupo izó la bandera roja y negra en la torre de la catedral, que fue corajudamente arrancada por un futuro cristero, Miguel Gómez Loza. Un mes después estalló una bomba en la residencia del obispo Orozco y Jiménez. Los jóvenes de la Asociación Católica de la Juventud Mexicana aseguraron la guardia del esclarecido prelado. Y habiéndose oído que pensaban atentar contra el santuario mismo de la Virgen de Guadalupe, que se venera en aquella ciudad, se instalaron allí guardias nocturnas. Poco después, un funcionario de la presidencia, Juan M. Esponda, puso al pie de la imagen de la Virgen un ramillete de flores que contenía un cartucho de dinamita. La explosión se produjo y un grupo de soldados debió salvar al agresor de la multitud que quería lincharlo.

Con una coincidencia notable de protestas anticlericales a lo largo del país, los maestros de la escuela pública de Tacámbaro, "punto avanzado del fanatismo católico", como se dijo, se quejaron de no poder trabajar, porque el obispo Lara y Torres hacía una campaña tal que el pueblo desconfiaba de ellos e incluso los aborrecía. Aquel obispo, semejante a Orozco por su espíritu combativo, y que estaba persuadido de la imposibilidad de llegar a un acuerdo con la Revolución, preveía en sus alocuciones un porvenir de lucha y de sangre: "¿Qué puedo acaso ofrecerles –dijo en cierta ocasión a sus seminaristas, profetizando lo que acontecería en los años 1926-1929– si no una perspectiva de luengas pruebas y privaciones, de trabajos y sufrimientos, de persecuciones y martirios? ¿Qué es hoy el sacerdote católico ante las inicuas leyes que nos rigen sino un proscrito a quien se le arrancan los más sagrados derechos de ciudadanos? [...] ¿No hemos visto [...] a los sacerdotes católicos, y sólo a ellos, abofeteados y escarnecidos por cualquier canalla que portara carabina? [...] ¿En jaulas como cerdos [...] para fusilarlos como perros a la vera del camino? Pues ésta es la perspectiva que os espera [...] la humillación, el sacrificio, la muerte y la ignominia de la Cruz. Yo no quiero, yo no debo engañaros".

El año 1922 había terminado mal. Estamos ya en la mitad del gobierno de Obregón. El siguiente año comenzó con un choque violento. En el estado de Guanajuato se levanta el Pico del Cubilete o el Cerro del Cubilete, centro geográfico del país, a 800 metros de altura sobre el valle y a 2.600 sobre el nivel del mar. Desde hacía mucho tiempo había allí una capilla. El 7 de abril de 1922, en una pastoral colectiva, el Episcopado había anunciado su intención de construir en aquel lugar un monumento en homenaje a Cristo Rey. Mediante diversas colectas se juntó dinero abundante, de modo que pronto pudo ser colocada la primera piedra, lo que hizo el delegado apostólico monseñor Ernesto Filippi el 12 de enero de aquel año. Una multitud pasó la noche precedente orando sobre la falda de la montaña sagrada. Desde Guadalajara el obispo Orozco y Jiménez, adelantándose a una Liga Anticlerical Mexicana, formada por masones, que denunciaba en el acto un atentado contra la Constitución, se había apresurado a precisar que la ceremonia no violaba la ley ya que el Cubilete era propiedad particular y no dominio público. Así, pues, el 11 de enero de 1923, el obispo de León celebró la Santa Misa en lo alto de la montaña, y el delegado apostólico bendijo la primera piedra del monumento. Los participantes aclamaron a Cristo Rey, a la Virgen, al Papa, al Delegado y al obispo de León. Al día siguiente, cuando nada podía hacer prever una reacción, el procurador general de la República obligó a abrir una investigación sobre la presunta violación que con dicho acto se había infligido a las leyes constitucionales. Se solicitó al Secretario de la Gobernación, Plutarco Elías Calles, la aplicación inmediata del artículo 33 al extranjero Filippi, que había violado las leyes e "impulsaba a la rebelión a la gente pacífica, explotando su sentimiento religioso". Calles transmitió al inspector de policía una orden de Obregón para que el delegado apostólico abandonase el territorio nacional en el término de tres días.

El Presidente, que en diversas ocasiones había tratado de mostrarse conciliador y comprensivo con la Iglesia, puso paños fríos a la medida, señalando que la orden de expulsión del nuncio no debía ser considerada como un ataque a la religión. Y con el deseo de calmar la inevitable agitación a que se había dado lugar, envió una larga carta a varios obispos donde entre otras cosas les decía: "Yo lamento muy sinceramente que los miembros del alto clero católico no hayan sentido la transformación que se está produciendo en el espíritu colectivo, hacia orientaciones modernas". La Iglesia y el Estado no se excluyen, agregaba, tienen intereses complementarios... Finalmente proponía a los prelados una suerte de división del trabajo y una alianza para "un programa esencialmente cristiano y esencialmente humanitario". Pero, en el fondo, seguía en su tesitura, declarando que el Partido Liberal encarnaba "los postulados del verdadero socialismo que están inspirados en la doctrina de Jesucristo" y que ya había pasado la época del "fanatismo metafísico que monopolizó por más de dos mil años el espíritu de las masas populares".

En octubre de 1924, el último año del gobierno de Obregón, los ánimos volvieron a encresparse con motivo de la celebración de un Congreso Eucarístico Nacional en la capital de la República, que provocó la reanudación del diferendo del Cubilete, ocurrido el año anterior. Tratábase de un proyecto de larga data. El reciente conflicto con motivo de aquel diferendo, no intimidó a los obispos que lo habían convocado. Comenzó, pues, el Congreso, en el Distrito Federal, el 5 de octubre, y fue celebrado al mismo tiempo en todas las ciudades de la República con grandes concentraciones populares. De los discursos entonces pronunciados distingamos aquí el del joven dirigente laico Palomar y Vizcarra, donde puso en claro que la mejor manera de ser vencido era "dejar al enemigo la plaza sin luchar", cerrando su disertación con esta cita: "Los pueblos perecen no porque son débiles, perecen porque son viles". Las últimas palabras que se pronunciaron en aquel Congreso fueron las siguientes: "Ángeles santos, que en cálices preciosos recibís la Sangre que brota de esas Llagas [las de Jesucristo], ¡no los llenéis hasta los bordes! ¡Dejad lugar para la sangre nuestra! Queremos, como el gran San Pablo, poner con las tribulaciones nuestras lo que falta a la Pasión de Cristo, para que México, el hijito mimado de María de Guadalupe, sea también el soldado más valiente del Rey muerto que reina vivo". Parecía un preanuncio de lo que acontecería sólo dos años más tarde.

La reacción del Gobierno fue contundente. El 9 octubre dispuso que el Congreso Eucarístico, que ya se estaba celebrando, fuese suspendido de inmediato acusándolo "por el delito de violación de las Leyes de Reforma", al tiempo que se decidió el cese de los empleados públicos que hubieran en él participado. No por ello se interrumpió el Congreso, y todo lo programado siguió adelante, con gran irritación del Gobierno.

En líneas generales la administración de Obregón contó con el respaldo de los Estados Unidos. La Casa Blanca vio con simpatía sus coqueteos izquierdistas y sus conflictos con la Iglesia. Ahora le pedía algo más. Porque México se había propuesto recuperar su soberanía sobre el subsuelo, derecho que venía de la época de Carlos III, y que había refrendado la Constitución de 1917. Intervino entonces la Standard Oil Company, y la nación tuvo que renunciar a su derecho, con lo que el Presidente recibió el espaldarazo de la Casa Blanca.

Tal fue el comportamiento político y religioso de Obregón, un hombre mediocre, con algo de taimado y mucho de componendero, pero, según enseguida lo veremos, en comparación con Calles no sería sino un pichón.

III. Plutarco Elías Calles (1924-1928)

Entremos ahora a considerar la figura más relevante de la Revolución Mexicana del siglo XX, el que trató de poner a la Iglesia entre la espada y la pared.

1. La figura de Calles

Afirma Salvador Borrego que don Plutarco, nacido de madre católica, tenía antepasados judíos, aunque bastante remotos, lo que fue aprovechado por algunos integrantes de aquel pueblo para acercarse a él, pese a que ellos sostienen que "sólo es judío el nacido de judía". De hecho Calles vería en ellos buenos aliados para sus proyectos políticos.

Calles no fue, por cierto, un hombre salido de la nada. Ostentando el grado de general, había ocupado el cargo de gobernador de Sonora durante el gobierno carrancista, luego, en 1920, el de Secretario de Industria, Comercio y Trabajo, durante el breve interregno de Huerta, y, por último, fue impuesto por Obregón como su sucesor, llegando así a la Presidencia de la Nación.

¿Quiénes son los que lo sostuvieron en el poder? En primer lugar y, especialmente en sus comienzos, el mismo Obregón, que fue quien lo eligió. En segundo lugar, el ejército, cuyo influjo Calles percibía con especial claridad. Bien sabía que, sobre todo desde el fin del porfiriato, su preponderancia en la vida nacional era decisiva. Los jefes de las diversas regiones militares se comportaban como señores feudales, siempre dispuestos a sublevarse o a venderse. A través del general Joaquín Amaro, quien sería su Secretario de Guerra, Calles emprendió la domesticación de las fuerzas armadas. Pero, como bien señala Meyer, utilizar el ejército para mantenerse en el poder y quebrarlo para no ser derribado por él, era algo que Calles no hubiera podido llevar a cabo sin el apoyo de Obregón.

En tercer lugar se respaldó en los trabajadores organizados, los obreros de la CROM, el único grupo compacto y coherente, del que hablamos anteriormente. Dos días antes de asumir el poder, firmó un pacto secreto con Luis M. Morones, su dirigente principal y aliado de Obregón, justamente para contrapesar la influencia de Obregón. Por otra parte, según nos lo revela Meyer, se había previsto la disolución del ejército nacional y su ulterior reemplazo por milicias obreras. Recuérdese que estamos en los años de la toma del poder por parte de los comunistas en Rusia. Para la CROM, Calles sería "su" presidente, "un presidente laborista", se decía. Morones, a quien Zuno, un enemigo de Calles, llamaba "el Cerdo de la Revolución", no retrocedía ante ningún medio, asesinato incluido, si lo creía conveniente. Hasta se le llegó a imputar el ulterior homicidio de Obregón.

A los tres estamentos anteriores que constituyeron las bases de Calles, debemos agregar un cuarto, a saber, los agraristas. Durante estos años se fue formando un Partido Nacional Agrario, que Díaz Soto y Gama puso al servicio de Calles. El gobierno los utilizaría a su arbitrio, ora armándolos, ora desarmándolos, según sus conveniencias.

Hemos señalado páginas atrás que, desde 1914, la Revolución había sido llevada adelante por gente del norte: Carranza, Obregón, y ahora Calles, ajenos al México tradicional, católico e hispánico. A raíz de lo que escribía un tal Roberto Pesqueira acerca de "los hombres del norte", comenta Vasconcelos que "lo que Roberto postulaba como nortismo era, en realidad *pochismo*. Palabra que se usa en California para designar al descastado que reniega de lo mexicano [...] y procura ajustar todos sus actos al mimetismo de los amos actuales de la región". Los primeros golpes a la Iglesia vinieron de esa zona, como ya lo dijimos, a lo que ahora podemos agregar que, paradojalmente, algunos de sus personeros habían sido seminaristas.

2. Su actuación como estadista

Calles tenía, según lo dejó en claro durante su gestión, grandes aptitudes de mando y de organización. Asimismo se mostró como un gobernante emprendedor, que supo rebuscarse a pesar de los escasos recursos económicos y el breve tiempo de su período presidencial –de cuatro años–, para llevar adelante diversos emprendimientos, entre otros, acabar con la anarquía bancaria creando el Banco de México, al tiempo que iniciando la construcción de diversas carreteras. En cuanto al problema agrario, siempre acuciante, Borrego nos aporta algunos elementos de su historia, que no es sencilla. Precisamente en 1925, un año después de que Calles asumiera la presidencia, se había adoptado el punto 6º de un plan que la Junta Anfictiónica de Nueva Orleans acordó implantar en México: allí se disponía la disolución de la propiedad de las fincas, cualquiera fuese el título con que se poseían. Tal medida buscaba desarraigar las masas campesinas, por lo general tradicionalistas, y ponerlas al servicio de la Revolución Mundial. En la época de Carranza, éste había recibido una ayuda sustancial del famoso John Davison Rockefeller. Ya hemos dicho que, de joven, Carranza había sido católico practicante, pero al parecer acabó cediendo a las exigencias anticatólicas que se le imponían desde el extranjero; no deja de ser sospechoso que los jefes que le respondían empezaran a cerrar templos, destruir imágenes, convertir cálices y altares en excusados.

También en Calles parece haberse dado una evolución en su idea sobre el campo, nos sigue diciendo Borrego. Al comienzo sostenía que "la labor de cualquier gobierno verdaderamente nacionalista debe dirigirse, en primer término, a crear la pequeña propiedad, convirtiendo a los campesinos en propietarios de las tierras que puedan trabajar". Esta afirmación, tan de acuerdo con el orden natural, era contraria al espíritu del artículo 6º al que aludimos más arriba, que en modo alguno tendía a crear pequeños propietarios agrícolas libres, sino peones sujetos al control oficial. Por lo demás, y al mismo tiempo, Calles no desautorizaba abiertamente a los partidarios de dicha política de servidumbre, consintiendo en apadrinar a Emiliano Zapata como si éste hubiese sido el abanderado de la adulterada reforma agraria, cuando en realidad el caudillo popular en nada coincidía con ella. Fue sólo una astuta maniobra por la cual Zapata comenzó a ser utilizado para ocultar, bajo rasgos mexicanos, el sesgo globalizante que en Nueva Orleans se había dado a la Reforma agraria.

Siguiendo nuestra consideración sobre el sector que nos ocupa, hay que acotar que el ideario de justicia social patrocinado por León XIII chocaba frontalmente con la política clasista y dialéctica de la Revolución. No que la doctrina católica hubiese querido echar agua bendita sobre las injusticias que se cometían en el campo. Al contrario, la Iglesia instó a los estancieros católicos para que proveyeran del maíz necesario a los peones y sus familias, para que cada peón tuviera pasto gratuito con que alimentar a sus animales, habitaciones dignas, escuelas para sus hijos, asistencia médica, remedios para los enfermos, etc. En 1924 apareció un documento de la Confederación Católica del Trabajo. Allí se decía: "¡Viva Cristo Rey! A los terratenientes de nuestra patria [...] el día de una profunda y radical reforma en la organización socioeconómica de México ha llegado". Y se recordaba luego la frase famosa de León XIII en su encíclica *Rerum novarum:* "Hay que multiplicar en cuanto sea posible el número de propietarios". Tal era el ideal: la multiplicación de pequeñas propiedades rurales que tuvieran la suficiente capacidad para sostener con sus productos a toda una familia campesina, permitiéndole ocuparse en diversos cultivos. Como se ve, la Iglesia tenía un proyecto de reforma agraria que no era, por cierto, el que propiciaba el gobierno, y lo presentaba con el propósito de hacer inútil la reforma agraria que aquél sustentaba, tomándole la delantera. No se olvide que en México la población rural era visceralmente católica, constituyendo una barrera infranqueable a la Revolución socialista. Un diputado, Rafael Picazo, para salir al paso de los proyectos de la Iglesia, llegó a declarar que la parcelación de las tierras era contrarrevolucionaria e hizo cuanto pudo para obtener su anulación.

Es claro que todas las riendas del poder político estaban en manos del gobierno, que no temía entrometerse en las decisiones de los campesinos. De hecho el "agrarismo", movimiento totalmente dependiente del Estado, marcó el fin de la comunidad campesina tradicional. Los llamados "agraristas" eran, con frecuencia, personas extrañas al campo, venían de afuera, y comenzaron a integrar una suerte de *lumpenproletariado* rural, sin raíces en la tierra, instrumento puro del Estado. A juicio de Meyer, la reforma agraria que a la postre se impuso, destruyó los viejos vínculos, pero no sin reemplazarlos por el dominio más implacable del Estado, que dejaba disponibles a los pobres peones para toda movilización que se le ocurriera al poder estatal.

Otro terreno en el que incursionaría Calles fue el del petróleo. Retomando iniciativas patrióticas, se propuso reglamentar el artículo 27 de la Constitución, tendiente a que México recuperara el dominio del subsuelo nacional. Ya Carranza había intentado sin éxito incluir esa visión nacionalista en la Constitución de 1917. Pero el intento de Calles chocó, como era de esperar, con el Departamento de Estado norteamericano. Tras diversos forcejeos, en 1926 el Presidente daría por terminado el diferendo, renunciando a la idea de recuperar el petróleo. "Pese a su fracaso en este proyecto de rescate del subsuelo –comenta Borrego–, el régimen callista logró buenos progresos en el orden administrativo, y sin duda hubiera conseguido hacer muchos bienes en ese campo, de no haberse empeñado ciegamente en la lucha antirreligiosa que le distrajo energías, y que tanta sangre y dinero costó al país".

Si pasamos al ámbito del trabajo y de los trabajadores, ya hemos dicho cómo antes de asumir la Presidencia, Calles había firmado un "acuerdo" con Luis M. Morones, por el que se comprometía a "disolver gradualmente el Ejército Nacional dentro del año siguiente a aquel en que haya tomado posesión de la Presidencia de la República; reemplazarle por batallones de los sindicatos que pertenezcan a la CROM; aceptar el Estado Mayor que designe la CROM, el que tendrá a su cargo la creación de la nueva organización del Ejército del Proletariado". Asimismo Calles se comprometía a apoyar a la CROM y nombrar a Morones Secretario de Industria, Comercio y Trabajo, a cambio de que la CROM apoyara al régimen callista. El "reemplazo" aquél no se pudo llevar a cabo por temor a que se crease un gran malestar político. Pero el novel Presidente cumplió con creces lo del apoyo total a la CROM y la designación de Morones. Portes Gil diría que "casi no quedó ningún funcionario del régimen que no estuviera sometido de grado o por fuerza a la dictadura moronista". Por lo demás, Morones acabó siendo un potentado, viviendo fastuosamente, con no menos de seis autos y diversos diamantes. ¡El compañero Morones!

Advierte Meyer que el proyecto oficial sobre el tema sindical se complicó porque también la Iglesia trabajaba con los obreros, sea en los llamados Círculos Obreros Católicos, anteriores a la Revolución, sea en agrupaciones semejantes surgidas en diversas ciudades del país. Siguiendo las directivas pontificias, los obispos alentaban el sindicalismo cristiano. En Jalisco, con monseñor Orozco a la cabeza, se había organizado la Unión de Sindicatos Obreros Católicos de Guadalajara que, en 1921, es decir en la época de Obregón, habían convocado un Congreso Nacional, el cual fue entendido por la gente de la CROM como si se hubiese tratado de un ardid del capitalismo para frenar los auténticos intentos de emancipación proletaria. Pronto comenzaría a correr sangre de los sindicalistas católicos en Jalisco y otros lugares.

3. La persecución a la Iglesia

En su libro *La persecución religiosa en México* señala Lauro López Beltrán que el gobierno de Calles fue una serie apenas interrumpida de ataques a la Iglesia, unos directos, y otros perpetrados a su sombra. Vayan algunas muestras. En febrero de 1925, dos meses después de la iniciación de su período, el Procurador de Justicia del estado de Veracruz acusó al arzobispo de México, monseñor José Mora y del Río, de haber cometido faltas graves contra las Leyes de Reforma. ¿Cuáles eran dichas "faltas"? En cierta ocasión sus fieles de San Andrés Tuxtla lo habían recibido con arcos de flores. Ello "constituía" un acto de "culto público". En marzo de 1925, el Gobernador del estado de Jalisco mandó cerrar el Seminario Auxiliar de Ciudad Guzmán, expulsó a numerosas religiosas, y dispuso la clausura de muchos colegios católicos. En el estado de Tabasco se exigió a los sacerdotes que, para ejercer su ministerio, debían ser casados, y si no lo eran, tenían que casarse. Tales fueron sólo algunos de los muchos atentados cometidos en diversos Estados por los Gobernadores a imagen y semejanza del presidente Calles.

Por cierto que, como observa Meyer, Calles no era Obregón. Éste se había mostrado más político, tratando de no dañar demasiado las relaciones con la Santa Sede. Calles, en cambio, se mostró visceralmente anticatólico. Ernest Lagarde, encargado de negocios de la República Francesa, informaba a Aristide Briand acerca de Calles el 18 de septiembre de 1926 en los siguientes términos: "Era masón grado 33. Un adversario rencoroso y encarnizado de la Iglesia romana, no porque quiera obligar a ésta a no extender sus atribuciones y su poder, sino porque está decidido a extirpar en México la fe católica [...] Lo particularmente grave en él es que es hombre de principios, de una energía que llega a la obstinación y la crueldad, dispuesto a atacar no sólo a las personas sino a los principios y a la misma institución, y que el sistema de gobierno al cual se ha adherido en virtud de convicciones filosóficas condena como económica y políticamente nefasta la existencia misma de la Iglesia. Aún más, Calles, enemigo de todo compromiso y sin la menor flexibilidad, podía justificar su odio abierto hacia la Iglesia no sólo por la campaña que el clero había hecho contra su candidatura, sino además por su voluntad irreductible de respetar el juramento solemne que ha prestado de hacer respetar íntegramente la Constitución de 1917". Más adelante agregaba: "El grupo de los autores de la Revolución, de intereses y ambiciones frecuentemente opuestos, pero comulgando en el mismo odio a la Iglesia [...], el presidente, de una voluntad de acero, que no admite ni la discusión ni los consejos ni los términos medios, y que ha hecho de la lucha contra el clero su propia política personal [...]".

En la inteligencia de que la Revolución debía ser, sobre todo, cultural, Calles fue comprendiendo la necesidad de arrebatar a la Iglesia la formación de la juventud. Así lo explicaría, años más tarde, estando en Guadalajara:

> La Revolución no ha terminado. Sus eternos enemigos la acechan y tratan de hacer nugatorios sus triunfos. Es necesario que entremos en el nuevo período de la Revolución, el que yo llamaría el

> período de la revolución psicológica o de conquista espiritual. Debemos entrar en ese período y apoderarnos de la conciencia de la niñez y de la juventud, porque la niñez y la juventud son y deben pertenecer a la Revolución.
>
> Es absolutamente necesario desalojar al enemigo de esa trinchera, y debemos asaltarla con decisión, porque allí están los conservadores, allí está la clerecía; me refiero a la educación, me refiero a la escuela [...]
>
> No podemos entregar el porvenir de la patria y el porvenir de la Revolución a las manos enemigas. Con toda perfidia dicen los reaccionarios y afirman los clericales que el niño le pertenece al hogar y el joven le pertenece a la familia. Ella es una doctrina egoísta, porque el niño y el joven pertenecen a la comunidad, pertenecen a la colectividad, y es la Revolución la que tiene el deber imprescindible de atacar ese sector y apoderarse de las conciencias, de destruir todos los prejuicios y de formar una nueva alma nacional.
>
> Por eso yo excito a todos los Estados de la República, a todas las autoridades, a todos los elementos revolucionarios, para que demos esa batalla definitiva y vayamos al terreno que sea necesario ir, porque la niñez y la juventud deben pertenecer a la Revolución.

Observa Meyer que la Iglesia creía entrever en dicha tesitura tan combativa contra la Iglesia y contra la fe católica cierto ingrediente preternatural, o, más propiamente, de origen satánico. Ella incluía muestras de secularización, laicismo, anticlericalismo, vandalismo, sacrilegio, iconoclastia, blasfemia. La misma familia de Calles se involucraba en escenas aberrantes. En febrero de 1924 su hija mayor, Ernestina, fue coronada reina de la alegría en un teatro de la capital. El cortejo que se organizó para acompañarla, formado por carrozas alegóricas, recorrió las principales calles de la ciudad. A la cabeza marchaba, montado en un burro, un pobre hombre disfrazado de fraile, obeso, por cierto, con un crucifijo en la cintura; en una mano llevaba varios ejemplares de los Evangelios, y con la otra daba grotescas bendiciones al público, mientras repetía frases obscenas, y gritaba de tanto en tanto: "Denme dos céntimos y verán cómo mi burro se come los Evangelios". En la segunda carroza se veía otro grupo de pretendidos frailes y monjas, haciendo gestos impúdicos. Cerraba la marcha la carroza de la reina de la alegría, la hija del tirano. Por cierto que el primer fraile no la sacó barata ya que varios de los presentes, indignados y ofendidos, lo cubrieron de sopapos.

Señala Meyer que en la lista de los sacrilegios, la profanación de hostias ocupaba un lugar privilegiado y constituía una verdadera fijación; pero, paradojalmente, hubo también soldados que extraían reliquias del sacerdote a quien acababan de fusilar. Incluso han quedado relatos de agraristas que en las guerras cristeras se desbandaban por haber visto en las nubes, así lo aseguraban, al apóstol Santiago precipitándose sobre ellos, quizás los mismos que cubrían a sus caballos de casullas. Era el pueblo mexicano radicalmente religioso, que adora a Dios o blasfema de Él, sin términos medios. No le hubiera sido posible instalarse en una tranquila incredulidad. Se parecen en ello al pueblo ruso. Tras una entrevista con Calles, señaló Ernest Lagarde: "Por momentos, el presidente Calles, pese a su realismo y a su frialdad, me dio la impresión de abordar la cuestión religiosa con un espíritu apocalíptico y místico".

4. Los aliados de Calles

No habría podido ser tan drástico en su demanda si no hubiera contado con apoyos poderosos. Ante todo el proveniente de *Estados Unidos*. En 1925, cuando el Departamento de Estado entendió que podía convertir a Calles en un "colaborador", sobre todo a raíz de la resolución que éste tomó de pagar la deuda externa, los banqueros norteamericanos pasaron a serle favorables. Calles era astuto y había comprendido que frente a aquellas personas, no le quedaba sino ceder. Por lo demás, acabó por inclinar su voluntad la diplomacia del nuevo embajador, Dwight Morrow, según el cual Calles era "el mejor presidente del país desde Díaz". Morrow y Calles llegaron a ser amigos, lo que no dejó de influir en la política exterior de los yanquis. Sobre todo desde 1923 no hubo levantamiento contra el gobierno mexicano que partiera de Estados Unidos, ni ningún rebelde hubiera podido aprovisionarse allí de municiones, cosa insólita hasta entonces. Es verdad que por su política socialistoide, muchos calificaban a Calles de "bolchevique". Pero lo cierto es que éste, desde marzo de 1927, se mantuvo a distancia de los pequeños grupos de izquierda y de la embajada soviética. Más aún, años después, algunos comunistas serían compañeros de detención de católicos cristeros en la prisión de las Islas Marías.

Páginas atrás nos hemos referido a la prevalente procedencia norteña de los propulsores de la Revolución. Como lo ha destacado Meyer, en aquellas regiones septentrionales el protestantismo era un fenómeno vinculado a la ausencia casi completa de la Iglesia católica, sobre todo a partir de la expulsión de los jesuitas. La simpatía de *los protestantes* norteamericanos por los dirigentes de la Revolución constitucionalista se mantuvo firme y fue correspondida por un cúmulo de facilidades para expandirse. Tanto Obregón como Calles favorecieron el proselitismo de los evangélicos. En la época de Obregón, por ejemplo, los metodistas y episcopalistas de Tolero (Ohio) y de Taylor (Pensilvania) le mandaron un telegrama para felicitarlo por su firmeza contra los católicos: "Millones de americanos a su lado ruegan por usted durante su combate para anular la opresión de la Iglesia Católica Romana [...] sobre vuestro gran país". A su vez, los presidentes de la Revolución no vacilaron en nombrar numerosos ministros de gobierno protestantes, especialmente en el campo de la cultura, llegando ellos a controlar la Secretaría de Educación. ¿Cómo pues, extrañarse de que para los católicos el gobierno apareciese como apoyando a los protestantes, más aún, el gobierno mismo parecía protestante, en la convicción de que México se hallaba sometido a un proceso de progresiva descatolización, en la línea de lo que deseaba Teodoro Roosevelt, es decir, como preludio de la anexión? ¿No estaría comenzando de nuevo la historia de Texas?

Otro de los puntales de Calles fue *la masonería*. No en vano Portes Gil, quien lo sucedió en la presidencia, podría afirmar: "En México, el Estado y la masonería en los últimos años han sido una misma cosa". Para los que actuaban en la política era preciso ser masón, o, al menos, filomasón, si querían llegar a ocupar un puesto de relevancia entre los gobernadores, los senadores, los ministros, los diputados o los generales. La masonería, controlada y restringida durante el período de Porfirio Díaz, a partir de 1914 había recobrado el papel activo que ejerciera durante la época de la Reforma y proporcionaba sus cuadros para que sus adeptos ocuparan cargos en todos los niveles. Presidentes municipales, dirigentes de comunidades agrarias, jefes sindicales y maestros, eran con frecuencia masones, lo que aseguraba al Gobierno el apoyo incondicional de las logias para su política, sobre todo en el campo de la lucha contra la religión. Bien diría por aquellos años Anacleto González Flores: "La Revolución, que es una aliada fiel tanto del protestantismo como de la masonería, sigue su marcha tenaz hacia la demolición del catolicismo [...] Nos hallamos en presencia de una triple inmensa conjuración contra los principios sagrados de la Iglesia". El doctor Robert A. Greenfield, por su parte, escribía desde Nueva York, en diciembre de 1927: "Como protestante que soy y partidario de la masonería [...] en la lucha de exterminio contra el catolicismo, sí estamos seguramente de acuerdo masones y protestantes, y hemos impartido al régimen de Calles una ayuda real bastante amplia [...] Salir del catolicismo para entrar en el campo amplísimo del protestantismo es, sin duda, un adelanto; y además nosotros, los americanos, hemos creído siempre, desde el siglo antepasado, que la religión católica es un obstáculo insuperable para la fusión de todos los países de la América en su Anfictionía".

El enemigo tuvo un nombre concreto: el catolicismo. Así lo sostendría, en 1929, un año después de que Calles terminara su mandato, el general Joaquín Amaro, el mismo a quien sus oficiales no vacilaban en festejar el día de su santo patrono en la iglesia de San Joaquín, de México, con una parodia de oficio litúrgico, con sermón laico desde el púlpito y champaña en los cálices: "Tenemos la opinión, fundada en la enseñanza, en la experiencia de los siglos, de que el clero apostólico, católico, romano, transformado en partido político rapaz, de oposición, conservador y retrógrado, ha sido la única causa de las desdichas que han afligido a

México desde los tiempos de la conquista española hasta nuestros días [...] Nosotros, los militares mexicanos, hijos de la Revolución, hemos tenido la satisfacción de haber combatido a ese clero [...] El clero ha sido el instigador más fuerte y el elemento más poderoso, a causa de sus grandes riquezas y de su identificación absoluta con todos los enemigos de la Revolución".

En los archivos oficiales de la época del presidente Calles, se encuentra un cúmulo de telegramas de felicitación por la política antirreligiosa del Presidente. Es interesante advertir su procedencia. La mayoría de dichas adhesiones provienen de los presidentes de las comunidades agraristas, los sindicatos, los socialistas españoles, las Iglesias protestantes norteamericanas y los masones de distinto pelaje.

Carlos Pereyra, en un texto al que aludimos páginas atrás, sintetizó así las influencias que recibió Calles: "Aquel gobierno de enriquecidos epicúreos empezó a cultivar simultáneamente dos amores: el de Moscú y el de Washington. Algunos espectadores decían que el afecto a Moscú era fingido para alarmar a Washington. Pero contra esta conjetura se levantaba otra. La imitación rusa procedía sin miras interesadas. Le movía un prurito de audacia. No había incompatibilidad entre la adoración política a Moscú y los íntimos lazos con Washington. La colonia era de dos metrópolis. Despersonalización por parte doble, pero útil, porque imitando al ruso en la política antirreligiosa, se complacía al anglosajón".

Tales fueron los aliados de Calles, que le ayudaron a llevar adelante su política antirreligiosa. Hacia el fin de su período, el Presidente dejó una especie de "testamento" político por el que institucionalizaba sus proyectos fundando el llamado Partido Nacional Revolucionario, antepasado del actual Partido Revolucionario Institucional, el PRI.

5. El intento de un cisma

La tensión entre Calles y los católicos fue in crescendo, presionando el Presidente a los gobernadores para que limitaran el número de templos y de sacerdotes, de modo que la Iglesia, reducida a su mínima expresión, pasase a ser una dependencia oficial, y los sacerdotes algo así como profesionales sujetos a registro, quedando abierta la posibilidad de que a unos se les permitiera el ejercicio de su ministerio y a otros no, casi de manera discrecional.

Como agudamente observa Borrego, Calles no estaba reformando la Constitución promulgada por Carranza en 1917, sino simplemente tratando de aplicarla hasta sus últimas consecuencias, con el mismo espíritu radicalmente anticatólico con que aquélla había sido concebida. No era, pues, Calles un innovador en esta materia, sino un continuador. No abría un nuevo itinerario, sino que daba un paso más en el camino ya trazado. Por lo demás, tampoco Carranza había sido un innovador, sino un continuador de lo que se había legislado en 1857 bajo Juárez, quien, a su turno, era el continuador de lo acordado en 1835 en la Junta Anfictiónica de Nueva Orleans, Junta masónico-protestante. Y, finalmente ésta Junta era la continuadora de la ruta anticristiana que abrió la Revolución francesa en 1789, la cual, a su vez, no hizo sino concretar los programas más lejanos de la masonería.

Dado que se trataba de una "revolución cultural", al decir de Gramsci, Calles apuntó con especial énfasis al campo de la educación, según lo indicamos más arriba. Este terreno le resultaba privilegiado al Presidente, antiguo maestro, embebido en la religión "racionalista". Dicha política educativa se mantuvo, como lo dejan ver las instrucciones del Secretario de Cultura que ocupó esa cartera en el año 1929, es decir, al año siguiente de que Calles terminara su mandato. Allí se decía que la misión del maestro de escuela era, sobre todo, "desplazar el fanatismo por la difusión de la cultura".

Pero el proyecto más urticante que en este campo de combate se concretó durante su gobierno fue el de suscitar un cisma dentro de la Iglesia. Al parecer la idea fue de Morones, el jefe de la CROM, con el asentimiento de Calles: fundar una Iglesia que dependiera de las Oficinas del Gobierno, y que pudiera, a los ojos del pueblo inculto, sustituir a la Iglesia Católica. Se ha dicho que ese proyecto provenía quizás del extranjero, ya que en 1924 el

Consejo Supremo Masónico celebrado en Ginebra había acordado iniciar una nueva etapa de descatolización violenta de Iberoamérica, escogiendo a México como laboratorio de experimentación. Plutarco habría hecho suyo dicho Acuerdo intentando provocar un cisma en México. Así relata lo acontecido un historiador, el padre Jesús Gutiérrez. En febrero de 1925, nos cuenta, unos cien hombres, armados de garrotes y pistolas, varios de ellos miembros de la Orden de los Caballeros de Guadalupe, orden trucha creada por la CROM para oponerla a la de los Caballeros de Colón, dirigidos por Ricardo Treviño, secretario general de la CROM, y un sacerdote español, Manuel Monge, le pidieron compulsivamente al párroco de la iglesia de Santa Cruz y Soledad en la ciudad de México, donde antaño Morones había sido acólito, que le entregara la parroquia. Como era de esperar, el padre se negó, y entonces los invasores lo expulsaron, confiando el templo al padre Joaquín Pérez, quien se allegó a la iglesia, escoltado por policías disfrazados. Dicho padre había nacido en un pueblo del estado de Oaxaca y llevaba una vida aventurera; además era masón, miembro de la logia de los "Amigos de la Luz". Ahora, ya en posesión de su "cargo", se proclamó "Patriarca de la Iglesia Mexicana", y desde allí dirigió un oficio al general Calles comunicándole que entraba en posesión del templo y pidiéndole que lo confirmara en el uso del mismo. Los católicos de la feligresía quisieron repeler la usurpación. Una mujer, cuando vio que el padre Monge subía al altar para celebrar la misa, se acercó al intruso y le propinó una bofetada, derribándolo. La pelea se generalizó. Informadas las autoridades, enviaron policías y bomberos con la orden de favorecer a los ocupantes, como de hecho sucedió. El sedicente patriarca recibió la consagración episcopal en Chicago, de manos de un obispo cismático, Carmel Henry Carfora. Pronto se le unieron algunos sacerdotes de la misma especie, a varios de los cuales los hizo también obispos. Uno de ellos, Eduardo Dávila Garza, que era masón, cuando muriera el Patriarca se alzaría con la dignidad, tomando el título a veces de "Primado de la Iglesia Católica Mexicana" y otras nada menos que de "Eduardo I. Papa Mexicano".

Pero volvamos atrás, a cuando el padre Pérez, mediante un "golpe de Iglesia", se apodera de las riendas de la Iglesia Católica Apostólica Mexicana. Con el apoyo del Gobierno, logró adueñarse de otros seis templos en los estados de Puebla, Veracruz, Tabasco y Oaxaca. Tras recibir un sinnúmero de protestas, Calles se vio obligado a cerrar la iglesia de Soledad, y alojó a los cismáticos en la iglesia secularizada de Corpus Christi, garantizándoles su protección.

Pérez creyó conveniente explicar lo que pretendía en un "Manifiesto al Clero Secular y Regular de la Iglesia Católica Apostólica y Romana":

> Os es bien sabido que con fecha 18 del mes de febrero pasado, en unión de varios virtuosos sacer-

dotes de reconocida piedad, pero de ideas liberales avanzadas, tras de hondas y graves meditaciones resolvieron en junta solemne la fundación de la Iglesia Ortodoxa Mexicana, nombrándose al efecto un patriarca que la gobierne, independiente del Vaticano, sin que por esto se afecte en nada el dogma, cánones y principios fundamentales de la fe de la Iglesia cristiana. Todo buen sacerdote ilustrado en las Santas Escrituras sabe a fondo por las divinas enseñanzas de las Epístolas de San Pablo que, en los primeros siglos del cristianismo, se fundaron Iglesias nacionales, fuera de Jerusalén, y así como el gran apóstol de los gentiles dirigió sus luminosas Epístolas a muchas de ellas, las llamaba, y con razón, designándolas por sus nombres característicos de Iglesia de Tesalónica, Éfeso, Antioquía, Corinto, etc. Del mismo modo el glorioso apóstol San Juan [...] en su revelación del Apocalipsis, le fue ordenado dirigir sus exhortaciones a las siete Iglesias de Asia, Éfeso, Esmirna [...] Lo que prueba hasta la evidencia la existencia real de Iglesias nacionales.

Precisamente fundados en esta práctica y costumbre primitiva de la Iglesia y haciendo uso de un derecho legítimo, con apoyo de las Santas Escrituras, fundamos la Iglesia Católica Apostólica Mexicana únicamente sacerdotes de la Iglesia romana, sin que en este movimiento se hayan mezclado sectarios protestantes de ningún género [...] Causa profunda consternación y desaliento para nuestro clero mexicano en la actualidad ver cómo sacerdotes españoles y de otra nacionalidad ocupan los mejores templos y curatos de la República mientras que a los nuestros se los relega en lugares apartados. Por otra parte, las limosnas que tan pródigamente dan nuestros fieles católicos son invertidas tan sólo en enriquecer a sacerdotes extranjeros y aumentar el lujo del Santo Padre de Roma [...]

> Era indudable que al instituir la Iglesia Católica Apostólica Mexicana causara en todo el clero romano, y especialmente a la Mitra del Arzobispado de México profundo desagrado, la que mostrando un fanatismo intolerante promoviera un escándalo hasta llegar a la excomunión contra nosotros [...]
>
> En cambio, personas ilustradas y una fervorosa muchedumbre de católicos de buena fe están de nuestro lado, y nos es grato poner en vuestro conocimiento que estamos en posesión del principal curato de la ciudad de México como es la parroquia del templo de Corpus Christi, donde diariamente decimos misa, damos los santos sacramentos de la religión católica de gracia, sin variar en nada el ritual de la Iglesia de Dios.
>
> Os hacemos un llamamiento cristiano apelando a vuestros sentimientos de honradez sacerdotal y de patriotismo [...]

La nueva Iglesia publicó, desde agosto de 1925 a enero de 1928, un periódico llamado "Restauración", que se señaló por sus encendidos elogios a Benito Juárez; "Juárez enarboló la bandera del prestigio nacional", se decía en uno de sus números. De hecho el cisma no tuvo arrastre; sólo se le incorporaron trece sacerdotes, de los cuales pronto siete se reconciliaron con la Iglesia. Al ver cómo el proyecto fracasaba en la ciudad de México, el gobernador de un estado de la periferia, Tabasco, trató de hacerlo mejor en su región. Basándose en un programa de "desfanatización", que había sido puesto en marcha tiempo atrás, y que propiciaba la destrucción del catolicismo y la ulterior construcción de un nuevo ciudadano mediante la escuela racionalista, se convocó en 1925 una "asamblea cultural", para dejar establecida la Iglesia disidente en el Estado, poniendo a su frente al padre Manuel González Punaro, que dirigía la diócesis en ausencia del obispo, el cual se encontraba desterrado. Llevado a la asamblea, se le propuso el título de "obispo rojo", pero él, tras haber declarado en términos confusos: "No soy partidario de la Iglesia romana, no vayan a creerlo, pero tampoco soy enemigo de ella", declinó el ofrecimiento. Compelido a la apostasía, pidió tres días para pensarlo, y luego se negó. El gobernador hizo entonces cerrar las iglesias, con el pretexto de confiárselas a los inexistentes cismáticos, y luego, como colofón, mandó destruir estatuas e imágenes sagradas, incluso en las casas de familia.

Señala Meyer que el proyecto de una Iglesia nacional tenía raíces en la tradición liberal de México, encontrando antecedentes en su historia. Ya en 1859, Melchor Ocampo, ministro de Juárez, había tratado de crear una Iglesia mexicana que fuera capaz de "dar al César, sin preocupaciones ni prejuicios, lo que al César pertenece". Nueve años después, el mismo Juárez, que era entonces presidente de la Corte Suprema, intentó él también fundar una Iglesia mexicana, pidiéndole a los episcopalistas norteamericanos que le proporcionaran un obispo. En su estado natal de Oaxaca logró reclutar para dicho propósito a cuatro sacerdotes. También Calles, antes de ocupar la presidencia, siendo gobernador carrancista de Sonora, tras haber expulsado a los sacerdotes de aquel Estado, quiso reemplazarlos por otros, dispuestos a formar una Iglesia independiente de Roma, consiguiendo convencer a uno de ellos de que aceptara ponerse a la cabeza de dicho emprendimiento. Concluye Meyer: "La Iglesia tenía, pues, en febrero de 1925, buenas razones para sospechar del gobierno: ¿no probaba el asunto de la Soledad que el presidente Calles seguía siendo el gobernador perseguidor de Sonora, y que estaba en vísperas de una grave persecución?"

Actuando velozmente contra este grave peligro de cisma, en 1925 varios católicos encabezados por el Lic. Miguel Palomar y Vizcarra y por René Capistrán Garza fundaron, en la ciudad de México, la Liga Nacional Defensora de la Libertad Religiosa, de que luego hablaremos más extensamente. Pocos meses después, en septiembre, el papa Pío XI exhortaba así a la juventud mexicana: "Al combatir por la libertad de la Iglesia, por la santidad de la familia, por la santidad de la escuela, por la santificación de los días consagrados a Dios; en todos estos casos y otros semejantes no se hace política, sino que la política ha tocado al altar, ha tocado a la religión [...] y entonces es deber nuestro defender a Dios y a su religión, es deber del Episcopado y del clero, es vuestro deber".

6. La llamada "Ley Calles"

Con el correr del año 1925 las cosas se fueron embraveciendo más y más. El 7 de abril llegó a México un nuevo Delegado Apostólico, monseñor Serafín Antonio Camino. Por motivos de salud tuvo que viajar temporalmente a los Estados Unidos el 15 de mayo. Pero cuando quiso retornar se le negó el ingreso. A principios de marzo de 1926, un segundo Delegado, monseñor Jorge José Caruana, sólo logró permanecer un mes y medio en México, tras lo cual fue expulsado. Retiróse entonces a La Habana, desde donde siguió cumpliendo su oficio con los obispos mexicanos.

En enero de 1926, Calles obtuvo poderes extraordinarios que le permitían reformar el Código Penal en materia religiosa. En junio promulgó una ley por la que, entre otras cosas, reglamentaba el famoso artículo 130 de la Constitución de Querétaro, que era la que estaba en vigor. Fue lo que se denominó "la Ley Calles", que incluía 33 artículos, donde se empeoraba notablemente aquella Constitución. Por dicha ley se reducía el número de sacerdotes y de templos, e incurrían en multa los ministros de culto que, no siendo mexicanos de nacimiento, ejerciesen su ministerio. Lo mismo quienes impartiesen enseñanza religiosa en las escuelas, aun en las particulares. Los ministros de culto que usasen sotana o hábitos especiales incurrirían en años de prisión. Lo mismo quienes en actos de culto o en periódicos comentasen algún asunto político y más a los que objetasen las leyes fundamentales del país, o a las autoridades, o al Gobierno en general. Por lo demás, todos los templos destinados al culto público, así como las curias, casas parroquiales, seminarios o colegios, pasaban a ser propiedad de la Nación, representada por el Gobierno Federal.

A juicio del Presidente, lo que se estaba haciendo era tan sólo aplicar la ley. Fue en estas circunstancias cuando se produjo un nuevo enfrentamiento entre la Iglesia y el Gobierno. El arzobispo Mora y del Río había hecho en privado algunos comentarios desfavorables a la política de Calles que un periodista publicó como si hubiesen sido declaraciones para la prensa. Calles vio en ello un acto de rebeldía de la Iglesia y se aprestó a castigarlo. Durante los tres primeros meses de 1926 fueron detenidos cientos de sacerdotes.

En marzo del mismo año, el intrépido obispo de Huejutla, José de Jesús Manríquez y Zárate, ante las acusaciones de que la Iglesia se estaba metiendo en política, saltó al ruedo afirmando que si alguna culpa tenía el clero era precisamente no haber tomado parte más activa en la política del país. "No hablo –aclaraba– de la política de partidos, de pasiones y egoísmos, sino de la política de principios, de las grandes verdades del orden social que son el fundamento de la paz, del bienestar y de la dicha de los pueblos [...] Desinteresarse de estas cuestiones, no colaborar a su solución es una falta grave cuyo castigo se traduce en la dolorosa situación que atravesamos hoy día". Asimismo en el periódico "El Universal" apareció una declaración de los obispos: "La doctrina de la Iglesia es invariable, porque es la verdad divinamente revelada. La protesta que los prelados mexicanos formulamos contra la Constitución de 1917 en los artículos que se oponen a la libertad o dogmas religiosos se mantiene firme. No ha sido modificada, sino robustecida, porque deriva de la doctrina de la Iglesia [...] El episcopado, el clero y los católicos no reconocemos y combatiremos los artículos 3, 5, 27 y 130 de la Constitución vigente". La reacción de Calles fue enérgica: "¡Es un reto al Gobierno y a la Revolución! No estoy dispuesto a tolerarlo. Ya que los curas se ponen en ese plan, hay que aplicarles la ley tal como está".

Salvador Borrego no vacila en advertir aquí, una vez más, la injerencia de Estados Unidos en los asuntos internos de México, sea en el campo político como en el religioso. Con su doctrina Monroe ya le habían quitado a México 4.012.800 kilómetros cuadrados, de los 6.000.000 que formaban el territorio de dicha nación. Pero, para no pecar de parcialidad, se ha de decir que hubo en los Estados Unidos gente que entendió bien la situación. Nombremos particularmente a monseñor Miguel J. Curley, arzobispo de Baltimore y primado de aquella nación, quien así lo manifestó en una contundente declaración hecha pública el 11 de abril de 1926. He aquí un extracto de la misma:

Nuestro gobierno [el de los Estados Unidos] no ha hecho otra cosa durante los últimos doce años, sino intervenir en los asuntos de México [...] Estábamos salvando al mundo para la democracia, cuando los pistoleros de Carranza y Obregón se reunían en Querétaro en 1917 para escribir, bajo la dirección rusa, la infame Constitución [...] Nosotros, los americanos, somos sumamente responsables de tales sucesos. Del dinero gastado últimamente en los Estados Unidos por el Gobierno de México, el ochenta por ciento se dedicó a la adquisición de fusiles, municiones y uniformes para el ejército rojo de Calles.

¿Estamos pidiendo al Gobierno americano intervenga en México? No. Muy al contrario. Pedimos a las autoridades de Washington que acaben tal intervención. Carranza y Obregón gobernaron en México en virtud de la aprobación de Washington. Fueron sostenidos en el poder por Washington. Siempre que se ha hecho algún esfuerzo para sacudir el régimen bolchevique, nuestro Gobierno se enfada. Calles está ahora en el poder y continúa su persecución contra la Iglesia, porque sabe que está de acuerdo con Washington [...] Nosotros, mediante nuestro Gobierno, armamos a los bandidos asalariados de Calles. Nosotros lo sostenemos y rehusamos positivamente permitir al pueblo mexicano aprovecharse de la proximidad de nuestras fronteras, para levantarse eficazmente contra sus perseguidores. Estamos amigablemente unidos con Calles, y esta amistad, aunque sea solamente diplomática, es bastante para sostenerlo donde está, y para alentarlo en su nefanda empresa de destruir aun la idea de Dios en el corazón de miles de niños mexicanos. Nosotros, y sólo nosotros somos los responsables de los sucesos ocurridos allí durante los últimos doce años por el descuido e intervención de nuestro Gobierno.

Calles, por su parte, seguía adelante con su política de reforzar los lazos que lo unían a sus aliados ideológicos y políticos. El 28 de mayo recibía de manos del Gran Comendador Supremo del Rito Escocés la Medalla del Mérito Masónico, en el salón verde del Palacio Nacional. Por lo que se ve, estaba haciendo las cosas bien. Poco después, sin tener aún relaciones comerciales y diplomáticas algunas, reconoció al gobierno de la Unión Soviética y envió como primer embajador mexicano a Jesús Silva Herzog, en tanto que Moscú mandaba a la comunista Alejandra Kollontai, quien viajó con un personal de más de cien empleados.

Mientras tanto, la persecución religiosa se volvía exasperante. Calles ordenó la aplicación inmediata en todo el país de la Constitución, como de hecho se comenzó a hacer de manera implacable: se expulsó a sacerdotes extranjeros, se dispuso la clausura de conventos y de escuelas católicas; 156 instituciones de enseñanza de la ciudad capital recibieron la orden de cerrar sus puertas. Todos los días aparecían columnas enteras en la prensa, dando cuenta de numerosas expulsiones de sacerdotes y religiosas. Como algunos gobernadores se mostrasen remisos en el cumplimiento de sus disposiciones, Calles se los dejó bien en claro a través de una circular: "Hay que aplicar la Constitución a toda costa". El funcionario que no diese prueba de energía sería destituido de inmediato.

El diplomático Lagarde, testigo privilegiado de los hechos, de quien ya hemos hablado anteriormente, certificó que "durante los meses de febrero, marzo, abril y mayo, el presidente [...] actuó con extremado vigor". Y trae a colación aquella fantochada a que nos referimos páginas atrás, cuando "durante las fiestas del carnaval del Distrito Federal, su hija Ernestina fue coronada reina de una comparsa compuesta de alegorías sacrílegas, tales como unos demonios holgándose alegremente con monjas lascivas". Y agrega que Calles reafirmó su intención de "cumplir punto por punto su programa sin preocuparse de las muecas de los sacristanes ni de los «pujidos» [intraducible grosería, puntualiza Lagarde] de los frailes".

En el interior del país el drama se agudizó, si cabe. En el estado de Colima, para poner un ejemplo, la legislatura limitó a veinte el número de los sacerdotes y los obligó a inscribirse en las oficinas de las autoridades. El gobernador, Francisco Solórzano Béjar, que era masón, se había señalado en 1925 por la minuciosidad con que reglamentó los toques de campanas, y ahora llevaba sus exigencias más lejos que los demás gobernadores. Las características de su región parecían ayudarlo. El suyo era un pequeño Estado aislado; el obispo era un hombre enfermo y de carácter suave; la población se mostraba pacífica y el gobierno era omnipotente. La autoridad nacional estaba pendiente de cómo saldrían las cosas en esa zona: si el clero de Colima cedía, se crearía un precedente positivo, ya que las demás diócesis irían cediendo en cadena. El decreto fue allí publicado el 24 de marzo, y se dio al obispo un plazo de diez días para acatarlo. El pastor, superando su suavidad natural, tomó coraje, y luego de haber obtenido el apoyo unánime de sus sacerdotes, respondió el 1° de abril: "Delante de Dios y de todos mis amados diocesanos, declaro también que antes quiero ser juzgado con dureza por aquellos que sobre este delicadísimo asunto han provocado mi actitud, que aparecer lleno de oprobio y vergüenza en el tribunal del Juez Divino, y merecer la reprobación del Supremo Jerarca de la Iglesia [...]; reitero a ustedes de la manera más formal mi inconformidad con el decreto por el cual la autoridad civil del Estado de Colima se permite legislar sobre el gobierno eclesiástico de mi diócesis".

El gobernador se mostró desairado, entendiendo que el obispo estaba en rebeldía. Los sacerdotes, en cambio, se apretaron en torno a su pastor: "Se nos tacha de subversivos, rebeldes y sistemáticos opositores a las leyes. Rechazamos esa inculpación [...] Conocedores del Evangelio, hemos dado al César lo que es del César [...] El pan se llama pan y el vino se llama vino, y no podemos confundir el uno con el otro [...] Católicos colimenses: para nuestros hermanos engañados que se han convertido en gratuitos enemigos de la Iglesia, sólo pedimos oraciones [...] ¡Vive Dios! Somos simplemente sacerdotes católicos oprimidos, que no quieren ser apóstatas, que rechazan el baldón y el oprobio de Iscariotes". El pueblo aplaudía a sus pastores, obispo y sacerdotes, inculpados del delito de rebelión. La gente pasaba los días en las iglesias, en oración y ayunando. Jamás se había visto un fervor religioso tan intenso. Como el gobierno parecía no acusar recibo de la queja colectiva, el obispo dispuso la suspensión del culto público en la diócesis toda. El gobierno, por su parte, quedó sumergido bajo el cúmulo de cartas que provenían de todo aquel Estado en favor de la Iglesia.

En abril de 1926 publicaron los obispos, con aprobación de Roma, una carta pastoral conjunta donde, tras recordar su protesta cuando la promulgación de la Constitución de 1917, puntualizaban también que se había pedido una urgente reforma de dicha Constitución. El Gobierno tomó el documento como una provocación. Fue con motivo de ello que monseñor Manríquez y Zárate, considerado el obispo de línea más dura, fue detenido. Por desgracia, no todos los obispos mostraban el mismo temple. Más aún, ya se advertían desacuerdos entre ellos.

Luego de que los prelados hicieron pública su carta pastoral, el Santo Padre promulgó dos enérgicas encíclicas. Calles respondió reformando el Código Penal y reforzándolo con nuevos "delitos" relativos al culto, la enseñanza, la prensa, etc., que merecían cárcel de uno, dos y hasta seis años. El 11 de julio, a pesar de las objeciones de algunos obispos proclives a la componenda, el Comité Episcopal pidió suspender los cultos, si Roma aprobaba dicha medida. "El Comité Episcopal –se decía– ha resuelto hacer un esfuerzo supremo para conservar la vida de la Iglesia, y emplear el único medio que cree eficaz, y que consiste en que, unidos todos los obispos, protesten contra ese decreto declarando que no pueden obedecer y que no obliga en conciencia, y suspender el culto público en toda la nación por no poder ejercitarse conforme lo piden los sagrados cánones y la estructura divina de la Iglesia". Las últimas vacilaciones de algunos obispos desaparecieron con la radicalización de la actitud del Presidente, "que se ha vuelto tan violenta sobre la cuestión religiosa –como se pudo leer en un periódico– que ha perdido el dominio de sí mismo cuando se ha tratado del asunto en su presencia. Su rostro se ha encendido, y ha golpeado la mesa para expresar su odio y su hostilidad profunda a la práctica religiosa". El 23 el gobierno redobló la apuesta, promulgando un reglamento donde se reitera la obligatoriedad del laicismo en la enseñanza de las escuelas libres.

La situación se había vuelto insostenible. En una carta colectiva del 25 de julio, los obispos, tras afirmar que hacer un crimen de actos impuestos por Dios mismo, de actos favorecidos por las leyes de todas las sociedades civilizadas, de actos que durante siglos fueron el alma y la vida del pueblo mexicano, es una clara violación perpetrada por el Jefe del Ejecutivo. Y piden presionar sobre el Gobierno para conseguir la reforma de los artículos antirreligiosos de la Constitución. El texto así concluye:

> Tras de haber consultado a nuestro Santo Padre, Pío XI, que ha aprobado nuestra actitud, ordenamos que a partir del 31 de julio del año en curso y hasta nueva orden, todo acto de culto público que exija la intervención de un sacerdote quede suspendido en todas las iglesias de la República [...] Es la única medida que nos queda para manifestar nuestra negativa a aceptar las cláusulas antirreligiosas de la Constitución y las leyes promulgadas para aplicarlas [...] Dejamos las iglesias confiadas a los fieles, no dudando de que protegeréis, con una piadosa solicitud, los santuarios que heredasteis de vuestros abuelos, o que, a costa de grandes sacrificios, construisteis vosotros mismos y consagrasteis al culto de Dios [...] Os encomendamos con esperanza y confianza a nuestra Santa Madre la Virgen de Guadalupe. Vendrán días en los que el Divino Piloto parecerá haberse dormido. En la necesidad, no dejará de consolar y reconfortar a aquellos que han tenido fe en Él [...] (En la fiesta del apóstol Santiago, 25 de julio de 1926).

Al día siguiente, Calles declaró en un reportaje: "Nos hemos limitado a hacer cumplir las leyes que existían, unas, desde el tiempo de la Reforma [...], y otras, desde 1917". La reglamentación fatídica del artículo 130 de la Constitución entró en vigor el 31 de julio de 1926. Siguiendo la norma del Episcopado, el clero dejó de oficiar a partir del 1° de agosto en todos los templos del país. El único consuelo que les quedaba a los fieles era que las puertas de los templos permanecían abiertas y así podían entrar en ellos y rezar. La Liga de Defensa de la Libertad Religiosa, por su parte, organizó una campaña de adhesiones en orden a dejar en claro que la inmensa mayoría del pueblo mexicano repudiaba la política callista en materia religiosa. Los católicos pedían que Calles retrotrayese la situación al estado en que se encontraba antes de que subiera al poder, pero él respondió que era obligación suya hacer cumplir la ley. Molesto ante las reiteradas muestras de repulsa por parte de los fieles, el régimen duplicó el desafío, organizando una gran manifestación oficial de apoyo al gobierno, a la que debían ir necesariamente los obreros de la CROM y los empleados del gobierno. Quienes se negaron a hacerlo fueron despedidos en el acto.

Enseguida el gobierno dispuso la política que en esas circunstancias había de seguirse: cuando un sacerdote abandonara la iglesia a él confiada, las autoridades municipales tenían que hacerse cargo de ella y entregarla a una comisión de 10 vecinos nombrados por el presidente municipal, entre los cuales no debía haber ningún individuo que señalaran los sacerdotes o los obispos. Tal medida daría ocasión a los primeros encontronazos violentos. Calles podía con razón declarar al periódico "El Universal": "Creo que estamos en el momento en que los campos van a quedar deslindados para siempre; la hora se aproxima en la cual se va a librar la batalla definitiva, vamos a saber si la revolución ha vencido a la reacción, o si el triunfo de la revolución ha sido efímero". Las movilizaciones se multiplicaron en ambos bandos: el pueblo colmaba las iglesias abandonadas por el clero; la CROM trataba de llenar las calles de la capital en favor del gobierno y su política religiosa. El 1º de agosto, el primer día de los templos sin culto litúrgico, hubo en la ciudad de México una gran manifestación de apoyo al Presidente. Volveremos sobre estos acontecimientos cuando tratemos de los preludios del levantamiento cristero.

Lagarde cuenta que, varios días después, el 26 de octubre, mantuvo una entrevista con Calles: "Me declaró que en su opinión cada semana sin ejercicios religiosos haría perder a la religión católica un 2% aproximadamente de sus fieles", y acordándose de su experiencia cuando era gobernador de Sonora, "se alegraba de la suspensión del culto. Estaba decidido a acabar con la Iglesia y a desembarazar de ella, de una vez y para siempre, a su país". Más aún, prosigue Lagarde: "En ciertos momentos el presidente Calles, a pesar de su realismo y de su frialdad, me da la impresión de estar obsesionado por la idea de la obligación moral que le impone el juramento que ha prestado de ser fiel a la Constitución, y de abordar la cuestión religiosa con un espíritu apocalíptico y místico: el conflicto actual no era, en su sentir, un conflicto local entre la Iglesia y el Estado, tal como lo es en casi todos los países [...]; lo que ha habido es una lucha sin cuartel entre la idea religiosa y la idea laica, entre la reacción y el progreso, entre la luz y las tinieblas".

El mismo Lagarde nos revela que Adalberto Tejeda, Secretario de Gobernación, no hablaba de otro modo: "Parece, me dijo un día, con execrable cinismo, que la Iglesia ha tomado el partido de adelantarse a nuestros deseos, decidiendo la suspensión del culto. Nada podía sernos más agradable que una medida que ha de favorecer en gran manera el progreso, que deseamos, de la indiferencia y de la incredulidad". Era un razonamiento semejante al que en 1857 habían hecho los liberales de aquellos tiempos. En el fondo se trataba de la misma ideología y de los mismos argumentos, comenta Meyer, trayendo a colación un texto de Díaz Soto de Gama, el cual soñaba con un cristianismo digerido por la Revolución: "Nosotros estamos en favor de todas las libertades –decía–, la del sacerdote contra el obispo, la del obispo contra Roma, la del espíritu contra el dogma". No habría que tratar, por consiguiente, con los obispos, a los cuales era mejor ignorarlos, ya que eran la jerarquía establecida por Roma, sino con los comités, marco de las comunidades futuras que procederían a su manera. "Es indudable –concluye Meyer– que estamos asistiendo al avance de un libre pensamiento militante que reviste las formas de una anti-Iglesia, de otra Iglesia, lo cual afirma a los católicos en su convicción de que la irreligión ha declarado la guerra a Dios".

Muy interesante lo que afirma el mismo Meyer

acerca de la capacidad de resistencia de los católicos mexicanos, que por cierto no encontramos hoy entre nosotros, podríamos agregar por nuestra cuenta. Por lo que se ve, aquellos obispos habían logrado formar católicos militantes, preocupados por el desarrollo social, político y religioso de México. Sobre todo entre 1920 y 1926, la Iglesia había florecido, se habían creado numerosas diócesis, se contaba con más vocaciones, se había proclamado la Realeza de Cristo en el Cubilete, se había celebrado un Congreso Eucarístico, se había coronado a la Virgen, todos signos de una Iglesia que había madurado, preparando católicos que estuvieran a la altura de las nuevas terribles circunstancias. "Era como si la Iglesia hubiera sido desencadenada por la Revolución [...] y como si la persecución rastrera la hubiera estimulado".

El padre Heriberto Navarrete, por aquel tiempo joven militante católico, nos relata los hechos que sucedieron en el Santuario de Guadalupe que se encuentra en Guadalajara, y en otros lugares de la misma ciudad el día en que cesó el culto público:

> El 31 de julio la excitación fue máxima: a la noche los sacerdotes abandonaron las iglesias que automáticamente quedaron al cuidado de los fieles. La imagen popular forjó infinidad de presunciones. Que si las tropas se van a apoderar de las iglesias para saquearlas y demolerlas, que si van a quemar todas las imágenes y los altares [...] Por tanto, la medida de precaución consistiría en establecer guardias para defender los templos. Los primeros días no serán

guardias porque las 24 horas estarán las iglesias atestadas de fieles.

Salíamos unos quince muchachos de la ACJM del Santuario de Guadalupe como a las 8.30 de la noche, después de haber rezado el rosario. Una banda de muchachos del pueblo, con banderas, ramas, palos y trozos de viejos estandartes recorre las calles en torno al jardín, en manifestación constante de protesta y desagravio. Los gritos de "¡Viva Cristo Rey! ¡Viva la Virgen de Guadalupe! ¡Mueran los perseguidores de la Iglesia!", déjanse oír continuamente. Hace tres días que no cesa un movimiento semejante en las afueras del templo. Durante las tres noches que han pasado desde la clausura del culto, ha estado la nave del Santuario siempre llena de fieles que devotamente permanecen en oración, pidiendo al Señor que se apiade de su pueblo.

Llegan algunos adversarios. La contestación es inmediata. Ya el grupo de los que hacían guardia en la torre había echado a volar las campanas, señal convenida para que los habitantes de la barriada concurrieran al Santuario. Algunos llevaban armas para defenderse [...]

Al templo parroquial de Mexicaltzingo concurrían guardias del ferrocarril y trabajadores del rastro con sus armas listas para defender las dependencias parroquiales de cualquier incursión gubernamental. Y no tengo necesidad de recorrer uno a uno, sino que hubo en todas partes la protesta formal de todas las clases sociales, que rechazaron en la forma que les fue dado los inicuos procedimientos del callismo.

Capítulo Tercero

UNA FIGURA PARADIGMÁTICA.
EL PADRE MIGUEL AGUSTÍN PRO

Tras habernos referido a la persecución anticatólica de los tres sucesivos presidentes del siglo XX, Carranza, Obregón y Calles, nos parece oportuno presentar dos personajes emblemáticos que encarnaron la resistencia. Porque, como suele acontecer, la persecución suscitó el heroísmo. Y éste se concentró de una manera especial, si atendemos al campo eclesiástico, en la figura tan simpática como atrevida del padre Miguel Agustín Pro, y si consideramos el ámbito civil en Anacleto González Flores. Tal será el tema de los próximos dos capítulos. En el presente nos abocaremos a la primera figura.

I. Un joven ardiente llamado al sacerdocio

Nació Miguel Agustín el 13 de enero de 1891 en Guadalupe, pueblo vecino a Zacatecas, en el corazón de México. Sus padres y familiares fueron ajenos a la política partidaria. No es de extrañar, ya que el influjo que durante setenta años ejerció la euforia liberal en el poder, hizo que por lo general los padres de familias católicas, se vieran obligados a vivir poco menos que enclaustrados en sus hogares, sin ninguna expectativa basada en promesas electorales.

Poco diremos de los años juveniles del padre Pro, para concentrarnos preferentemente en su actuación pública como sacerdote. Señalemos, sí, que durante su adolescencia mantuvo trato frecuente con los padres de la Compañía de Jesús, resolviéndose finalmente a entrar en la Orden fundada por San Ignacio. Ingresó, así, en el noviciado cuando tenía veinte años, en agosto de 1911. El noviciado se encontraba, por aquel entonces, en la hacienda El Llano, cerca de Zamora, un rincón apacible de México. En esos años la persecución arreciaba, a punto tal que los superiores resolvieron que los novicios se trasladasen a los Estados Unidos. La presencia, en dicho lugar, de numerosos estudiantes jesuitas norteamericanos, suscitó en Miguel la añoranza de su patria desgarrada. El doce de diciembre, día de Nuestra Señora de Guadalupe, así la recordaba:

¿A quién acudiremos en busca de consuelo,
Sin patria, sin familia, sin techo y sin hogar,
Sino a Ti, que dejaste tu trono allá en el cielo
Por conquistar la patria que quisiste habitar?

Errantes y proscriptos, nos vedan, Madre mía,
Volver a nuestra patria, que es patria de tu amor;
Nos vedan que a tu lado pasemos este día;
Nos vedan que a tus plantas pongamos una flor.

¿Qué importa que la muerte nos quite la existencia
Sufriendo del destierro la amarga soledad,
Si en medio de las penas sentimos tu presencia,
Sentimos que tu manto nos cubre con piedad?

Terminado el noviciado los superiores lo enviaron a España, para proseguir allí sus estudios de humanidades y filosofía. En 1920, al concluir la filosofía, según una costumbre que tiene la Orden de que sus estudiantes hagan dos o tres años de magisterio en algún colegio, fue destinado a la ciudad de Granada, en Nicaragua, donde pasó dos años, tras lo cual, lo volvieron a enviar a España, más concretamente a Sarriá, Barcelona, para iniciar allí sus estudios de Teología. En 1924 tuvo el consuelo de hacer Ejercicios Espirituales en la Santa Cueva de Manresa, el lugar mismo donde San Ignacio fue inspirado por Dios para escribirlos. Luego lo mandaron a Enghien, pequeña población flamenca de Bélgica, para continuar allí sus estudios de Teología. El 30 de agosto de 1925 se ordenó de sacerdote.

No poco podríamos decir de éstos sus años de formación. Sabemos que se destacó enseguida entre sus compañeros. Miguel Agustín era un joven sanguíneo y algo impulsivo. Lejos de toda inclinación jansenista, le gustaban los platos apetitosos y picantes, las bebidas, los manjares, gozaba con la conversación, el trato alegre y despreocupado; amaba la música. Era un hombre-vida. Uno de sus rectores dejó dicho "que él solo valía por unas vacaciones. Cuando adivinaba que alguno de sus compañeros estaba demasiado triste, iba a su cuarto, le charlaba un rato, le decía unas cuantas bromas, y se retiraba excusándose de haberlo molestado". Siempre fue así. Cuando estuvo en Estados Unidos pronto se hizo cercano a los norteamericanos, cuando en España, rápidamente se amoldó a los españoles. Se hacía todo a todos y así los ganaba a todos...

Más este simpatiquísimo mexicano llamó desde el comienzo la atención de quienes con él convivían por su profunda vida interior. Cuando estaba en la capilla, testimonian sus compañeros, clavaba su mirada en el tabernáculo. Allí vivía el Huésped habitual de su alma. Nada, pues, de extraño que se sintiera tan consolado cuando escuchó las conferencias que en enero de 1925 dio el padre Raúl Plus, ese hombre tan espiritual, sobre la inhabitación de Dios en las almas. Uno de los belgas, compañero suyo, que estuvo presente en una de las primeras misas que celebró Pro, escribiría: "Su transformación era entonces radical, se olvidaba de su carácter tan jovial. No se veía sino al ministro de Jesucristo, a Jesucristo mismo. Me decía a mí mismo: así han de orar los santos".

Pero más allá de su jovialidad y de su recogimiento, su corazón seguía latiendo en su amado México. Las noticias que le llegaban de su familia no podían dejar de impactarle: su padre, que administraba una mina, donde el joven Miguel había trabajado en sus mocedades, se había visto despojado de sus bienes por las hordas de Carranza, teniendo que huir para escapar de la muerte; su madre, enferma, tuvo que trasladarse a Guadalajara. La Iglesia seguía siendo perseguida... A un compañero le contó: "¡Estoy feliz! El padre Provincial me platicó que en Orizábal los comunistas van llegando al colmo. Los obreros están soliviantados por sus líderes y su sindicato, de modo que amenazan con la muerte al cura que ose presentarse... El padre Provincial está determinado a no cerrar esa residencia, pero me dijo que para esto necesitaba un sacerdote joven decidido al martirio. Yo le contesté sin vacilar: ¡Padre, aquí estoy yo!". Al terminar los Ejercicios que hizo en Manresa encontró la contestación del padre Crivelli, y le dijo a un compañero: "¡Estoy aceptado para el martirio!".

La salud de Miguel Agustín era muy endeble. Sufría intensos dolores en el estómago, debiendo por ello ser sometido a sucesivas operaciones quirúrgicas. Él hubiera deseado sanar "para volver a mi México y allí morir", decía. En Enghien su salud siguió deteriorándose, no dormía casi nada, se sentía inapetente, no podía casi estudiar ni rezar. El padre Picard, nuevo rector del teologado, al ver que no parecía haber medios humanos que resultaran eficaces, le escribió al Provincial de México por ver si el joven pudiese retornar a su patria. Tras recibir una respuesta positiva, así se lo comunicó al padre Pro: "Regrese usted para morir en su patria", lo que reiteró al despedirlo: "Vaya a morir a su patria". Volvería, sí, para morir... pero para morir mártir. Antes de embarcarse, quiso pasar por Lourdes, como se lo había insinuado un compañero de estudios. Allí, tras invocar la ayuda de la Virgen, le pareció recuperar fuerzas. De hecho desplegaría en su patria, hasta el momento mismo de su martirio, una actividad prodigiosa. Ya al llegar se sintió mejor: "Como de todo y, sobre todo, duermo", dijo.

Sus años de estudiantado en Europa mostraron que su fuerte no eran los estudios, campo en el cual se puede decir que sólo superó la medianía. Desde entonces se fue viendo que su campo de apostolado sería preferentemente el de los humildes, campesinos, mineros e incrédulos. Por eso siempre gustó, ya durante sus años de formación, dar clases a los empleados de la casa religiosa donde vivía. Se interesó asimismo en el apostolado con los obreros. León XIII había señalado la urgencia de la evangelización de los trabajadores. Justamente por aquellos tiempos había nacido en Bélgica una obra apostólica de envergadura, la JOC (Juventud Obrera Católica), con cuyos dirigentes entró en contacto. Al conocer esta inclinación, el padre Crivelli, su superior en México, le escribió al Padre General: "Permítame que haga una proposición a Vuestra Paternidad. Está ahora estudiando teología en Enghien, Bélgica, el H. Pro, pues lo envié allá para que en las vacaciones pueda dedicarse un poco al estudio de las cuestiones sociales. En realidad de verdad, no es el H. Pro un hombre dotado de extraordinario talento; pero, ciertamente, entre los que envío allí, es el de más sentido práctico".

II. El México que encontró al volver

Fue en el año 1926, año dramático en México, cuando retornó a su patria natal, desembarcando el 7 de julio en Veracruz. Como las circunstancias de salud aceleraron su regreso, no pudiendo rendir algunos exámenes de teología que le faltaban, al llegar se le ordenó preparar, en los tiempos libres, las materias que aún debía, lo que iría haciendo a lo largo de un año, hasta septiembre de 1927, dos meses antes de morir. "¡Estudios tan serios en el vaivén de esta Babilonia! ¡Me valga mi abuela! ¡Pero ni modo! Así lo quiere Quien es el único y verdadero Jefe, y yo no me rajo. ¡Que viva Él por los siglos de los siglos! ¡Así sea!".

El México que en julio de 1926 encontrara el padre Pro era esencialmente distinto del de la época del Porfiriato, en que anteriormente había vivido. La persecución, desencadenada por Carranza en 1914 y continuada por Obregón en 1920, había llegado al paroxismo bajo la presidencia de Calles. La Iglesia, herida en el corazón por sucesivas leyes impías, comenzaba su ascensión al Calvario. El joven sacerdote no fue destinado a la peligrosa ciudad de Orizaba, en el estado de Veracruz, como lo hubiera deseado, sino a la residencia jesuítica de la ciudad de México. En dicho lugar permanecería hasta su muerte.

El año 1926 había sido el de la llamada Ley de Calles, a que nos referimos extensamente páginas atrás, cuyo cumplimiento implicó el cierre de los colegios católicos, la disolución de los institutos religiosos y la prohibición de todo acto de culto fuera de las iglesias, incluidas las casas particulares. En el mes de mayo un grupo de jóvenes católicos había fundado una asociación a la que llamaron "La Liga". El nombre completo era: Liga Nacional Defensora de la Libertad Religiosa, con el propósito de defender con todos los medios lícitos los derechos de la familia, la propiedad, la educación y sobre todo la libertad de la Iglesia. Aunque se sujetaban a los principios de la moral católica, en su accionar actuaban con independencia de la autoridad eclesiástica. Como lo señala el padre Dragón, su abanico de irradiación abarcaba cuatro ámbitos:

a) la acción cívica. En este campo los dirigentes de la Liga buscaban obtener la reforma de la nefasta Constitución de Querétaro. En orden al logro de dicho objetivo multiplicaron plebiscitos, elevaron renovadas peticiones a las Cámaras, y hasta llegaron a boicotear la venta de productos fabricados o favorecidos por el Gobierno;

b) la actividad religiosa, tratando que el mensaje cristiano llegase a todos los sectores de la sociedad. Principalmente hicieron todo lo posible para que no se rompiera el contacto entre los sacerdotes ocultos y los fieles dispersos, a pesar de los peligros que dicho intento involucraba;

c) las obras de caridad, sobre todo sosteniendo a las familias más comprometidas en el combate por la Iglesia, que frecuentemente vivían en la miseria;

d) en fin, la acción militar, que pasaría a ser considerado un medio lícito e incluso necesario a partir de noviembre de 1926.

El episcopado aprobó únicamente la acción cívica de la Liga, pero sin dejar de estimular sus iniciativas de acción religiosa y las obras de caridad. En cuanto a la confrontación bélica, si bien no la apoyó públicamente, tampoco la condenó. De manera semejante se hubieron las autoridades de la Iglesia universal.

Los hermanos del padre Pro eran miembros activos de la Liga. Cuando el joven sacerdote, no bien de vuelta en México, fue a visitar a su familia, su hermano Humberto, apreciado en la Liga como uno de sus mejores miembros, se encontraba preso, precisamente por la contundencia de su militancia. El padre Miguel fue enseguida a la cárcel para animarlo, divertirlo y envidiarlo. En las antípodas de la Liga, la CROM acababa de lanzar un manifiesto en apoyo de la urticante política anticatólica de Calles. El 30 de julio fue detenido por tercera vez el prominente líder católico René Capistrán Garza. El Presidente dispuso que el 31 de julio entrase en vigor la orden del Procurador General de Justicia que mandaba hacer cumplir estrictamente la "Ley de Calles", por lo que el episcopado, como lo hemos señalado, ordenó la supresión del culto público en todo el país. El día 1° de agosto los sagrarios estaban vacíos y sus puertecillas abiertas. Las velas tenían moños de luto. Grupos de católicos valerosos se reunían en los templos para repetir las oraciones de la misa y rezar el rosario. Un ambiente sepulcral cundía en la República apóstata.

Pro no quería permanecer, por cierto, con los brazos cruzados, como mero espectador de los luctuosos hechos. El Gobierno lo tenía ya en la mira, por lo que sus superiores lo enclaustraron en cuarteles de invierno. Rememorando más tarde la situación anímica por la que entonces pasó, recluido, como decía, "por el ilustre Calles de los Plutarcos", escribe: "Verdaderamente me ahogaba en aquel encierro. El horizonte único era el corral de una casa antigua donde pacíficamente pastaba un burro viejo...Momento por momento llegaban a mis oídos las quejas de los que me rodeaban, lamentando la prisión de fulano, el destierro de zultano y el asesinato de mengano... Y yo, enjaulado, sin poder ni siquiera estudiar porque no tenía libros y ardiendo en ansias de lanzarme a la palestra y animar a tantos campeones de nuestra fe, a ver si de casualidad me tocaba la suerte de ellos… Pero no se hizo la miel para la boca del que escribe y tuve que resignarme, ofreciendo a Dios los deseos en aras de la obediencia".

El tema de la "reclusión" a que lo sometían sus superiores reaparece en diversas ocasiones. "¿Por qué no se puede hacer lo que ardientemente se desea? ¡Un cuarto reducido, en que contra toda la voluntad se han sepultado las energías, fue testigo de las eternas horas de espera!...Yo, con los brazos cruzados, con la mirada perdida en la vaguedad del espacio, inerte, inmóvil, como peñón incrustado en la montaña… ¡Ah!, yo comprendo por qué el jaguar se tira furioso contra las rejas de su jaula…, yo sé por qué la hiena muerde los hierros de su prisión…, yo me explico la desesperación de la boa que ha caído en el lazo y que prefiere la muerte a la impotencia!... Y es preciso esperar…Es necesario depender de otros, que no conciben el fuego que encierra nuestro pecho".

III. Anhelo de martirio

Pero no sólo aspiraba Pro al trabajo apostólico, que veía coartado, ofreciendo en una época tan bravía el testimonio incruento que ansiaba sino también, de ser posible, al martirio cruento consiguiente. Si bien dicha aspiración ya se había manifestado durante sus estudios en el extranjero, ahora se avivaba ante el espectáculo de la persecución y el formidable testimonio de tantos héroes de la fe. Al dirigirse a una de las numerosas aventuras peligrosas que tuvo que afrontar en el curso de su apostolado, diría: "¡A ver si por fin alguna vez me es concedida la gracia del martirio!". Por lo demás, no dejaba de movilizar las oraciones de sus amigos para que Dios le otorgase dicha gracia. "Yo lo vi con frecuencia –declara una de sus penitentes– llevar en bicicleta la santa comunión, siempre en medio de graves peligros. Un día que me contaba cómo se había escapado de la policía, mi hermana le dijo: ¡Padre, esto acabará en el martirio! A lo que el padre respondió: ¡Hum! No se ha hecho la miel para la boca de Miguel. Después, tomando un tono serio: ¡Quiera el cielo que yo sea mártir! ¡Pidan mucho a Dios por mí!". Otra de sus dirigidas señaló que el deseo de martirio era en él algo así como una obsesión. En cierta ocasión, acompañando a un sacerdote amigo a una estación de tren, al despedirse sólo atinó a decirle: "Pida usted para mí la gracia del martirio". El padre Méndez Medina, por su parte, atestigua: "Siempre lo vi dispuesto a los mayores sacrificios, y estoy persuadido de que el heroísmo era en él casi connatural. Recuerdo que me decía que deseaba el martirio físico y moral. Yo le pregunté: ¿Qué entiende usted por martirio moral? A lo que me respondió: Morir deshonrado, como Cristo".

En su excelente biografía del personaje que nos ocupa, el padre Rafael Ramírez Torres S. J., destaca un matiz enriquecedor, y es que nuestro padre consideraba su soñado martirio como el remate de su sacerdocio, a semejanza de Cristo, que había coronado su sacerdocio con la muerte en el Gólgota. El anhelo de morir por Cristo y por las almas, y de morir como el Señor, deshonrado y calumniado, ya lo había concebido dieciséis años atrás, al hacer sus ejercicios de mes, cuando aún era estudiante en la Compañía. Ahora dicho deseo se había acrecentado, tanto más cuanto que el giro que iba tomando la persecución daba pie para pensar no sólo en la posibilidad sino también en la probabilidad de alcanzar dicho coronamiento. Así se lo dijo expresamente al Socio del Provincial, en carta del 21 de abril. Bien conocía, por cierto, la debilidad de la naturaleza humana, pero dicha constatación en nada aminoraba sus ansias sobrenaturales de la corona suprema.

El mismo padre Ramírez Torres nos traza el proceso de tan noble aspiración. En la primera carta que escribió, no bien llegado a México, señalaba, hablando de los cristeros que ya se habían levantado en defensa de la fe: "La revolución [de los católicos] es un hecho. Las represalias sobre todo en México [quiere decir en la capital] serán terribles. Los primeros serán los que han metido las manos en la cuestión religiosa...Y yo... he metido hasta el codo. ¡Ojalá me tocara la suerte de ser de los primeros o... de los últimos, pero ser del número!". Y reitera una vez más a modo de muletilla: "Pero no se hizo la miel para la boca de Miguel". Poco después, en carta de junio de 1927, así le escribía al padre Provincial: "¡Ojalá fuera digno de padecer persecución por el nombre de Jesús, mucho más que yo soy de aquellos que merecieron el glorioso dictado de caballería ligera! Pero, como en el Padrenuestro, ¡que no se haga mi voluntad!". Eso de "caballería ligera" había sido el calificativo que uno de los Papas empleó para enaltecer el espíritu militante de la naciente Compañía de Jesús. Poco antes, en febrero de 1927, le había escrito al mismo Provincial: "¡Qué dicha si me tocara ser de los que van a colgar en los Pegasos del Zócalo! Entonces sí daría el examen final". Los "Pegasos" a que alude eran unos caballos alados que ornaban la plaza principal de la ciudad de México, llamada "el Zócalo".

Cuando sus superiores dispusieron que por un tiempo se llamara a silencio, o, como él mismo dice, le dieron la "orden de encierro", así le arguye al Provincial: "Me han dicho que temen por mi vida. ¿Mi vida? Pero ¿qué es ella? ¿no sería ganarla, si la diera por mis hermanos? ¡Cierto que no hay que darla tontamente! Pero, ¿para cuándo son los hijos de Loyola, si al primer fogonazo vuelven grupas?". Cierto día, ya casi en vísperas de su martirio, le preguntó un conocido: "¿Qué haría usted si el gobierno lo apresara para matarlo?". El padre le contestó con total espontaneidad, como si ya de antes hubiese ensayado la respuesta: "Pediría permiso para arrodillarme, tiempo para hacer un acto de contrición, y morir con los brazos en cruz gritando: ¡Viva Cristo Rey!".

Con el pasar de los meses las ansias del martirio se fueron acrecentando en proporción geométrica. A unas religiosas a quienes dirigía espiritualmente les rogaba: "Pedid a Dios que me envíen a Chihuahua, donde la persecución es más violenta". Cuando se metía en alguna aventura particularmente peligrosa decía: "¡A ver si por fin alguna vez se me concede la gracia del martirio!". Tal era "su gracia", como la llamaba, su anhelo principal. Según el padre Ramírez, todos los que lo veían actuar pastoralmente tenían el presentimiento de que tarde o temprano el martirio sería la coronación de su vida sacerdotal.

Dos meses antes de que Pro fuese fusilado, el padre Germán Miranda, cura de la parroquia de San Juan de Dios, en Toluca, le pidió al Provincial de la Compañía que le enviara a un sacerdote para que lo ayudase en su obra pastoral. "El 25 de octubre de 1927 –nos cuenta dicho párroco– se me presentó un joven sacerdote que me dijo llamarse Miguel Agustín Pro...para ayudarme en lo que pudiera de ministerio. En la primera conversación que tuvimos, y por cierto que mutuamente simpatizamos, hablando de la persecución de esos días el padre Pro me dijo: «Sé que Ud. es un buen soldado de Cristo, lleno de valor». A lo que le contesté: «Y dispuesto a morir por la salvación de las almas». Entonces el padre Pro, en forma sencilla, natural y sin afectación, levantó los ojos al cielo y dijo: «¡Qué gloria sería para nuestro Padre Dios derramar nuestra sangre, y qué dicha para nosotros!». Cuando, ulteriormente, la gente de Toluca se enteró de su muerte heroica, así lo comentaron: «Este padrecito se ha salido con la suya, ¡nos hizo tanta presión para que le pidiéramos a Dios que le concediera la gracia del martirio!»".

Quería, sí, ser mártir pero no en busca de ningún tipo de autoexaltación: "Estoy pronto a dar mi vida por las almas –decía–, pero no quiero nada por mí. Lo que únicamente ansío es llevarlas a Dios. ¡Si tuviera alguna cosa para mi, sería un vil ladrón, un infame, ¡no sería un sacerdote!". Su anhelo era morir por Dios y por su Patria. Sangre, y sangre sacerdotal, escribe Adro Xavier, había de salvar la nación anegada en sangre inocente. Esa sangre, unida a la de Cristo –que era sangre de Rey– acabaría por salvar a México. Poco tiempo atrás, en pleno entusiasmo por la instauración de la solemnidad de Cristo Rey, exclamó: "El grandioso poder de nuestros enemigos, que cuentan con dinero, armas y mentiras, va muy pronto a ser como la estatua que vio Daniel derrumbarse con la piedrecita que cayó del cielo. ¡El Goliat mexicano perderá muy pronto la cabeza con el cayado que mueve el inerme pueblo mexicano!".

No deja de ser interesante saber que varias veces el padre Pro relacionó su anhelo de martirio con el deseo de que Calles, el gran perseguidor, acabara por convertirse. "Rueguen al Señor que me acepte a mí como víctima por Calles, por los sacerdotes, por mi Patria", dijo pocos días antes de su muerte. La conversión de Calles llegó a ser en él una suerte de santa obsesión. Le interesaba el alma del tirano, y también las de los demás perseguidores. Pedía oraciones por ellos en las casas religiosas, y sobre todo a las personas que se dirigían espiritualmente con él. Con mucha frecuencia ofrecía por ellos las fatigas de su apostolado; los consideraba en extremo peligro espiritual. Es cierto que a veces bromeaba cuando hablaba de Calles, como cuando dijo: "Lo ordinario es que mi bolsa esté tan enjuta como la parte espiritual del alma de Calles", pero la salvación eterna del déspota era algo que no dejaba de preocuparle. A una señora que le decía cuándo el demonio los libraría de Calles, él le respondió: "No, Lola, ¡no diga eso! Ud. va a rezar cada día un Padrenuestro por Calles. Cuanto a mí, yo reservo de vez en cuando la intención de una misa y la aplico por Calles, del mismo modo que lo hago hace tiempo por mi madre".

El padre Ramírez nos cuenta que en septiembre de 1927, es decir, casi en vísperas de su martirio, el padre ofreció formalmente su vida por la salvación eterna de Calles. Un año antes, o sea, a los comienzos de la embestida final de aquel perseguidor, monseñor Ruiz y Flores le había pedido a la Madre Abadesa de las religiosas capuchinas que se ofreciera como víctima propiciatoria por Calles, a fin de que Dios cambiara los sentimientos de su corazón y diera libertad a la Iglesia. Al principio la Madre se resistió, pero al fin acabó por consentir. Justamente ese día el padre Pro celebró misa en la capilla de aquella comunidad, y así, tanto él como la superiora, hicieron ambos el ofrecimiento de sus vidas por la conversión de Calles y su salvación eterna. Perfectamente conciente de la seriedad de su sacrificio, la Madre hizo adornar con flores la capilla y quiso que la misa se celebrase con la solemnidad de las grandes festividades. El padre Pro, por su parte, "suplicó a toda la comunidad que le ofrecieran a él como víctima por Calles, por la causa católica y por los sacerdotes". Al terminar la misa dijo a una de las religiosas: "No sé si sería pura imaginación o si realmente ha pasado, pero siento que Nuestro Señor aceptó de plano el ofrecimiento". Asegura el padre Ramírez que la generosidad de aquella Madre así como la del padre Pro no fueron excepcionales, ya que familias enteras e incluso numerosos cristeros ofrecerían en aquellos días sus sufrimientos y sus vidas por la conversión y salvación eterna de sus perseguidores.

IV. Un apóstol infatigable

Si bien ya durante los años de su formación en el extranjero dio claras muestras de sus dotes apostólicas, podríase decir que al retornar a su Patria, aun con la salud quebrantada, vería en la capital mexicana la palestra privilegiada de su apostolado, el gran Coliseo moderno que iba a humedecer con sangre generosa.

No fue, sin embargo, un "activista", sino un hombre de fe y de profunda vida interior, o al decir del padre Jerónimo Nadal refiriéndose a San Ignacio, un "contemplativo en la acción". La Santa Misa, centro espiritual de su jornada, el Oficio Divino, la lectura espiritual, los exámenes de conciencia, mechaban y enardecían su actuación apostólica cotidiana.

Tan sólo contaría con dieciséis meses para hacer fructificar sus numerosos talentos. El padre Antonio Dragón, jesuita canadiense, que fue condiscípulo suyo en la Compañía, no puede ocultar su admiración por lo tanto que realizó en el corto tiempo que Dios le había concedido de vida. "Causa admiración el apostolado del P. Pro, breve pero fecundísimo; cómo multiplicaba su tiempo y su energía para atender a todo género de necesidades: socorrer a los pobres con prodigiosa munificencia, administrar los sacramentos con solicitud incansable, con santa abnegación, con exquisito amor. Sobre todo con amor. No es el ministerio del P. Pro una cadena de esfuerzos inspirados por el deber, pero sin calor y sin vida; no, el fuego de su ser caldeaba sus palabras y vivificaba sus obras. Amaba a las almas con esa pasión, y al mismo tiempo con esa pureza cuyo divino modelo es el Corazón sacerdotal de Jesús". Él mismo decía: "Para hacerles el bien [a las almas] es necesario amarlas apasionadamente. En cuanto a mí, estoy dispuesto a dar mi vida para ganarlas a Dios". Como se ve, su alma no era la de un "empleado de la Iglesia", ni la de un "oficinista", que se limita a cumplir horarios. Era el alma de un enamorado.

Pasó por las calles y por los hogares haciendo el bien. En cierta ocasión arrancó de la desesperación a una persona atribulada, en recuerdo de lo cual recibió de ella como regalo un hermoso perro policía que en adelante lo acompañaría en sus ministerios. En otra logró convencer, tras largo esfuerzo, a un protestante; luego de abjurar de sus errores se acercó a comulgar. "A una teósofa –cuenta él mismo a su Provincial– tuvo que aguantarle durante una hora las barbaridades más bárbaras que boca humana puede decir... Era una enferma de gravedad que a borbotones soltaba blasfemias y maldiciones contra lo más santo y más sagrado que tenemos: los santos, los sacramentos, y aun la misma Santísima Virgen... Boca verdaderamente infernal que ha cambiado tanto en estos días que ahora sólo sabe decir Avemarías y Credos".

Sus ministerios fueron variadísimos, y nada fáciles, por cierto, dadas las circunstancias heroicas en que tenía que moverse. Los trabajos apostólicos que emprendió, como le dice en carta al Socio del Provincial, se sucedían sin interrupción día y noche, a veces delante mismo de los edificios ministeriales del Gobierno, a veces en corralones destartalados. Tales eran los escenarios de sus retiros, conferencias, pláticas, viáticos y conversiones de pecadores empedernidos y de personas de otros credos religiosos. Inventó, asimismo, una especie de institución a la que llamó Estaciones Eucarísticas. Se trataba de casas determinadas, convenidas de antemano, donde la gente se juntaba para recibir la Sagrada Comunión. Numerosísimos eran los que en ellas participaban, sobre todo los primeros viernes, en que recorría diversas "estaciones", distribuyendo la comunión a una multitud de personas.

Señala el padre Ramírez que si se piensa que ese trabajo agotador lo realizaba un hombre que hacía muy poco tiempo había sufrido en Europa tres operaciones y había vuelto a su Patria "sólo para morir en ella", teniendo aun que guardar una dieta severa, no parecerá aventurado asegurar que allí se advierte una intervención sobrenatural extraordinaria, quizás aquella gracia de la Virgen de Lourdes, a la que nos referimos anteriormente. El mismo padre Pro parecía reconocer ese auxilio especial de lo alto: "¿Cómo resistí? ¿cómo resisto? ¿yo, el débil, yo, el delicado, yo, el interesante huésped de dos clínicas europeas?", exclamaba admirado. Y añadía: "Todo lo cual prueba que si no entrara el elemento divino que sólo usa de mí como instrumento, yo ya hubiera dado al traste con todo. Y ni siquiera puede mi vanidad halagarse en algo aunque sea en lo más mínimo, pues toco, palpo lo bueno para nada de mi persona y el fruto que hago".

Especialmente se dedicó a dar tandas de *Ejercicios espirituales de San Ignacio.* En cierta ocasión se animó a predicarlos nada menos que a un grupo de profesores y empleados del Gobierno. Así lo comenta en carta a un sacerdote amigo: "Eran cerca de ochenta personas, y de esas desenvueltas y decididas, que no le tienen miedo ni al lucero del alba... Aquí hubiera querido verlo a usted, acosado por semejante jauría, que negaban la existencia del infierno, que afirmaban la mortalidad del alma, que hacían alarde de una autonomía rabiosa sin querer doblegar la cabeza a las suaves verdades de nuestra religión. Sudé tinta, se lo confieso, pero quedé más que pagado al verlas comulgar a todas, pudiendo contar más de doce conversiones ruidosas, pues no se puede llamar de otra manera al cambio tan radical de esas pobrecitas almas... Y mire usted lo que somos, ni siquiera puede entrarnos la vanagloria, porque se palpa la gracia de Dios, única y exclusiva en estos casos; toda la fuerza de mi argumentación, todos mis conatos, mis tiros, mis disparos para conseguir una cosa resultaban inútiles, pues como he visto, la gracia de Dios tocaba las almas con frases ocultas y sencillas que yo improvisé en el momento... ¡Bien haiga el padre Dios tan requetebueno!"

En agosto de 1927 predicó una tanda a una comunidad de monjas. El tiempo estaba muy pesado y caluroso. Era nada menos que la una de la tarde, hora terrible por cierto. De pie, el padre pronunció su plática mientras la mayoría de las hermanas cabeceaban en la iglesia. De pronto y sin cambiar el tono de voz dijo: "El Espíritu Santo dice en verdad: No despierten a mi amada. Pero yo tengo mi tiempo muy limitado, no puedo perderlo aquí en esta conferencia en la que a todo me dicen ustedes que sí". El efecto fue instantáneo. Llenas de vergüenza las monjas se pusieron de rodillas, con lo que el padre siguió la plática, pidiendo perdón por sus palabras de reproche, y diciéndoles que, al fin y al cabo, el culpable era él por su voz monótona y por haber escogido esa hora tan impropia.

El apostolado de los Ejercicios fue el que el padre privilegió. En el diario "The Monitor", de San Francisco, Estados Unidos, en su edición del 12 de mayo de 1928, el año siguiente de su muerte, se pudo leer: "El padre Pro ha sido el primer mártir jesuita en México, y el primer mártir del Movimiento en favor de los ejercicios cerrados". No resulta, pues, casual que los esbirros de Calles lo detuvieran precisamente cuando estuviese predicando una tanda de ejercicios.

También se interesó mucho por la *dirección espiritual*. A una religiosa que cuidaba de pobres mujeres recluidas en El Buen Pastor, y que estaba padeciendo una crisis moral, le dijo: "A Ud. lo que le pasa es que tiene una cruz muy pesada; yo le ofrezco que seré su Cireneo y le ayudaré a llevarla". Jamás se cansó de alentar a las almas que anhelaban caminar hacia la perfección. En carta a una de ellas le dice: "Creo que usted se mostraba pesimista y temerosa, desconfiada y acongojada, porque vio que al primer encuentro que tuvo con el enemigo que creía usted bastante debilitado, lo halló entero y amenazador. Inútil –pensó usted– es tratar de desarraigar lo que por años enteros vivió como dueño absoluto en el corazón... Nunca o muy raras veces se logra derrocar de tal manera al enemigo, que al primer encuentro lo deje fuera de combate... Caer y levantarse, esa es nuestra vida. Caer y levantarse, ese es el ejemplo de Cristo al subir al Gólgota, llevando la pesada cruz de nuestros pecados. Y el caer no quiere decir que todo está perdido, si conservamos aún un débil, muy débil, rayo de esperanza, que nos haga ver la paz, la tranquilidad, la calma, el reposo por que anhelamos... Por tanto termino aquí repitiendo lo de siempre... ¡ánimo y brío!, luche Ud. sin desaliento. Las caídas solo prueban dos cosas: la debilidad nuestra y la absoluta necesidad que tenemos de acercarnos a la fuente de toda fortaleza, Cristo-Jesús".

Durante los dieciséis meses de vida que desde su vuelta de Europa el padre Pro pasó en México, trató a mucha gente y escribió numerosas cartas dirigidas a personas de todas condiciones. El epistolario del padre Pro a sus dirigidos podría constituir un espléndido tratado de dirección espiritual. Transcribamos partes de algunas de ellas que no han dejado de llamar la atención a muchos directores espirituales por su delicadeza psicológica y espiritual. A una bienhechora suya le daba este singular consejo: "Persuádete que en la vida espiritual Dios tiene más cuenta de la grandeza de tus deseos que de la perfección de tus obras. Esfuérzate por poner por obra tus buenos deseos".

Cierto día una joven que se dirigía con él le manifestó que tenía vocación religiosa. Pero no sabía qué pensar porque a los primeros momentos de consolación le sucedían otros de acongojadas dudas. El padre la tranquiliza:

> ¿No sabes qué es lo que pasa después de tu decisión y me preguntas si estás loca? Voy a contestarte: Mientras los elementos que van a formar un compuesto se están combinando, no dejan de agitarse. Algo parecido pasa con el espíritu cuando se cambia el derrotero de la vida; y esto es más evidente cuando el estado de vida que se pretende es más espiritual y por lo tanto más contrario a las inclinaciones naturales de nuestro ser. ¿Estás desorientada?, ¿cambias continuamente de modo de pensar?, ¿lo que ayer te parecía cierto hoy se te figura una quimera? ¡Calma, paciencia! Los elementos están en efervescencia, el nuevo compuesto no está aún terminado. Muy pronto vendrá la paz a tu alma, la alegría a tu corazón, la tranquilidad a tu espíritu...
>
> Pero me parece injusto –me dices– dejar a mi madre que tanto necesita de mí. ¡No, hija mía, Dios te ha elegido, Dios te llama, tú has oído su voz, sabes que Él te quiere para sí! Luego, puesto que él es el dueño absoluto y universal, no cometes ninguna injusticia con tu madre. ¿Acaso fue injusticia la del Niño Jesús a los doce años al dejar a su Madre San-

> tísima? Y Él, el único consuelo y regocijo de su madrecita, le respondió: ¿Acaso no debo ocuparme de las cosas de mi Padre? Humanamente no eres injusta, pues los padres educan a sus hijos no para ellos mismos, sino para que cada hijo siga el camino que Dios le ha marcado.
>
> ¿Que la vida del claustro te parece tranquila y sosegada y tú amas el peligro y te enardece lo difícil? Está tranquila en este respecto. Pasados los primeros días de vida religiosa, yo te aseguro que la dificultad aguijoneará tu espíritu valiente. Te hablo por experiencia. ¡Dios sea bendito mil veces! Pero sábete que a medida que se avanza en la vida religiosa la cruz es más dura, la dificultad es mayor, los sacrificios más constantes; pero también que es más grande el amor, el amor fundado en el dolor, único que puede sobrellevar esa hermosa cruz que llevó en sus brazos mi Señor Jesucristo.

La carta es larga y termina dándole ánimo a su dirigida: "Tú te entregaste a Dios, rompiste los ensueños más acariciados de tu corazón; nada tiene de extraño que, aunque en la parte más espiritual de tu alma estés contenta, la parte sensible de tu corazón sienta los estragos que hizo tu generosidad y llore al ver hechos pedazos tus más caros ídolos".

Sin embargo la batalla de esta alma atribulada continuó durante meses. El 11 de noviembre, dos semanas antes de morir, el padre vuelve a reanimarla:

> Me dices que te parece que no es mujer sino la que ha sido madre. ¡Fantasías de tu imaginación exaltada! ¡No sólo el corazón de la madre está hecho para amar y sufrir! ¡El autor de todos los corazones supo poner en toda mujer tesoros inapreciables

> de ternura, de sentimiento, de heroísmo, de generosidad, que no sólo se manifiestan en el corazón maternal! ¡No está lejano el día en que confieses que te habías equivocado, que el corazón de una virgen no se limita a un cariño particular, tiene horizontes más vastos! Y cuando el amor divino lo llena, este corazón no sabe de egoísmo, de intereses personales, sino se abrasa de una sed ardiente de amar y sufrir por todos los que le rodean, de una sed devoradora de ennoblecer a las almas con ese amor puro que eleva, sed maternal de ternura muy delicada que fortifica a otras almas. ¡No llames niña inútil al corazón de una virgen; no, no sabes lo que dices! ¡Espera un poco, y cuando veas delante de ti un mundo inmenso que no sabe amar, ni sufrir, y cuando tú comiences esa obra divina que Dios te confiará, tú amarás las almas con amor de madre! ¡Y te juro por la memoria de mi madre que está en el cielo!

Comentando estas dos cartas, señala el padre Ramírez que antes que esa alma tan dubitativa resolviese entrar en la vida religiosa, como de hecho lo haría, el padre Pro sufrió el martirio, lo que no habrá dejado de ser para ella la mejor confirmación de los consejos que de él había recibido. Sin duda que fue difícil para el padre Pro este ministerio. "Endiablado trabajo el del confesionario –escribiría en otra ocasión a un sacerdote amigo–, con beatas remilgadas, con hombres escrupulosos (que es lo peor), con juventud mundana y sirvientas necias y mozos testarudos y niños molones; pero todos, todos dignos, no digo del trabajo de un *pepenacuetes* como soy, sino del apostólico y caritativo celo de mil misioneros ya que el fin que mueve a nuestros desgraciados paisanos es reparar las ofensas que al deífico Corazón de Cristo hace nuestro infame Gobierno y malvados gobernantes".

Su influjo espiritual llegó sobre todo a la juventud. Innumerables muchachos sintieron abrasarse sus pechos en el fuego que ardía en el celoso corazón del padre Pro, y al cobijo de tales llamaradas pronto germinó en no pocos de ellos la semilla de la vocación sacerdotal y religiosa. Dos meses antes de que lo detuvieran para ser fusilado, diría en una lacónica postal: "Mi academia *vocationum*, con el ingeniero Z al frente, cuenta ya diez socios: es mi escuela apostólica".

Se dio a todos, por cierto. No hubo en él inclinación alguna de índole "clasista" o restrictiva. "Voy de día y de noche por las alfombradas escaleras de las clases ricas, por los resbaladizos ladrillos de una pulquería y por las asquerosas vecindades de la capital. Las criadas me adoran, los borrachines me tutean, los vendedores me guiñan el ojo y la flor y nata de los pelados guarachones y matones me tienen por su amigo más campechano". Como se ve, llegó a todas las clases sociales. Pero, sin duda, su predilección recayó en *los más pobres.* Era bien consciente de la situación de miseria que imperaba en el país, en ese país que hacía gala de socialismo. Sus hermanos predilectos fueron los indigentes, los obreros, los choferes, quienes llegaron a cobrarle un inmenso cariño. En cierta ocasión, dice en una de sus cartas, dio Ejercicios "a unos 50 rechonchos choferes de esos de sombrero tejano, de mechón colgando y que escupen por el colmillo, *gente de pro*, aunque su exterior sea rudo y asqueroso". Trabajó, es cierto, en todos los niveles, como lo señala en otra de sus cartas: "En la alta sociedad, en la mediana o en la ínfima mangoneo a mis anchas, lamentando no tener todo el tiempo que quisiera", pero enseguida agrega: "Una lucida corte de choferes forma mi corona de gloria. ¡Qué bien se está entre esa gente que habla fuerte y no se para en barras, pero que es muy dócil cuando se persuade que se la atiende y se le tienen consideraciones!".

Él era, en cierta manera, uno de esos pobres. Su vida religiosa, vivida con tanta generosidad, lo había preparado para ello, desposándolo con la pobreza. Ya hemos citado aquella ocurrente expresión: "Lo ordinario es que mi bolsa esté tan enjuta como la parte espiritual del alma de Calles". Lo que le daban lo entregaba enseguida a algún necesitado. Y siempre con el humor que lo caracterizaba. "Iba yo un día con una bolsa de señora muy «mona» (la bolsa, no la señora) que hacía cinco minutos me habían dado, cuando hete aquí que me topo con una madama muy pintada, como suele suceder. –¿Qué lleva Ud. ahí...? –Una bolsita de señora que vale 25 pesos pero que por ser para Ud. se la dejo en 50 pesos, los cuales ruego envíe a tal familia... ¡Y con semejantes indirectas no hay quien se resista!"

Un testigo escribe: "Se dedicaba a ejercer su ministerio y a socorrer a los pobres con los auxilios espirituales y materiales. Con frecuencia se le veía recorrer los barrios bajos en bicicleta, vestido de obrero, llevando por los lados colgadas grandes bolsas con semillas, pan, galletas, y hasta dulces que repartía entre las familias pobres y vergonzantes. Los chiquillos ya sabían que siempre les llevaba dulces, y cuando lo veían, daban gritos de alegría. Todos lo querían como a su providencial benefactor". Una tarde llegó a la casa de su familia con un bebito que le habían entregado para que le buscara quién lo adoptase. Su hermano Humberto se hizo cargo de él, de modo que desde entonces vivió con su familia. A la muerte de Humberto, su anciano padre lo recogió provisoriamente. Lo llamaban José de Jesús. Pro trató de interesar a algunas almas caritativas en favor del chico, a quien llamaba "chilpayate". A una de ellas le agradece con su habitual pintoresquismo: "A nombre del señorito, don José de Jesús, damos a Ud. y a su mamacita las gracias por su fina caridad. Muy elegante y abrigado, luciendo sus zapatos de estambre y su saquito blanco y rosa, está el chilpayate berreando a más y mejor, como prueba inequívoca de su agradecimiento a Uds. No se atreve a mandarles decir nada, porque, abrumado por la generosidad de Uds., no halla palabras a propósito y teme no expresar todo lo que él desearía decir. Delegó en mí tan grata comisión, al acabar de chupar su quinta botella de leche, mirándome con ojos tiernos y satisfechos, lo cual significa mucho para los que conocemos la muda elocuencia de la niñez".

El abanico de sus actividades apostólicas incluyó también *la formación de dirigentes*. En orden a ello, por encargo de la Liga Nacional Defensora de la Libertad Religiosa, constituyó rápidamente un grupo de 150 jóvenes conferencistas, estableciendo así una especie de red de propaganda por toda la ciudad. Uno de aquellos jóvenes nos cuenta que días hubo en que cada cual debió pronunciar tres o cuatro conferencias. Incluso llegaron a comprar una estación difusora de radio por la que propalaron multitud de conferencias. Por decisión de la Liga, el Presidente del Comité Directivo era el mismo padre Miguel Agustín, y su hermano Humberto un miembro prominente del mismo. Pro estuvo siempre al lado de aquellos jóvenes militantes de la Liga.

Dentro de esta actividad suya en favor de la militancia juvenil católica comenzó a pergeñar una nueva iniciativa en orden a contribuir al sostenimiento de las familias que la revolución anticristiana iba dejando en la calle.

Cuando el papa Pío XI instituyó para toda la Iglesia la fiesta litúrgica de la Realeza de Cristo, la juventud católica de la capital resolvió reunirse en el Tepeyac. Los jóvenes de la ACJM fueron los encargados de organizar el acto. El padre Pro no podía faltar, por lo que se dirigió bien temprano a la basílica, donde permanecería por varias horas, mirando, cantando y aclamando a su Rey. Después escribió: "Se tuvo allí la manifestación más grande, más sublime, más divina. Centenares de miles de peregrinos, unos descalzos, otros de rodillas, todos rezando, ricos y pobres, patrones y obreros". Fue él quien comenzó a cantar a voz en cuello el "Tu reinarás", pronto coreado por la multitud.

Poco después del acto de Tepeyac, el padre tuvo un incidente con la policía. En orden a dar una muestra de su vitalidad, la Liga Nacional había proyectado un gran espectáculo en la ciudad de México, haciendo que se lanzaran al aire simultáneamente quinientos globos, en los tres colores nacionales; de cada uno de ellos colgaban numerosas hojas de propaganda, que inundaron el espacio. Dado que Humberto era conocido como uno de los miembros más activos de la Liga, la policía ordenó allanar la casa de los Pro. El padre Miguel no se encontraba en ella, por lo que la policía le ordenó que se apersonara. Así lo hizo, presentándose de civil. Pero mientras iba siendo trasladado en el coche policial se acordó de que llevaba en sus bolsillos abundante propaganda católica que podía comprometerlo. Mientras bromeaba con el policía que lo llevaba, iba tirando aquellos panfletos por la ventanilla del auto. Llegado a la cárcel, cuando leyeron su nombre, Miguel Agustín Pro, creyeron que se trataba de un presbítero. Él aclaró que la abreviatura de la palabra Presbítero era Pbro. Y él se llamaba Pro. Al día siguiente lo dejaron libre.

Como se ha ido viendo, su apostolado fue desbordante. A veces no tenía ni tiempo para comer o dormir. El año mismo de su muerte escribiría:

"Propiamente debería estar dando sepultura eclesiástica a un par de tacos de aguacate y media docena de sopes de frijoles, pues son las dos de la tarde, pero... el cansancio de una señora mañana de confesiones de hoy en la tarde que terminará a las 10 o 11 de la noche. Aiga Dios... si los esbirros de don Plutarco el de los callejones leen esta carta, podrán descubrir que soy sacerdote". No ponía límites a su entrega apostólica, según se colige por lo que en una carta del 12 de octubre de 1926 le dice al padre Martínez Aguirre, contándole lo que le pasó el día de San Ignacio: "Al cerrarse el templo, pensé tirarme a la bartola para descansar del trajín de los últimos días, en que todo el mundo quería confesarse. Trajín verdaderamente espantoso, que nos trajo en jaque desde la mañana muy temprano hasta las 11 y 12 de la noche. Pero ¡quién te manda ser tan popular! Se atropellaba la gente en mi casa, para beber de mis labios el consuelo, el aliento, los ánimos..., en lucha contra el demonio, el mundo y la carne. Los autos hacían hilera para llevar mi personita a bautizar a un escuincle, confesar a un moribundo, casar a unos valientes que se atrevían a ponerse la coyunda indisoluble del matrimonio..." Lo que así comenta el padre Ramírez Torres: "Toda esa corriente de gracia, es decir, de filiación divina que iba de él a las almas, nacía en él y se desarrollaba partiendo del sacerdocio y tendía hacia el martirio". ¡Notable frase!

Desde el clarear del día dicha "corriente" no paraba un momento. "De ministerio vamos *a la page.*

¡Jesús me valga! Si no hay tiempo ni de resollar", nos confiesa en un momento de sosiego. "Los bautizos se suceden uno a otro, especialmente entre gente pobre; los casamientos, aunque no tan seguidos, sí son numerosos; los viáticos son más frecuentes, y las consultas, desahogos, pláticas de hombres y mujeres, niños y viejos, son desde que Dios amanece hasta entrada la noche". Y en otra ocasión: "¿Enfermos? ¿viáticos? ¿extremaunciones?... Aquí sí que quisiera no sólo trilocarme sino centuplicarme".

A semejanza de San Pablo, "se gastaba y se desgastaba". Y ello sin alarde alguno, con toda naturalidad. ¡Naturalidad sobrenatural! De nuestro padre relata alguien que lo conoció bien de cerca: "Un día llegó cansadísimo, no había parado desde la mañana y eran cerca de las seis de la tarde; me había citado en una casa para hablarme; casi se dejó caer en la silla, y dijo: – ¡Uy, qué día! Se quedó un rato callado, como recorriéndole con el pensamiento, y añadió: –Y, sin embargo, si Jesucristo viviera hubiera hecho lo que yo, hubiera andado en camión como yo, hubiera ido adonde yo fui y hecho todo lo que yo hice. No recuerdo –prosigue el que esto nos narra– si se encontraba otra persona presente. Había hablado sencillamente, como para sí; pero pronto se dio cuenta de la impresión que sus palabras habían causado, de la admiración y veneración que despertó en mí este testimonio tan espontáneo y tan sincero de no haber hecho en todo el día nada que no hubiera podido hacer el mismo Jesucristo, y entonces, con su gran humildad, añadió inmediatamente: –No, hay una cosa que yo hice que no hubiera hecho Jesucristo. Y me contó que había desatado un perrito en la calle para divertirse viendo qué cara ponía el dueño al ver que se le escapaba; por supuesto, real o inventado por su humildad, no rebajó en nada mi opinión, al contrario".

Con dicho ritmo de trabajo, incluso un cuerpo robusto como un roble hubiera debido acabar postrado. No se ve cómo su naturaleza tan enclenque y recientemente acuchillada en sucesivas operaciones, era capaz de soportar semejante trajín. Es que se trataba de un esforzado apóstol, enamorado de Dios y de su agónica Patria, que sacaba fuerza de su debilidad, pudiendo decir con el apóstol: "Me glorío en mis debilidades" (2 Cor 12,5) "para que habite en mí la fuerza de Cristo" (2 Cor 12,9). Un mes antes de su muerte se encontraba en Toluca, predicando una tanda de Ejercicios espirituales. De allí le escribe a un compañero, a quien, en lenguaje críptico, llama "primo", para evitar sospechas de la policía. "Mi querido primo. Aquí me tienes de excursión en la ciudad de la mantequilla y del chorizo. Estaré hasta el 1° de noviembre. Vine a proponer mis ventas de medias por medio de cupones, y para hacerlo a la moderna, doy conferencias haciendo ver la utilidad. Todo el día hablo a las cinco y media, ante meridiem, a criadas; a las ocho, a niños; a las diez, a señoritas; a las tres, a criados; a las cinco, a señores; a las seis, a comerciantes compañeros míos [es decir, sacerdotes], y a las ocho a hombres, tengo que hacer mi agosto y salir de bruja. La gente ha respondido bien, y espero sacar dinero para pagar mis deudas. Ojalá mis patrones me dejaran hacer una gira por la república". ¡Realmente se gastó y se desgastó! ¡Hasta el final!

V. Su intensa vida interior

Tanta actividad no implicó, reiterémoslo, un vaciamiento interior, de su vida interior. En modo alguno Pro fue un "activista". Bien ha hecho el padre Dragón al titular su biografía: "Vida íntima del Padre Pro". Porque, si no, algunos podrían llegar a creer que se trataba de un hombre superficial, pura exterioridad. En modo alguno. Bajo una apariencia simplona se escondía una persona de una vida interior formidable. Confirmemos este aserto. Un compañero suyo nos cuenta que tras uno de esos días de actividad abrumadora, regresó muy entrada la noche a la casa en que se escondía. Venía rendido. Se desplomó sobre un sofá y junto a él vio el libro del Oficio Divino. "Dios mío, me falta rezar el resto". Sin apuro fue leyendo los salmos y lecturas hasta terminar el texto sagrado. Pero lo que más le impresionó a su compañero fue que lo rezó todo de rodillas, para ofrecer al cielo este sacrificio por una de sus dirigidas, terriblemente probada...

Era, por lo demás, un hombre profundamente *mortificado*, y ello sin poner "cara de mártir". Uno de los que lo frecuentaron dejó dicho: "No había en esta sed de sufrimiento nada de duro, ni de austero, nada estrecho, ni deprimente; porque el amor era el que la producía, el amor intenso que le hacía encontrar sus delicias en la Cruz". Y luego aseguró poder reproducir textualmente una frase de Pro: "No te imaginas las delicias que inundan el alma cuando ya no puede más a fuerza de sufrir, cuando está delante de su Padre Dios agobiada por el dolor". La expresión que acompañaba dichas palabras, agrega, decía mucho más; no era posible dudar que había gustado en un grado poco común tanto la amargura como las dulzuras de la Cruz. Doce días antes de su muerte le confesó: "Yo por mi parte sé decirte que si en el cielo no hay sufrimiento por Dios, yo casi renuncio a él".

Particular fue su *devoción al Sagrado Corazón.* "Cuando predicaba sobre el amor de Cristo, –atestigua otro de sus allegados–, hablaba con un acento tan convencido y comunicativo que no podía uno menos que elevarse también a las regiones sobrenaturales". En carta a uno de sus dirigidos así escribía: "Cuando nuestras almas se acercan al Corazón de Jesús, su amor no puede ni debilitarse ni extinguirse; se purifica, se diviniza y se derrama en los corazones de los que amamos, pero desinteresado, intenso como el amor de Dios, que enciende el nuestro y lo vivifica. Una vez que nuestro corazón se ha injertado y recibe la savia del árbol de la cruz, no hay que temer ya que se desvíe; lo sé por experiencia". Y más adelante agregaba: "En el costado abierto de Jesucristo se distingue su Corazón, que arde de amor por ti, por mí, por todos los hombres... Pero se lo ve rodeado de espinas, y en el centro la cruz. Este fuego sagrado debe también inflamarse en nuestro pobre corazón para comunicarlo a los demás, pero circundado de espinas, a fin de ponernos en guardia contra los mezquinos intereses de nuestro amor propio..., rematado, empero, por la cruz con los brazos extendidos para poder así abrazar a todos cuantos nos rodean, sin restringir nuestro celo a determinadas almas en particular".

Poco antes de su muerte, comentando la súplica de aquel hombre que le pedía a Jesús un milagro en favor de su hijo: "Creo, Señor, pero aumenta mi fe" (Mc 9,24), termina otra de sus cartas con esta generosa oración: "Corazón de Jesús, te amo, pero aumenta mi amor; Corazón de Jesús, en ti confío, pero vigoriza mi esperanza; Corazón de Jesús, te entrego mi corazón, mas enciérralo tan profundamente en el tuyo que no pueda ya separarse de él jamás. Corazón de Jesús, soy todo tuyo, pero custodia mi promesa a fin de que pueda ponerla en práctica hasta el total sacrificio de mi vida".

Caracterizóse, asimismo, por una acendrada *devoción a Nuestra Señora*. Uno de sus íntimos colaboradores nos lo confirma: "Su devoción a la Santísima Virgen era algo extraordinario y especial. No tengo datos precisos, pero según su manera de hablar y ciertas frases que se le escapaban de vez en cuando, no puedo dudar de que la Santísima Virgen le haya concedido gracias especialísimas y dejado sentir en más de una ocasión su particular protección". Nunca olvidaría aquel viaje a Lourdes que emprendió antes de retornar a México. A quien lo había exhortado a realizarlo, un estudiante jesuita a punto de ordenarse de sacerdote, le escribe una sentida carta, que termina con un ruego a Nuestra Señora en favor de su amigo: "Te suplico que lo metas muy cerca del Corazón de tu Hijo. En esta divina prisión llena de llamas y cercada de espinas él estará seguro... Enciérralo, Madrecita, mételo muy dentro del costado abierto de Jesús y sobre todo ahora que va a ser sacerdote".

El mismo padre Pro nos dejó una conmovedora plegaria por él escrita y dirigida a Nuestra Señora de los Dolores:

> ¡Déjame pasar la vida a tu lado, Madre mía, acompañando tu soledad y tu pesar profundo!... ¡Déjame sentir en mi alma el triste llanto de tus ojos y el desamparo de tu corazón!
>
> No quiero en el camino de mi vida saborear las alegrías de Belén, adorando en tus brazos virginales al mismo Dios; no quiero gozar en la casita humilde de Nazaret de la amable presencia de Jesucristo; no quiero acompañarte en tu Asunción gloriosa entre los coros de los ángeles...
>
> Quiero en mi vida la burla y las mofas del Calvario, quiero la agonía lenta de tu Hijo, el desprecio, la ignominia, la infamia de la Cruz; quiero estar a tu lado, Virgen dolorosísima, de pie, fortaleciendo mi espíritu en tus lágrimas, consumando mi sacrifi-

> cio con tu martirio, sosteniendo mi corazón con tu soledad, amando a mi Dios y tu Dios con la inmolación de mi ser.

Esta plegaria fue escrita por el padre Pro el 13 de noviembre de 1927, diez días antes de su fusilamiento, el día mismo en que comenzó a subir el Calvario.

Su amor recaía también, y de manera privilegiada, en *la Sagrada Eucaristía.* A un compañero le confesaba por carta: "Hablo por experiencia y ya Ud. me conoce. Yo no he hallado en toda mi vida religiosa un medio más rápido y eficaz para vivir muy estrechamente unido a Jesús, que la santa misa. Todo cambia de aspecto, todo se mira desde otro punto de vista, todo se amolda a horizontes más amplios, más generosos, más espirituales". La gracia entera de su sacerdocio parecía rebrotar cada vez que celebraba la Santa Misa. Así lo reconoce en carta a un dirigido suyo: "¿Qué es lo que al subir al altar esta mañana llevaría hoy, sino mi pobre corazón sacerdotal que te ama como a hermano? ¿Qué bendiciones y gracias pediría al Dios de la bondad que hice bajar a mis manos pecadoras, para tenerle en ellas como en un trono?". A su juicio, la Eucaristía era el foco divinizador del sacerdote para que luego pudiese divinizar a los que a él se le acercasen.

Ese amor profundo que suscitaba en él la Eucaristía fue el que lo impulsaría a mostrar un cuidado tan especial en su contacto con las cosas sagradas.

Según el padre Dragón, todo lo relacionado con su sacerdocio era para él cosa sagrada. El pequeño misal latino del que se sirvió durante sus ministerios, a pesar de los mil trajines por donde anduvo, se conserva hoy impecable. Lo consideraba un objeto que contenía cierta sacralidad. Por los datos que se conservan y lo que del padre Pro han contado los testigos que lo frecuentaron, consta que el Señor le había concedido esa gracia tan ignaciana de tratar con suma reverencia no sólo el misal sino también los ornamentos y demás objetos que sirven para la celebración de la santa misa. Él, que era tan jocoso, jamás permitió broma alguna tocante a las cosas y acciones del ámbito sagrado.

Nada, pues, de extraño que quien estaba momentos antes bromeando con los presentes, cambiase completamente y se transformara, hasta llamar frecuentemente la atención de los fieles, ya desde que se revestía para subir al altar. "¡Fue un rato de gloria para mí!", exclamó en cierta ocasión al acabar la Santa Misa. Siendo todavía novel sacerdote, las religiosas que lo observaban mientras celebraba decían: "En el altar no parecía estar sobre la tierra". Dicha tesitura la conservó hasta su muerte. Una señora en cuya casa se refugió poco ante de ser detenido, atestigua: "Celebró la misa cada mañana los tres días que estuvo en mi casa. Su fervor extraordinario me llamó la atención, y en esos momentos parecía abstraído de todas las cosas terrestres". Otro testigo acota: "Cuando se le veía celebrar la misa, quedaba uno prendado de él para siempre". Y una señora que lo frecuentó: "Su transformación era entonces más radical: olvidaba su temperamento jovial. No se veía en él sino al representante de Jesucristo mismo. Con frecuencia me decía a mí misma: así oran seguramente los santos". En cada misa renovaba "el honor" de su sacerdocio. "Que me desprecien, que digan de mí lo que quieran como Miguel Pro, ¡nunca será lo suficiente! Pero mi honor sacerdotal no deben tocarlo, no debo permitirlo". Como se ve, fue la Misa el atajo que lo llevó a la perfección. "En toda mi vida religiosa –dejó dicho– no he hallado un medio más rápido y eficaz para vivir estrechamente unido a Jesucristo que la Santa Misa".

Nada, pues, de extraño que el sagrario fuese su punto de encuentro cotidiano con Aquel a quien quería representar. Cuando por la infame Ley de Calles se clausuraron los templos de México, quedando abiertos y vacíos los sagrarios de toda la República, su corazón sacerdotal y eucarístico se expresó con total autenticidad a través de la siguiente poesía-plegaria en homenaje a los sagrarios despojados:

> ¡Señor, vuelve al Sagrario!
> Ya no esté el Tabernáculo vacío...
> Mira que en su calvario
> lo piden tantas almas, ¡Jesús mío!
> Almas tuyas, Señor, crucificadas
> en la cruz del dolor despedazadas
> por el duelo más hondo en la existencia
> ¡el dolor de tu ausencia!

Tú te fuiste, Señor, de los Sagrarios.
Tú te fuiste, Señor, y desde entonces
mudos están los bronces,
los templos solitarios,
sin sacrificio el ara, mudo el coro,
los altares sin rosas,
tristes los cirios de la llama de oro,
tristes las amplias naves solitarias,
sin que agite sus alas misteriosas
un vuelo de plegarias;
todo en silencio y en sopor sumido,
todo callado y triste,
todo tribulación, muerte y olvido…
Señor, ¿por qué te fuiste?

Allí junto al Sagrario
en la cita de amor y de misterio,
a la trémula luz del lampadario,
que dejaba en penumbra el presbiterio,
iban los peregrinos de la vida,
la inmensa caravana
de los que llevan en el alma herida
el sobresalto eterno del mañana;
los que arrastran la cruz de su presente
y cargan el cadáver del pasado
como muerto que pesa enormemente
dentro del corazón despedazado;
el triste, el viejo, el huérfano, el cansado,
el enfermo y el débil y el hambriento,
y todos los cautivos del pecado,
y toda la legión del sufrimiento…
Iban a Ti, Señor, estrella y faro;
y encontraban en Ti dicha y consuelo,
en su abandono amparo;
resignación y bálsamo en su duelo.

¿Qué pena no se olvida
con el amor de un Dios que dio su vida

corporal en la cruz, por la ventura
de todos los ingratos pecadores?
¿Qué tristeza perdura,
qué duelo no mitiga sus rigores,
qué indecible dolor no se consuela
cuando hay un Dios que con nosotros llora,
que sufre por nosotros y que implora
y noche y día en el Sagrario vela...?

Pero no estás allí, no te encontramos
en el dulce lugar de nuestra cita;
en la desolación de nuestra cuita
inquirimos: Señor, ¿a dónde vamos?

Soplo de infierno en el ambiente vaga;
la inquietud en su cenit culmina,
y ante la cerrazón de la neblina,
toda esperanza del fulgor se apaga.
Las almas están solas,
parece que naufraga
la barquilla de Pedro, y la figura
divina del Jesús del Tiberíades,
no rasga de la noche la negrura,
ni serena la furia de las olas
ni calma las deshechas tempestades.

¿Por qué nos abandonas?
Señor, si Tú perdonas
a todo el que su culpa reconoce
y de ella se arrepiente.
Ten piedad de tu México... Conoce
toda la enormidad de sus delitos
y como a Rey te aclama reverente.

Los que ayer te ofendieron, ya contritos
a ti vuelven los ojos...
Mira que van de hinojos
implorando el perdón... Mira que alegan
venir de Tepeyac... Mira que llegan

por camino cubierto
de abrojos, a la cumbre del Calvario
y escarnio y mofa sin piedad reciben.

¡Por el llanto de todos los que viven,
por la sangre de todos los que han muerto...
¡Señor, vuelve al Sagrario!

VI. Homo ludens

Una de las peculiaridades más llamativas de la personalidad del padre Pro es su veta humorística, que se manifestó constantemente en su manera de relacionarse, sea oralmente o por escrito, A punto tal que algunos llegaron a creer que se trataba de una persona trivial, que todo lo tomaba a broma. Nada de eso. Era, sí, una persona "eutrapélica", simpática, divertida, un típico mexicano. Nos relatan sus compañeros de comunidad que cuando lo acongojaba algún sufrimiento, solía ir a la capilla y permanecer en ella un rato largo, pero de allí salía más desatado que de costumbre, haciendo reír a todos. Dicha manera de conducirse ya se dejó advertir desde sus años de formación en Europa y en los Estados Unidos. Cuando todavía se encontraba en Enghien, con motivo de una discusión de índole teológica, las opiniones se encontraban divididas. En aquellos tiempos todos los profesores –de filosofía y de teología– daban sus clases en latín, lengua que servía de puente de unión para aquellos 150 estudiantes jesuitas que allí cursaban sus estudios, provenientes de quince rincones del mundo. Pues bien, dos de los estudiantes diputaban acaloradamente sobre un controvertido tema. De pronto intervino el H. Pro. *"Tu es contra?"*, dijo, es decir ¿estás en contra? Y en seguida agregó, jugando con su apellido: *"Ego sum Pro"*, yo estoy a favor.

En una de las cartas que escribió, ya estando en México, inventó una ocurrente fórmula de confesión de algunas penitentes:

– Me acuso, padre, que soy tejona.

– ¿Cómo?

– Que soy tejona.

– ¿Qué quiere decir eso?

– Que tejo mucho.

– ¡Ah!... ¿Qué tejes los domingos y días de fiesta?

– No, que tejo mucho la vida de los prójimos.

– Me acuso, padre, que soy hombrona.

– ¿Qué dices?

– Que soy hombrona.

– Pues no entiendo.

– Que cuando me mandan una cosa levanto los hombros.

El exquisito gracejo del padre Pro estaba siempre a flor de labios, pero sin caer nunca en la chabacanería. Mucho menos se escondía en esa jovialidad, a veces irónica, la intención de herir, ni siquiera a través de inofensivas indirectas. En el prólogo del libro del padre Dragón, su autor, monseñor Luis M. Martínez, que fue arzobispo de México, escribe estas luminosas palabras: "Es propia de toda alma de artista, y a mi juicio no cabe duda que era tal la del P. Pro, la intuición de los contrastes y graciosas disonancias que abundan en la vida humana. El músico percibe la armonía y descubre la menor disonancia; también el artista de la vida humana, con la facilidad con la que siente todo lo que hay de noble, de elevado y de hermoso en esa vida, sorprende esas finas disonancias de la misma vida, con las que se forja otro género de armonía, que arranca de los labios no la risa grosera, sino la espiritual sonrisa que, si no me engaño, es también signo de emoción estética".

La vida del padre Pro, breve pero intensa, fue realmente trágica. Sus enfermedades, que tanto le hicieron sufrir, las sucesivas operaciones quirúrgicas, la persecución religiosa en México, la muerte heroica pero no por ello menos lacerante de tantos amigos... Y, sin embargo, como escribe el padre Ramírez Torres, "él vivió la vida como el más alegre de los hijos de Dios en la casa de su Padre celestial". Supo reír sin cortapisas en su familia, con sus padres y sus hermanos; reía y tomaba en broma sus percances con la policía; escribía a sus amigos siempre desbordando humor, viendo el ridículo de las circunstancias aun en asuntos que a otros sólo les habrían suscitado pesimismo, amargura, desaliento. En él se hizo piel aquella recomendación del Apóstol: "Alegraos constantemente en el Señor; os lo repito: alegraos" (Fil 4,4).

Así relata el mismo Pro su primera detención por parte de policía, a que aludimos páginas atrás, pero que aquí desarrollamos un tanto:

> El 4 de diciembre, día en que se echaron los globos [a ello nos referimos anteriormente], fue Bandala [un oficial] a catear la casa. ¡Qué recuerdos! A las siete de la noche nos llevaron a la prisión entre dos hileras de soldados a siete tipos aprehendidos por causa de los globos. El teniente que nos recibió en Santiago [prisión militar en Tlatelolco], al leer el oficio de Gobernación en que nos declaraban presos, nos dice riendo: –"Mañana vamos a tener misa". – Malo, me dije, ya me la olieron. –¿Misa?, preguntamos todos espantados. –"Sí, nos responde, porque entre ustedes viene un presbítero". –Malo, muy malo, seguí diciendo para mi capote. Todos nos vimos de pies a cabeza para ver quién era el desventurado presbítero que nos acompañaba.
>
> "Es Miguel Agustín", dice el teniente. –Alto ahí, dije en voz alta. Ese Miguel Agustín soy yo, pero así diré misa mañana como colchón voy a tener esta noche. –"¿Y ese presbítero que se pone después de su nombre?"... –Es sólo mi apellido y no Pbro., que es la abreviación de presbítero. La noche... ¡huy! La noche la pasamos en el patio, a cielo raso, pues en la orden de prisión venía el inciso: procúrese fastidiar a los apresados. ¡Y vaya si lo cumplieron! Una extensa cama de cemento, es decir, todo el patio, se puso a nuestra disposición, con unas almohadas enormes y muy altas que servían de pared y sin más sábanas que las que el fresquete de la noche pudiera darnos.
>
> Los siete presos nos pegamos unos a los otros, pues el frio era más que regular. Comenzamos a rezar el rosario... A la mañana siguiente nos iban a despertar a cubetazos de agua, pero como no dor-

> mimos, no hay para qué decir que al primer chorro de agua ya estábamos corriendo por aquel patio entre las risas y chiflidos de los soldados y presos [...]
>
> A las doce de ese día salía ya de la cárcel: mis compañeros fueron más privilegiados que yo y salieron al día siguiente. Tuve que presentarme dos veces más a Gobernación para declarar. ¿Declarar qué cosa? Yo no lo sabía ni lo supe. Aquello fue una farsa en que a ciencia y conciencia les tomé el pelo a nuestros dignos gobernantes, usando el tono guasón en que se dicen las verdades y no se compromete nada.
>
> Sin embargo, ahora que reflexiono, me maravilla de que no me hayan fusilado por una frase muy fuerte que dije. Al preguntarme Bandala si estaba dispuesto a pagar como multa una buena suma de dinero, pues Calles estaba disgustadísimo por lo de los globos, yo le respondí: –¡No, señor! por dos razones: primera, porque no tengo ni un centavo; y segunda, porque aunque lo tuviera no quisiera tener durante mi vida el remordimiento de haber sostenido al Gobierno actual con medio centavo de mi bolsa, siquiera fuera la diezmillonésima parte de un segundo.

Otro ejemplo. En cierta ocasión así escribió, dando noticias suyas: "Por aquí las cosas marchan viento en popa, pues se envía cristianos al cielo por un quítame allá esas pajas. El agraciado que cae en los sótanos ya puede estar seguro de no volver a comer pan... Y esta persuasión es en mi casa tan verdadera que toda mi tierna prole, al salir a la calle en vez de despedirse reza el acto de contrición. Ya lo sabemos: fulano que no vuelve a las once de la noche, es otro blanco más de las balas traidoras de nuestros dignatarios. Hicimos ya una reunión de familia, nos despedimos hasta el Valle de Josafat; no hicimos testamento porque los dos petates y un comal que teníamos nos lo han quitado; pero en vez de lágrimas han brotado a torrentes las carcajadas, pues es una ganga ir a la corte celestial por causa tan noble..."

Con igual sonrisa en los labios y gracia en la pluma, relata a sus amigos las variadas peripecias de su apostolado, redundante de heroísmo. En cierta ocasión, en que sus superiores le dieron permiso para salir del "encierro" que al comienzo le habían impuesto, se desquitó acrecentando sus correrías apostólicas. Una de las primeras fue la de dar Ejercicios a un grupo de profesoras y empleadas del Gobierno, un grupo bastante recalcitrante, por cierto. Páginas atrás aludimos a dicha tanda un tanto extraña. Al terminar el primer día, le da cuenta epistolar al Provincial en los siguientes términos:

> Salgo yo a las nueve y media de la noche [de la casa donde daba el retiro], como un jitomate de puro acalorado que estaba por los gritos y berridos que pegué. Dos tipos atraviesan la calle y me esperan en la esquina. ¡Hijo mío! ¡despídete de tu pellejo! Y fundado en la máxima de que el que da primero da dos veces, me dirijo hacia ellos y les pido un cerillo para encender mi pitillo. "En la tienda puede usted conseguirlos", me responde.
>
> Más orondo que Amós el grande me voy, pero ellos me siguen, ¿será casualidad? Tuerzo por aquí, tuerzo por allá, y ellos hacen lo mismo. ¡Mi abuela en bicicleta..., me digo! ¡Esta va de veras! Tomo un coche y... ellos hacen lo mismo. Por fortuna el chofer era católico y al verme en tal aprieto se puso a mis órdenes. "Pues mira, hijo: en la esquina en que yo te diga, disminuyes la velocidad, salto yo y tu sigues de frente". Me echo la cachucha a la bolsa, me

> desabotono el chaleco para lucir la blancura de la camisa... y salto. Inmediatamente me puse de pie y me recargué en un árbol, pero haciendo de modo que se me viera. Los tipos pasaron un segundo después, casi rozándome con las salpicaduras del auto; me vieron, pero ni por asomo se les ocurrió que fuera yo. Di media vuelta, pero no tan giro como hubiera deseado, porque el porrazo que me di ya lo empezaba a sentir. ¡Listo, hijo mío, ya estamos dispuestos para otra! Esa fue la jaculatoria final al emprender rengueando el camino para mi casa.

Bien señala el padre Ramírez que se podría escribir un libro divertidísimo de aventuras llenas de sabrosa sal por su manera de expresarse, tan típioa y simpáticamente mexicana, que recuerda a veces la literatura cervantina, pero con lo referido es suficiente para dar una idea de cómo el padre Miguel sabía divertirse aun en medio de las borrascas. Adro Xavier, por su parte, acota que no eran pocos los que ignoraban lo mucho que le costaba aquella jovialidad que podía parecer natural pero que no era, en el fondo, sino un reflejo del humor de Dios.

VII. Vivir "peligrosamente"

La existencia del padre Pro, en general, pero sobre todo durante el corto lapso de tiempo en que vivió en México, fue realmente azarosa. En una misiva que le escribió al Provincial le decía: "La situación es muy delicada aquí; hay peligro para todo... Sin embargo, la gente está muy necesitada de auxilios espirituales..., no hay sacerdotes que afronten la situación, pues por obediencia o por miedo están recluidos". Y en otra carta a un presbítero amigo: "La falta de sacerdotes es extrema; la gente muere sin los sacramentos y los pocos que quedamos no nos damos abasto. ¿Los pocos que quedamos? Ojalá todos trabajaran un poquito, que así las cosas no andarían tan mal: pero cada uno es dueño de su miedo". Era, pues, importante que los sacerdotes perdieran el temor que, al parecer, paralizaba a no pocos de ellos: "El miedo –decía Pro– no es mi defecto dominante y ese es el que impide que se haga por aquí algo en favor de esta grey abandonada". El hecho fue que los últimos meses de su vida, de abril a septiembre de 1927, estuviesen signados por especiales peripecias.

Como a menudo debía pasar inadvertido, se veía obligado a buscar disfraces. A Guadalajara llegó cierto día camuflado con un traje de charro mexicano; aun a sus compañeros les costó reconocerlo bajo las anchas alas del típico jarano. En otra ocasión la policía logró detenerlo, pero por su facha no pudo identificarlo con el cura al que se había dado orden de detener. "Mi aspecto de estudiante tronado –decía– aleja todas las sospechas de mi profesión. Con el bastón en la mano unas veces, otras seguido de un hermoso perro policía que me regalaron, y algunas montado en una bicicleta de mi hermano, voy de día y de noche por todas partes haciendo el bien". Y continúa: "He confesado en las mismas cárceles, pues como los presos por la cuestión religiosa son numerosos y los infelices carecen de muchas cosas, yo les llevo comida, almohadas, o sarapes, o dinero, o cigarros, o todo junto". Variadísimos fueron los disfraces y las tretas a que recurrió para meterse en los lugares más impensados.

Por cierto que era bien conciente del sacrificio que dicho comportamiento implicaba: "Si tuviera vida de comunidad, el peso disminuiría en un noventa por ciento, pero corriendo de ceca en meca, andando y trajinando en camiones sin muelles, espiando disimuladamente a los que nos espían, y con la espada de Damocles que nos amenaza en cada esquina con la Inspección y los sótanos... Vamos, que casi preferiría ya estar en la cárcel para descansar un poco... ¡Me rajo, me rete rajo de esa barbaridad! Pobre gente, pobrecita, ¡posponer el bien de sus almas por una comodidad del cuerpo! Al pie del cañón, hasta que el Capitán y Jefe ordene otra cosa, porque no por mis fuerzas sino *gratia Dei mecum*, perseveraré hasta el fin".

El año 1927 sería para él un año de gracia, aunque no lo supiese. Un año realmente surcado de peligros. Sus ministerios ya no podían ser tan públicos como lo habían sido antes, pues el peligro que corría era inminente. Él no dejaba de reírse de ello. "Aunque mi suegra –dice en una de sus cartas–, la señora CROM diga y afirme que me llevará a los sótanos [prisión de la policía] o a las Islas

Marías; y aunque jure y perjure que castigará con mano de hierro los delitos nefastos, como los que vamos a perpetrar mañana, yo no temo sus amenazas, ni temeré sus balas. Pueden ustedes invitar a la misa a las personas que quieran. Hagan y deshagan con entera libertad." En cierta ocasión le llegaron noticias alarmantes, a raíz de lo cual escribió: "¿Será la última comunión que les dé? ¡Quién sabe! Es demasiada gracia para un tipo como yo, el merecer honra tan grande como el ser asesinado por Cristo. Aunque fuera de los del montón y de chiripazo... ya me contentaría. Pero no se hizo la miel para la boca de Miguel". Es cierto que de hecho había eludido ya varios y sucesivos peligros, como le escribe al Socio del Provincial: "¡Tan palpable veo la ayuda de Dios, que casi casi, temo que no me maten en estas andanzas, lo cual sería un fracaso para mí que tanto suspiro por ir al cielo a echar unos arpegios con guitarra con mi ángel de mi guarda!"

Poco antes había estado actuando en Toluca, de lo que le da cuenta por correo al padre del Valle: "¡Ya me había hecho un dilema en *bárbaro* [por juego dice "bárbaro" en vez de "bárbara", que es una forma de silogismo] para evitar las dudas de mi escrupulosa conciencia: o me llevan a presidio durante el triduo o no me llevan; si no me llevan doy el triduo y honro a Cristo Rey, si me llevan seguiré dando el triduo con oraciones y penitencias en «la chinche» y honro de igual modo a Cristo Rey. Luego el triduo se dio y para mucha rabia del señor diablo, que tuvo que doblar la rodilla ante el único Rey de cielos y tierra". Enseguida regresó a México. No le quedaban más que 23 días de vida. Esperaba, por cierto, señala el padre Ramirez, que Dios le iba a conceder la anhelada gracia del martirio, pero no se imaginaba que estuviese tan cerca el día por el que había suspirado con tanto ardor. Debió entonces ejercitar su ministerio con gran sigilo, espiado por centenares de agentes. Cuando hacía visitas a domicilio tenían que ser anunciadas de antemano, y si se trataba de alguna reunión, la convocatoria era de persona a persona.

Pero él no se arredraba, prosiguiendo sus visitas a las cárceles, debidamente camuflado, por cierto, para alentar a los allí detenidos. "Si los carceleros supieran qué clase de pájaro era yo, ya hace tres meses que estuviera desecándome en la sombra. Y qué grandes son las ganas que me entran a veces de gritar: Oiga Ud., don alcalde, yo mesmo soy el promotor de esas conferencias religiosas; yo soy el que ha *emperiquetado* a esos muchachos para que hablaran; yo soy el que los confieso en sus mismas narices. ¿Será Ud tan pazguato que no me eche el guante siquiera por quince días? Pero no se hizo la miel para la boca del asno y sólo Dios sabe la honra que sería para mí ir a pasar los días y las noches en un cuarto pequeño, donde hay ochenta personas que no se pueden ni sentar, mientras se ahogan por el fétido ambiente que se respira en esos antros. ¡Uds, compadritos míos, pidan a Dios porque se realicen mis sueños dorados! ¡Un jarabe tapatío prometo al santo más mustio, si logro que se lleve a efecto la orden de prisión que se ha dado contra mí!".

En carta de 25 de mayo de 1927 informa:

> Últimamente no he tenido lances policíacos, pues el más reciente fue con uno de la reservada que me aseguraba por los 15 Pares de Francia que yo iría a la cárcel y yo casi le juraba que por las barbas de Mahoma no iría. Tan pesado se puso que casi me dieron ganas de abofetearlo, pero acabé por decirle: —Mira, majadero, si me llevas a la cárcel ya no podré confesar a su mamacita... —Ud perdone, padrecito; ya ve Ud cómo están los tiempos, váyase cuanto antes. —¿Irme...? El que te vas eres tú, y no a la Inspección sino a decirle a tu mamá que hoy por la noche voy a su casa a confesarla y que mañana le llevo la comunión, a ver si por ese medio se logra que tú te confieses, gandul, sinvergüenza, demonio... —¡Ah qué padrecito tan tres piedras! —Pues una me bastaba para romperte la mollera... Al día siguiente mi amigote asistió a la comunión de su madre, creo que pronto se la llevaré a él.

Otra graciosa historia:

> Me encontraba una noche solo en mi recámara estudiando, cuando con espanto me avisan que me buscaba un hombre, vestido de revolucionario. Díganle que entre. Se presentó un gigantón prieto, armado hasta los dientes, quien me pregunta con voz áspera y ronca. –¿Tiene Ud miedo? –¿Miedo?, le respondí. ¿De qué? Sólo temo al pecado, y fuera de eso, a nadie. ¡No temo ni a Dios, mi Padre, que es tan bueno! –¿Y a mí tampoco me tiene Ud miedo?, prosiguió. –Menos aún que a nadie, le dije, y por

qué habría de tenérselo? –Pues quiero hablarle a solas, siguió diciendo el bárbaro. –¡Muy bien, siéntese Ud!, le dije. –No, señor, yo no me siento. ¡Porque lo que tengo que decir no se puede decir sino de rodillas! Y se confesó con tanto dolor y tal contrición, que las lágrimas rodaban de sus ojos, del tamaño de un aguacate. Y yo, que no puedo ver llorar sin enternecerme, ¡dejaba caer unas lágrimas como tejocotes que caían en el suelo y volvían a retachar en el techo!

Un tercer relato:

En otra ocasión al ir a decir misa en una barriada, me topo de buenas a primeras con dos genízaros que custodiaban la casa en que iba a celebrar. —Diablo, me digo, esta vez la jerramos. Entrar era exponerse, volver grupas era miedo, dejar encampanada a la gente que estaba adentro era infame. Con el mayor descaro de que soy capaz, me paro en frente de los técnicos [policías], tomo el número de la casa, me desabrocho el chaleco, como si quisiera enseñarles mi tierno corazón, y guiñando el ojo, les digo: —¡Aquí hay gato encerrado! Ellos me saludan militarmente y me dejan pasar. Me creyeron uno de la reservada que les mostraba la placa que llevan ellos dentro del chaleco. —Ora sí que hay gato encerrado, me dije yo, al trepar de tres en tres escalones. Imposible fue decir la misa. La gente, al verme llegar, se puso lívida. Y a no ser por mis puños que impidieron un atropello a mi persona, aseguro a Uds que a estas horas estaría todavía encerrado en un ropero, lleno de chinches, donde la caridad de mis feligreses quería embarrarme. —Pero, benditos, les dije, si ahora es cuando podemos estar más seguros, puesto que los técnicos nos cuidan la casa! Pero… ni agua [todo inútil]. Por las once mil vírgenes me rogaron saltara por la azotea. Yo tomé mi sotana, hice una pirueta, a modo de saludo, y con el tradicional cigarro en la boca, me salí por donde entré, no sin recibir dos soberbios saludos militares de los genízaros; saludos que dieron envidia a un carnicero gordo que vivía en frente y a un peluquero chato que acariciaba a su gato en el mostrador de su tendejón, llamado "El trompezón".

Ya había aprendido cómo tratar a la policía:

Una vez –cuenta él mismo– eran las seis de la mañana. Distribuía yo la santa comunión en una casa o estación eucarística. De pronto una de las criadas entró gritando: "¡Los técnicos!". La gente se asusta, palidece, me mira. –Aiga paz, les digo; escondan los chales, distribúyanse por las piezas y no alboroten. Yo andaba ese día de cachucha, con un traje gris claro, que con el uso ya se está poniendo oscuro. Saco un cigarrillo que acomodo en una enorme boquilla y llevando al Santísimo dentro del pecho, recibo a los intrusos. –Aquí hay culto público, me dicen. –No la amuelen, les respondo. –Pos sí, señor, aquí hay culto público. –Pos ora sí, vecinos, ¡que los hicieron patos! –Sí, yo vi entrar el cura. –¡Ah, cómo eres hablador! ¡Media de aguardiente a que no hay cura! –Hay orden de registrar la casa. Síganos. –¡Pos no más eso me faltaba! ¿Yo seguir a Uds? ¿Una orden de qué chivo? ¡A ver mi nombre! ¡Paséense por toda la casa y cuando encuentren al «culto público» vénganme a decir pa ir a oír misa!

Ellos comenzaron a recorrer la casa; pero por prevenir mayores males entre la gente extraña que había allí, me voy tras ellos, y como muy conocedor de la casa les voy indicando lo que había detrás de cada puerta cerrada. Excuso decirles que por ser la primera vez que andaba yo por esas interioridades, afirmé ser recámara lo que luego resultó ser escritorio, ¡y donde coloqué el cuarto de costura se encon-

> tró el W.C.! No se encontró al tal cura y los taimados cuicos se pusieron de guardia en la puerta de la casa.
>
> Yo me despedí, choteándome con ellos, y diciéndoles que, a no ser porque tenía que ir a acompañar a mi novia a la oficina, me estaría con ellos hasta que celaran el guante al atrevido cura que así burlaba la exquisita vigilancia de los perspicaces técnicos.

Otro día en que iba caminando por la calle, se le acercan dos policías, muy convencidos de que al fin habían echado el guante al que tanto buscaban. Con mucho aplomo el padre sale a su encuentro y les habla con tanta serenidad y bromea tan cordialmente que ellos empiezan a dudar... Para que acabasen de tragar el anzuelo los invita a un café, ordena que sirvan a todos una buena merienda y bebe una copa a su salud. Se cuenta fácil, pero resulta innegable que se necesitaba una presencia de ánimo no vulgar para saber encontrar la salida adecuada. En cierta ocasión advirtió que dos agentes corrían tras él y le estaban por dar alcance. Dobló entonces por la primera esquina y vio a una dama, a la que felizmente conocía, una ferviente católica. Le guiñó el ojo dándole a entender que se encontraba en una situación delicada, lo que ella comprendió. Se tomaron del brazo y lentamente se pusieron a caminar como dos enamorados... Diez segundos después, llegan los policías. Miraron por todos lados. ¡El pájaro había volado! Sólo quedaban dos tortolitos. Como comenta el padre Dragón, no fue la primera vez que recurrió a damas para obligarlas a hacer trabajos... de Acción Católica.

¡Una vida signada por el peligro! Aún hoy se muestra en el Paseo de la Reforma, que es la avenida más amplia de la ciudad de México, cerca del monumento de la Independencia, un banco de piedra en el que se solía sentar el padre Pro para tomar fresco. Los fieles sabían que era un lugar convencional que él había elegido para confesar a los que lo quisieran. Cada tanto un paseante se acercaba al padre, trababa conversación con él, fumaba un cigarrillo, y finalmente hacía su confesión, bajo la tranquilizante protección de un policía, apostado en la esquina... "A pesar de la estricta vigilancia de la policía secreta –escribía al padre–, a pesar de que hay en la ciudad más de diez mil agentes, confieso, bautizo, bendigo matrimonios, llevo el santo viático a los moribundos..."

VIII. El testimonio supremo

En aquellos últimos meses, los acontecimientos se habían ido precipitando. Entre los católicos militantes se respiraba un ambiente de martirio. En 1928, es decir, un año después del fusilamiento del padre Pro, un observador extranjero así veía el estado de ánimo de los miembros de la ACJM:

> Si los límites que me he propuesto lo permitieran, con gusto trataría de dar aquí una idea del espíritu de los jóvenes, tal como he podido conocerlos a través de sus conversaciones y su conducta. Basta citar la impresión recibida con motivo de la muerte de

> las primeras víctimas pertenecientes a la Institución de que venimos hablando, la de Manuel Melgarejo y Joaquín Silva. En un pequeño círculo de jóvenes, compañeros y amigos de los sacrificados, se comentaban todos los detalles de la ejecución. Desde luego pude observar que sus rostros y el tono de sus palabras no acusaban la menor tristeza ni abatimiento. Hablaban del acontecimiento como de la cosa más natural. Más bien parecían orgullosos de la muerte de sus amigos. El suceso parecía levantar más los espíritus y robustecer su energía y afianzar sus propósitos. Uno terminaba así un período de la conversación: "Ellos se han portado como buenos; ahora nos toca a nosotros". Y en su semblante, en sus miradas y en la serenidad de sus gestos, capeaba la serenidad resuelta y enérgica de quien se dispone a cumplir un deber inaplazable. Con jóvenes así la causa de los católicos mexicanos será ganada infaliblemente.

Volvamos al año 1927. La resistencia de los católicos era cada vez más decidida. Ya había estallado el levantamiento cristero que implicaba un desafío al gobierno. Calles no se quedó atrás. Es cierto que tenía una cortapisa: su período presidencial terminaba indefectiblemente en febrero de 1928, así que excogitó una solución que nosotros, los argentinos, conocemos bien: durante el verano de 1927 hizo abrogar la ley que prohibía la reelección para Presidente. Mas sus previsiones no se cumplieron ya que Obregón, a quien Calles temía pero de quien tenía necesidad, fue elegido Presidente en el mes de agosto, debiendo tomar posesión de su cargo seis meses más tarde. Obregón no quiso manifestar ningún tipo de ruptura o cambio de orientación, afirmando que seguiría la política "del señor general Calles". Los católicos quedaron consternados. Más hábil que Calles, Obregón era por eso mismo más peligroso para la Iglesia. Entonces algunos jóvenes de la Liga, del grupo que se dedicaba a la acción militar, pensaron en la posibilidad de herir al enemigo en su mismo corazón, poniéndose finalmente de acuerdo en atentar contra la vida de Obregón, figura clave del movimiento revolucionario. El proyecto había ido madurando lentamente en la cabeza de un muchacho muy inteligente, Luis Segura Vilchis, jefe del avituallamiento militar de los cristeros en el estado de Jalisco, donde los jóvenes alzados, ya en plena lucha, se batían como leones contra los soldados del Gobierno.

Observa el padre Ramírez Torres que estaba en el ambiente la necesidad de que alguien hiciera justicia contra los dos jefes máximos de la Revolución que ensangrentaron tan luctuosamente al país. Ya anteriormente varios estudiosos habían hecho investigaciones serias en los autores clásicos llegando a la conclusión de que México se hallaba en una situación tal en que era moralmente lícito el tiranicidio, considerado como uno de tantos medios de combate en una guerra defensiva. Segura Vilches, formado en un colegio de los hermanos maristas, se había luego recibido de ingeniero, y dirigía el Comité Directivo de la Liga, teniendo así a su cargo el Control Militar de los combatientes cristeros, a quienes, según dijimos, proveía de parque bélico.

Tras diversas cavilaciones concluyó que se hacía preciso acabar con los jefes de la persecución para evitar males supremos, sabiendo bien que si el proyecto fracasaba sería ejecutado.

Obregón, que estaba de viaje, debía retornar a México el 13 de noviembre. Segura Vilchis preparó su plan en el secreto más absoluto. Lo primero que hizo fue pedirle a Humberto, el hermano del padre Pro, que le consiguiera dinero con que alquilar una casa. Humberto, que nada sabía de aquel proyecto, suponía que la casa serviría para guardar armas destinadas a los cristeros. Luego Segura solicitó a los jefes de la Liga, que le consiguieran un auto para sus actividades. Se le respondió que tomara el viejo "Essex" que había sido propiedad de Humberto, quien luego lo había vendido. Como dijimos, los hermanos Pro no tenían la menor idea de lo que se estaba tramando. El jueves 10 de noviembre, Segura había comunicado su proyecto a Nahum Lamberto Ruiz, joven estudiante de la Liga, invitándole a acompañarlo y éste incorporó a un amigo suyo, que era obrero, Juan Tirado, también de la Liga, ambos paladines acejotaemeros. Por aquel entonces el padre Pro estaba pasando unos días agradables con sus dos hermanos, Humberto, que a la sazón tenía 24 años, y Roberto, de 19.

Llegó la fecha señalada para el atentado. El Presidente electo, tras almorzar en su casa, subió en un espléndido Cadillac bien custodiado, y le dijo al chofer que, para hacer tiempo, diera una vuelta por el Bosque de Chapultepec, en espera del comienzo de una corrida de toros a la que pensaba asistir. Mientras estaba recorriendo el Bosque, en el Essex que había sido de Humberto, se le acercó Segura Vilches y arrojó una bomba sobre el auto de Obregón; luego Nahum vació su revólver, y Tirado lanzó otra bomba, pero con tan mala suerte que ni Obregón ni ninguno de sus acompañantes quedaron seriamente heridos. Los custodios se lanzaron entonces en persecución del auto donde iban los tres jóvenes. En medio de la confusión, Segura saltó del auto y se escabulló entre la multitud. Nahum Ruiz, que por curiosidad había sacado la cabeza por la ventanilla del auto, quedó gravemente herido de un balazo, y Tirado fue detenido.

Los hermanos Pro se enteraron de los hechos por el diario en edición extra. El padre Miguel Agustín entendió que las cosas se ponían negras. El auto que se había empleado era el que a veces usaba su hermano Humberto, a cuyo nombre seguía estando. Fue precisamente el 13 de noviembre, el día mismo del atentado, cuando Pro compuso esa plegaria tan inspirada, a que antes aludimos, pidiéndole a Nuestra Señora de los Dolores poder acompañarla no en Belén, ni en Nazaret, sino en el Calvario.

Se ha dicho que las medidas que a raíz de aquel hecho se tomaron contra el padre Pro y sus hermanos, constituyeron una suerte de revancha contra los cristeros, por aquel entonces en plena campaña bélica, y particularmente contra el fundador de la Liga, el jesuita Bernardo Bergöend. Calles y Obregón tenían ahora la ocasión de vengarse, apuntando en última instancia al Santo Padre, que defendía a los jesuitas y veía con buenos ojos la resistencia católica. Justamente el 28 de octubre próximo pasado Pío XI había manifestado su total displicencia con la política del gobierno mexicano perseguidor, reiterando su "non pessumus" a las pretensiones del gobierno de zanjar el problema religioso dejando en vigor las leyes persecutorias. Además la familia Pro era toda ella cristera, si bien no en el campo de batalla.

Heriberto Navarrete, joven cristero que años después entraría en la Compañía de Jesús, nos cuenta que, siendo todavía laico conoció al padre Pro, y tuvo ocasión de relatarle las acciones heroicas de sus camaradas de combate, "¡Qué bien se están portando, muchachos! —exclamó entusiasmado—. Francamente le diré que no esperé nunca del México que yo dejé cuando salí del país una actitud tan decidida. Yo conocía a mis hermanos y ahora los desconozco. ¡Qué hombres! ¿Imaginarme yo en Europa que Humberto anduviera por las calles de la capital traficando con parque y armas para los rebeldes? ¡Nunca! Las primeras noticias que me llegaban por allá no acababa de creerlas. Pero lo he visto. Mis hermanos, Ud los conoce, trabajan por la causa de la libertad con un heroísmo alegre, saturado de juventud, pero con una abnegación que avergüenza. Y sé muy bien que hay legiones de jóvenes como ellos. Que los hay aquí, en la Capital, que los hay en Jalisco, bendita tierra que está dando su lección a México y al mundo. ¡Bien! ¡Muy bien, muchachos! ¡Así se llevan con garbo las banderas de las grandes causas!"

Volvamos ahora a las consecuencias del fallido atentado contra Obregón. Nahum Ruiz, seriamente herido, tras ser encarcelado, recibió la visita de un policía que simuló ser sacerdote, enviado para sonsacarle datos comprometedores de personas y de lugares. La señora del joven, con el deseo de salvar a su marido en el caso de que no muriera, hizo declaraciones que le permitieron a la policía tener alguna pista del ingeniero Segura Vilchis. Y como, entre otras cosas, aquella señora nombrara a la familia Pro, bien conocida desde hacía tiempo por la policía, a las autoridades se les ocurrió la idea de relacionarla con el asunto de los conjurados. El padre Pro pensó, entonces, si no le sería conveniente irse a Los Altos de Jalisco, con los cristeros.

Por el momento, él y sus hermanos se refugiaron en la casa de una familia amiga. Pero pronto la policía se hizo allí presente. Eran más o menos las 5 de la mañana. "¡Nadie se mueva!", gritaron al llegar. El padre Pro le dio la absolución a sus hermanos, y luego dijo en voz baja: "Desde ahora vayamos ofreciendo nuestras vidas por la religión en México, y hagámoslo los tres juntos para que Dios acepte nuestro sacrificio". Luego se acercó a un armario, sacó de él un crucifijo pequeño, lo besó, y lo metió en el bolsillo del saco. A continuación fueron llevados a la Inspección General de Policía. El jefe les mostró el viejo Essex y les dijo: "¡Miren el resultado de su obra!". Humberto le respondió: "Nosotros nada tenemos que ver en ese asunto". Encerraron entonces a los tres hermanos en los famosos "sótanos".

Durante su cautiverio el padre Pro, que no perdía su confianza en Dios, alentó a los demás detenidos, tras lo cual escribió en la pared: "Viva Cristo Rey" y "Viva la Virgen de Guadalupe". El día 21, el general Roberto Cruz, que era el Inspector General, recibió de Calles y Obregón la orden de fusilar a los detenidos bajo la acusación de cómplices y conjurados en el atentado contra el Presidente electo. El general preguntó qué forma se le podía dar a la ejecución, ya que no se había hecho el acta y el juicio correspondiente. Calles le respondió que no quería formalidades sino hechos. De manera semejante reaccionó Obregón: "¡Qué acta ni qué...!" Otra resolución que tomó Calles fue que el fusilamiento no se llevase a cabo en la Comandancia Militar sino en la Inspección misma, o sea, en el lugar más céntrico de la ciudad. Así se haría, como enseguida lo veremos, en medio de un aparato imponente de publicidad.

¿Qué pasaba en el entretanto con Segura Vilchis? Al advertir que el atentado no había tenido el resultado esperado, luego de alejarse rápidamente del lugar, se había dirigido, no sin cierto caradurismo, a la misma plaza de toros donde se encontraba Obregón. Allí le dio la mano, lo felicitó por su reelección y le entregó una tarjeta con su nombre. Al realizarse ulteriormente las investigaciones, el mismo Obregón se acordaría de haberlo saludado, en razón de lo cual Segura iba a ser declarado inculpable por la policía, pero cuando el joven pensó que varios inocentes podían ir al patíbulo en lugar de él, que había sido el verdadero ejecutor del atentado, se dirigió a la Inspección y le dijo al general Cruz: "¿Me da su palabra de honor de que sólo serán sacrificados los responsables del intento de matar a Obregón, y que serán puestos en libertad los demás presos que no tomaron parte activa en él, y que están acusados de ser los autores y ejecutores del mismo, si le digo la verdad sobre el asunto?". "Sí, ingeniero", le respondió Cruz. "Pues bien, General, el autor directo y el ejecutor soy yo, ayudado por Ruiz y Tirado. Los hermanos Pro nada tuvieron que ver en el asunto, pues ni supieron lo que se iba a hacer, ni tomaron parte alguna en los hechos". "Usted se burla de mí, ingeniero, le repuso Cruz. Su inculpabilidad está plenamente probada; lo que Ud. quiere es que los Pro salgan en libertad por falta de méritos". "No, mi General". Inmediatamente lo condujeron a una celda de la prisión.

Volvamos al padre Pro. Cinco días pasó en cautiverio sin perder jamás la serenidad; más aún, no dejaba de alentar a su hermano Roberto, quien había sido también detenido juntamente con Humberto. Se dice que uno de esos días el general Cruz convocó a los periodistas de varias publicaciones, e hizo desfilar ante ellos a todos los detenidos, menos a Roberto. Cuando lo llevaron al padre Pro, sus primeras palabras fueron: "Señores, juro ante Dios que soy inocente de lo que me acusan". Cruz lo interrumpió: "Basta, retírese inmediatamente". Cuentan que luego, volviéndose a los periodistas, les dijo: "Ya lo han oído. Él mismo confiesa su culpa". En aquellos momentos el padre Miguel Agustín se mostraba todavía optimista, creyendo que se llevaría su caso a los tribunales, y así se comprobaría su inocencia.

Un compañero de cárcel da testimonio del comportamiento del mártir: "En los dos días que estuve a su lado en la prisión, lo que vi, es que durante largos ratos, varias veces cada día, se ponía a rezar solo; además, durante la noche, nos hacía rezar con él el rosario; cantábamos también juntos la marcha de San Ignacio". Humberto, citado por el general Cruz, declaró: "No supe del atentado contra el general Obregón si no por el periódico de la tarde del día 13 de noviembre. El auto Essex fue de mi propiedad hasta el 8 o 9 de este mes. Lo vendí a una persona desconocida". Destaquemos la ausencia de un juicio formal. No había razón alguna para que el padre Pro fuese castigado. De hecho, ningún testigo declaró contra él. Sin embargo, el día 22, el general Cruz le dijo a Guerra Leal que había recibido orden de Calles de fusilar a los acusados a la mañana siguiente, en la misma Inspección. Curiosamente se invitó para que estuvieran presentes en la ejecución a representantes de diversas secretarías de Gobierno, generales, abogados del Estado, periodistas nacionales y extranjeros, etc. Pregúntase el padre Ramírez por qué será que se quiso rodear su muerte de tan excesiva espectacularidad y de una publicidad poco menos que mundial, no empleada con ningún otro de los mártires de aquella época. Sin duda que para realzar la gravedad del presunto delito, para hacer propaganda antirreligiosa y para atemorizar. "Es menester hacer un escarmiento con toda esa «gentuza»", le había dicho Calles a Cruz, quien refiere textualmente dicha expresión. Funcionaron en los momentos previos y en el desenlace final por lo menos tres máquinas fotográficas. Con la secuencia de aquellas fotos, tomadas por orden del Gobierno, se puede montar casi una película del fusilamiento.

Volvamos a la secuencia de los hechos. Cuando eran las 10 de la mañana, se presentó en los sótanos un jefe policial y dijo en alta voz: "¡Miguel Agustín Pro!". El padre estaba sin saco y, por orden del carcelero, se lo puso. Después, sin decir nada, apretó la mano a Roberto, que estaba a su lado, y partió. Las fotos de que acabamos de hablar son los testimonios más fidedignos de los momentos finales del padre Pro. En la primera aparece saliendo de los sótanos. En el centro del patio, se ve un espacio libre para permitir las maniobras de los cuatro pelotones encargados de los fusilamientos. Están con traje de gala. Por un refinamiento de crueldad o quizás por miedo al pueblo, nada se había comunicado previamente a las víctimas acerca de su sentencia, de modo que para el padre Pro ha de haber sido sin duda una sorpresa encontrarse, al salir del sótano, con todo el aparato para su ejecución. Probablemente fue allí donde, al advertir la presencia de los soldados armados, se dio cuenta de que iban a darle muerte. Él había creído que lo entregarían a un tribunal competente para ser juzgado. Tiene las manos juntas y mira tranquilamente a los espectadores. Luego se supo que uno de los verdugos que lo acompañaban en aquel trágico momento le pidió que lo perdonara. "No solamente lo perdono –le respondió–, sino que le doy las gracias".

Después se colocó en el lugar señalado, de frente al pelotón, entre las siluetas metálicas o monigotes que servían para que los soldados practicaran el tiro al blanco. El mayor Torres le preguntó si deseaba alguna cosa. "Que me permitan rezar", respondió. Se puso de rodillas, se santiguó lentamente, cruzó los brazos sobre el pecho, ofreció a Dios el sacrificio de su vida, besó devotamente el pequeño crucifijo que tenía en la mano, y se levantó. Rehusó ser vendado y se volvió de cara a los representantes del Gobierno y jefes de la Policía y del Ejército, dejándolos atónitos por su serenidad. El general Cruz aparece en la foto fumando un puro descaradamente.

Otra de las fotos lo muestra de pie, tranquilo, mirando a los soldados y como si quisiera hablar. Con una mano aprieta el crucifijo, en la otra tiene el rosario. Luego extiende los brazos en forma de cruz y levanta sus ojos al cielo. Sus labios murmuran algunas palabras que los presentes no escuchan, "como cuando el sacerdote consagra", dice el padre Méndez Molina, las mismas, sin duda, que él ardientemente deseaba decir en la hora de la muerte: "¡Viva Cristo Rey!". Hace la señal a los soldados de que está dispuesto. Resuena una descarga cerrada y cae con los brazos extendidos. Un soldado se le acerca y le da el tiro de gracia en la sien. Tenía el padre Pro 36 años.

Días más adelante, en una entrevista que el general Cruz concedió a los periodistas, no temió confesar los verdaderos motivos que, tras varias pesquisas para detener al sacerdote, lo habían llevado a la muerte. "Ocurría esto –dijo– cuando era más intensa la propaganda que llevaban a cabo algunas agrupaciones religiosas. Entonces se trató de capturar al presbítero Pro, por considerarse que era uno de los principales propagandistas". Claro que Calles no dijo que se lo condenaba a morir por ser sacerdote, según un ulterior testimonio de Cruz; al dar la sentencia de muerte sí manifestó que "hubiera estado encantado de hacer lo mismo, no sólo con un sacerdote sino con muchos individuos de la misma ralea". En realidad era consecuente. Varias veces había sostenido: "No puedo tolerar la existencia de la Iglesia Católica en México porque equivaldría a tolerar un Estado dentro del Estado". Más aún, en un solemne discurso llegó a afirmar que tenía "odio personal contra Cristo". Tras la muerte del padre Pro, Obregón le diría a un amigo: "Sabíamos que el padre era inocente, pero era necesario que un cura pagara por todos para que los otros escarmentaran". Así lo entendió gente calificada: la muerte del padre fue una de las muchas manifestaciones del odio de Calles al catolicismo.

También Humberto fue fusilado. Pero no así Roberto, que era menor de edad. Quizás ello se debió a la oportuna intervención de Emilio Labougle, embajador por aquel entonces de la Argentina en México, que era un fervoroso católico y había conocido al padre Pro en una de las casas donde éste celebraba frecuentemente la misa. Lo admiraba al padre, pero a la vez tenía fácil acceso a Calles y a Obregón. Cuando Pro fue detenido, Labougle le pidió a Calles una entrevista urgente; en ella el presidente le dio su palabra de honor de que los Pro no serían fusilados sino tan sólo desterrados del país.

Sea lo que fuere, el padre Pro fue fusilado el 23 de noviembre a las 10 de la mañana. Cinco minutos más tarde lo siguió Luis Segura Vilchis. Al ver el escenario se turbó, pero enseguida se repuso y siguió caminando con entereza hasta el sitio de su sacrificio. Al llegar al lugar donde estaba el cadáver del padre Pro, se detuvo; lo miró, se inclinó reverente, tributando así su homenaje al sacerdote mártir, después se colocó a la derecha del padre. Luego les tocó el turno a Humberto y a Tirado. Todo duró aproximadamente una hora. Al enterarse Labougle de lo acontecido, fue enseguida a verlo a Calles para reclamarle su falta de cumplimiento de la palabra empeñada. Calles alegó conveniencias políticas. No podía romper con Obregón, futuro presidente, y éste le había exigido el fusilamiento de los detenidos. "Pero –agregó–, veamos si alguno queda con vida". Telefoneó entonces a la Inspección y Cruz le informó que precisamente en ese momento iban a fusilar a Roberto. Calles ordenó no hacerlo y mandarlo al destierro. Esto último es una versión, pero muy probable, de lo que realmente sucedió.

La hermana de los Pro, Ana María, que estaba en las cercanías, no vio el fusilamiento, pero, al parecer, oyó las descargas. Y luego siguió a la ambulancia hasta el Hospital Juárez. El padre de los dos hermanos fusilados, don Miguel Pro, se enteró por los diarios de la noticia. Dirigióse enseguida al hospital y subió a la sala donde reposaban los cuerpos de sus hijos. Sin decir una palabra, se acercó y besó en la frente a Miguel Agustín y a Humberto. Como aún corría sangre por la frente de su hijo sacerdote, sacó su pañuelo y lo enjugó. A su hija, que lo abrazaba llorando, la serenó diciéndole: "Hija mía, no hay motivo para llorar".

A la tarde, la familia Pro logró que los cadáveres de los dos hermanos fueran trasladados a su casa de la calle Pánuco. La misma gestión hizo la familia de Segura Vilches con Luis. Inmediatamente comenzó a afluir mucha gente a la casa de los Pro, no pocos llevando ofrendas florales. Entre ellos se encontraban algunos miembros del Cuerpo Diplomático. Una nube de visitantes. Como todos deseaban ver los cadáveres, señala un testigo ocular, fue necesario organizar una circulación continua de los visitantes, quienes desfilaban frente a los cajones y con gran devoción tocaban los restos con rosarios, medallas, crucifijos y flores. Los ataúdes dejaban ver los rostros. Una señora llevaba de la mano a su hijo de diez años: "¡Hijito, fíjate en estos mártires! Por eso te he traído, para que se te grabe bien en la mente lo que estás viendo, para que cuando seas grande sepas dar tu vida por defender la fe de Cristo, y morir como ellos, inocentes y con gran valor".

A la hora del sepelio, la multitud era tan nutrida que el tránsito debió ser suspendido en una vasta zona. Tanta era la gente que el padre Alfredo Méndez Medina S. J., amigo del mártir, hubo de salir al balcón y decir desde ahí en voz alta: "¡Paso a los mártires de Cristo Rey!". Cuando los féretros aparecieron en la puerta, en medio de aplausos y lluvia de flores, un clamor unánime brotó de millares de pechos. "¡Viva Cristo Rey!". Seis sacerdotes encabezaban el cortejo, llevando en hombros el ataúd del padre. No quisieron usar carroza fúnebre, para poder irse turnando, llevándolo así en andas hasta el cementerio de Dolores, que quedaba a unos seis kilómetros. Pasaron por el Paseo de la Reforma, donde se encontraba el lugar del martirio. Delante iba una columna de 300 automóviles. Luego los cuerpos, y tras ellos la multitud que se extendía por varias calles; detrás otra columna interminable de carruajes. Las veredas se encontraban llenas. La gente se arrodillaba al paso de los mártires. El acto, escribe el padre Ramírez, perdió su carácter de duelo y adquirió las características de una apoteosis. Una voz desconocida gritó: " ¡Viva el primer mártir jesuita de Cristo Rey!". Atronadores vivas le hicieron eco durante varios minutos. El pueblo entonaba el Himno Nacional, y lanzaba reiteradas vivas a Cristo Rey, a la Virgen de Guadalupe y a los heroicos mártires. El cortejo se dirigió a la cripta que la Compañía de Jesús tenía en Dolores y allí se inició el entierro del padre Pro. Apenas salidos de la cripta se oyó a lo lejos una voz potente que entonaba el conocido cántico privilegiado por los cristeros:

Tú reinarás, oh Rey bendito,
pues Tú dijiste reinaré.

La multitud respondió con el estribillo del mismo himno:

Reine Jesús por siempre,
reine su corazón,

en nuestra patria,
en nuestro suelo,
que es de María la nación.

Como acabamos de señalarlo, más que una ceremonia fúnebre el sepelio pareció un acto triunfal. Durante el trayecto habían pasado delante del Castillo de Chapultepec, residencia del presidente Calles. Desde las ventanas del palacio, el tirano ha de haber visto desfilar a sus enemigos vencedores que no cesaban de vivar a Cristo Rey, su enemigo personal.

Tras el entierro del padre Pro, se dirigieron a la fosa preparada para Humberto. Allí también se hizo silencio, mientras se bendecía el sepulcro donde descansarían sus restos, y luego bajaron el cadáver. Entonces don Miguel tomó una pala y arrojó la primera tierra que había de cubrirlo. Acababa de sepultar a sus dos queridos hijos. Con la sobriedad que lo caracterizaba exclamó: "¡Hemos terminado! *¡Te Deum laudamus!*". El entierro de Segura Vilchis y compañeros fue también multitudinario, sólo que se verificó a la misma hora y en un sitio muy distante que el de los Pro, en la Villa de Guadalupe.

De Humberto Pro ha dicho el padre Rafael Martínez del Campo: "Podría igualmente instruirse un proceso canónico para demostrar su martirio". Coincide con dicho sacerdote el padre Ramírez Torres, quien para ello trae a colación un texto de Santo Tomás en el libro V de las Sent. 49,5,3, ad 2, donde el Doctor Angélico afirma: "Cuando alguien sufre la muerte por el bien común, pero sin relación a Cristo, no merece la aureola del martirio. Pero si hay una relación a Cristo, tendrá la aureola y será mártir; por ejemplo si defiende la República del ataque de los enemigos que tratan de corromper la fe de Jesucristo y en esa defensa sufre la muerte". ¿No fue el caso de Humberto Pro?

Mientras los amigos de Obregón se esforzaban por echar la culpa a Calles, quien habría mandado fusilar al padre con la intención de hacer odioso a Obregón, y los amigos de Calles afirmaban lo contrario, los católicos se disputaban el honor de tener alguna reliquia suya. No pocas de dichas reliquias fueron hasta los campamentos de los cristeros. En una de sus cartas, el padre había escrito: "Ojalá me tocara la suerte de ser de los primeros mártires o de los últimos, pero ser del número. Pero si es así, preparen sus peticiones para el cielo".

El padre Miguel Agustín Pro fue beatificado por el papa Juan Pablo II el 25 de septiembre de 1988. Nos alegra saber que, poco antes de morir, don Miguel Pro llegó a enterarse de que ya se estaba sustanciando el proceso de beatificación de su hijo Miguel.

Capítulo Cuarto

ANACLETO GONZÁLEZ FLORES: MÁRTIR DE LA CRISTIANDAD

Consideraremos ahora una figura realmente fascinante, la de Anacleto González Flores, uno de los héroes de la Gesta Cristera. Anacleto nació en Tepatitlán, pequeño pueblo del estado de Jalisco, cercano a Guadalajara, el 13 de julio de 1888. Sus padres, muy humildes, eran fervientemente católicos. De físico más bien débil, ya desde chico mostró las cualidades propias de un caudillo de barrio, inteligente y noble de sentimientos. Pronto se aficionó a la lectura, y también a la música. Cuando había serenata en el pueblo trepaba a lo que los mexicanos llaman "el kiosco", tribuna redonda en el centro de la plaza principal. Era un joven simpático, de buena presencia, galanteador empedernido, de rápidas y chispeantes respuestas, cultor de la eutrapelia.

A raíz de la misión que un sacerdote predicó en Tepatitlán, sintió arder en su corazón la llama del apostolado, entendiendo que debía hacer algo precisamente cuando su Patria parecía deslizarse lenta pero firmemente hacía la apostasía. Se decidió entonces a comulgar todos los días y enseñar el catecismo de Ripalda a los chicos que lo seguían, en razón de lo cual empezaron a llamarlo "el maistro", sin que por ello se aminorara un ápice su espíritu festivo tan espontáneo y la amabilidad de su carácter. Al cumplir veinte años ingresó en el seminario de San Juan de los Lagos, destacándose en los estudios de tal forma que solía suplir las ausencias del profesor, con lo que su antiguo sobrenombre quedó consolidado: sería para siempre "el Maistro". Luego pasó al seminario de Guadalajara, pero cuando estaba culminando los estudios entendió que su vocación no era el sacerdocio. Salió entonces de ese instituto e ingresó en la Escuela Libre de Leyes de la misma ciudad, donde se recibió de abogado. Quedóse luego en Guadalajara, iniciando allí su labor apostólica y patriótica que lo llevaría al martirio.

I. El "Maistro"

Ya hemos dicho cómo desde sus mocedades Anacleto mostró una clara inclinación a la docencia, que se fue intensificando en proporción al acrecentamiento de su formación intelectual. Durante sus años de seminario, frecuentó sobretodo el campo de la filosofía y de la teología, con especial predilección por San Agustín y Santo Tomás. Para su afición oratoria sus guías principales fueron Demóstenes, Cicerón, Virgilio, Bossuet, Fenelón, Veuillot, Lacordaire, Montalembert, de Mun, Donoso Cortés y Vázquez de Mella. Su amor a las artes y las letras lo acercó a Miguel Ángel, Shakespeare e Ibsen. Su inclinación social y política lo llevó al conocimiento de Windthorst, Mallinckrodt, Ketteler, O'Connell. Asimismo era experto en leyes, habiendo egresado de la Facultad de Jurisprudencia de Guadalajara con las notas más altas. Fue un verdadero intelectual, en el sentido más noble de la palabra, no por cierto un intelectual de gabinete, pero sí un excelente diagnosticador de la realidad que le fue contemporánea.

Y así, tanto en sus escritos como en sus discursos, nos ha dejado una penetrante exposición de la tormentosa época que le tocó vivir, no sólo en sí misma sino en sus antecedentes y raíces históricas. Entendía, ante todo, a México, y más en general a Iberoamérica, como *la heredera de la España imperial.* La vocación de España, dice en uno de sus escritos, tuvo un origen glorioso: los ocho siglos de estar, espada en mano, desbaratando las falanges de Mahoma. Continuó con Carlos V, siendo la vanguardia contra Lutero y los príncipes que secundaron a Gustavo Adolfo. En Felipe II encarnó su ideal de justicia. Y luego en las provincias iberoamericanas, fue una fuerza engendradora de pueblos. Siempre en continuidad con aquel día en que Pelayo hizo oír el primer grito de Reconquista. "Nuestra vocación, tradicionalmente, históricamente, espiritualmente, religiosamente, políticamente, es la vocación de España, porque de tal manera se anudaron nuestra sangre y nuestro espíritu con la carne, con la sangre, con el espíritu de España, que desde el día en que se fundaron los pueblos hispanoamericanos, desde ese día quedaron para siempre anudados nuestros destinos con los de España. Y en seguir la ruta abierta de la vocación de España, está el secreto de nuestra fuerza, de nuestras victorias y de nuestra prosperidad como pueblo y como raza".

La fragua que nos forjó es la misma que forjó a España. Nuestra retaguardia es de cerca de trece siglos, larga historia que nos ha marcado hasta los huesos. Recuerda Anacleto el intento de Felipe II de fundir en un matrimonio desgraciado, los destinos de su patria con Inglaterra. Tras el fracaso de dicho proyecto armó su flota para abatir a la soberbia Isabel y sus huestes protestantes, enfrentando la ambición de aquella nación pirata, vieja y permanente señora del mar. Tras el fracaso, "sus capitanes hechos de hierro y sus misioneros amasados en el hervor místico de Teresa y Juan de la Cruz, se acercaron a la arcilla oscura de la virgen América, y en un rapto, que duró varios siglos, la alta, la imborrable figura de don Quijote, seco, enjuto, y contraído de ensueño excitante, pero real semejanza de Cristo, como lo ha hecho notar Unamuno, se unió, se fundió, no se superpuso, no se mezcló, se fundió para siempre en la carne, en la sustancia viva de Cuauhtémoc y de Atahualpa. Y la esterilidad del matrimonio de Felipe con la Princesa de Inglaterra se tornó en las nupcias con el alma genuinamente americana, en la portentosa fecundidad que hoy hace que España, escoltada por las banderas que se empinan sobre los Andes, del Bravo hacia el Sur, vuelva a afirmar su vocación".

Junto con España, prosigue su análisis "el Maistro", accede a nuestra tierra la Iglesia Católica, quien bendijo las piedras con que España cimentó nuestra nacionalidad. Ella encendió en el alma oscura del indio la antorcha del Evangelio. Ella puso en los labios de los conquistadores las fórmulas de una nueva civilización. Ella se encontró presente en las escuelas, los colegios, las universidades, para pronunciar su palabra desde lo alto de la cátedra. Ella estuvo presente en todos los momentos de nuestra vida: nacimiento, estudio, juventud, amor, matrimonio, vejez, cementerio.

Concretado el glorioso proyecto de la hispanidad, aflora en el horizonte el fantasma del anticatolicismo y la antihispanidad. Es el gran movimiento subversivo de la modernidad, encarnado en tres enemigos: La Revolución, el Protestantismo y la Masonería. El primer contrincante es *la Revolución*, que en el México moderno encontró una concreción aterradora en la Constitución de

1917, nefasto intento por desalojar a la Iglesia de sus gloriosas y seculares conquistas. Frente a aquellas nupcias entre España y nuestra tierra virgen, la Revolución quiso celebrar nuevas nupcias, claro que en la noche, en las penumbras misteriosas del error y del mal. Las nuevas y disolventes ideas fueron entrando en el cuerpo de la nación mexicana, como un brebaje maldito, una epidemia que se introdujo hasta en la carne y los huesos de la Patria, llegando a suscitar generaciones de ciegos, paralíticos y mudos de espíritu.

En México han jurado derribar la mansión trabajosamente construida. Anacleto lo expresa de manera luminosa: "El revolucionario no tiene casa, ni de piedra ni de espíritu. Su casa es una quimera que tendrá que ser hecha con el derrumbe de todo lo existente. Por eso ha jurado demoler nuestra casa", esa casa donde por espacio de tres siglos, los misioneros, conquistadores y maestros sudaron y se desangraron para edificar cimientos y techos. Y luego esbozaron el plan de otra casa, la del porvenir. Hasta ahora no han logrado demoler del todo la casa que hemos levantado en estos tres siglos. Si no lo han podido es porque todavía hay fuerzas que resisten, porque Ripalda, el viejo y deshilachado Ripalda, como el Atlas de la Mitología, mantiene las columnas de la autoridad, la propiedad, la familia. Sin embargo persisten en invadirlo todo, nuestros templos, hogares, escuelas, talleres, conciencias, lenguaje, con sus banderas políticas.

Incluso han intentado crear una Iglesia cismática, encabezada por el "Patriarca" Pérez, para mostrar que nuestra ruptura con la hispanidad resulta inescindible de nuestra ruptura con la Iglesia de Roma. Son invasores, son intrusos.

El trabajo de demolición no ha sido, por cierto, infructuoso. "Si hemos llegado a ser un pueblo tuberculoso, lleno de úlceras y en bancarrota, ha sido, es solamente, porque una vieja conjuración legal y práctica desde hace mucho tiempo mutiló el sentido de lo divino". México ha sido saqueado por la Revolución, por los Juárez, por los Carranza...

Junto con la Revolución destructora, Anacleto denuncia el ariete del *Protestantismo,* que llega a México principalmente a través del influjo de los Estados Unidos. González Flores trae a colación aquello que dijo Rooselvelt cuando le preguntaron si se efectuaría pronto la absorción de los pueblos hispanoamericanos por parte de los Estados Unidos. "La creo larga [la absorción] y muy difícil mientras esos países sean católicos". El viejo choque entre Felipe II e Isabel de Inglaterra se renueva ahora entre el México tradicional y las fuerzas del protestantismo que intenta penetrar por doquier, llegando al corazón de las multitudes, sobre todo para apoderarse de la juventud.

El tercer enemigo es la *Masonería,* que levanta el estandarte de la rebelión contra Dios y contra su Iglesia. Anacleto la ve expresada principalmente en el ideario de la Revolución francesa, madre de la democracia liberal, que en buena parte llegó a México también por intercesión de los Estados Unidos. En 1793, escribe, alguien dijo enfáticamente: "La República no necesita de sabios". Y así la democracia moderna, salida de las calles ensangrentadas de París, se echó a andar sin sabios, en desastrosa improvisación. Su gran mentira: el sufragio universal. Cualquier hombre sacado de la masa informe es entendido como capaz de tomar en sus manos la dirección del país, pudiendo ser ministro, diputado o presidente. Nuestra democracia ha sido un interminable vía crucis, cuya peor parte le ha tocado al llamado pueblo soberano: primero se lo proclamó rey, luego se lo coronó de espinas, se le puso un cetro de caña en sus manos, se lo vistió con harapos y, ya desnudo, se lo cubrió de salivazos.

La democracia moderna se basa en un slogan mentiroso, el de la igualdad absoluta. "Se echaron en brazos del número, de sus resultados rigurosamente matemáticos, y esperaron tranquilamente la reaparición de la edad de oro. Su democracia resultó una máquina de contar". Consideran a la humanidad como una inmensa masa de guarismos donde cada hombre vale no por lo que es, sino por constituir una unidad, por ser uno. Todo hombre es igual a uno, el sabio y el ignorante, el honesto y el ladrón, nadie vale un adarme más que otro, con iguales derechos, con iguales prerrogativas. "Y si esa democracia no necesita de sabios, ni de poetas, tampoco necesita de héroes, ni de santos".

¿Para qué esforzarnos, para qué sacrificarnos por mejorar, si en el pantano, debajo del pantano, la vida es una máquina de contar y cada hombre vale tanto como los demás? Se ha producido así un derrumbe generalizado, un descenso arrasador y vertiginoso, todos hemos descendido, todo ha descendido. "Nos arrastramos bajo el fardo de nuestra inmensa, de nuestra aterradora miseria, de nuestro abrumador empobrecimiento". Democracia maligna ésta, porque ha roto su cordón umbilical con la tradición, con el pasado fecundante. "El error de los vivos no ha consistido en intentar la fundación de una democracia, ha consistido y consiste, sobre todo, en querer fundar una democracia en que no puedan votar los muertos y en que solamente voten los vivos y se vote por los vivos".

Resulta interesante advertir cómo González Flores supo ver, ya en su tiempo, el carácter destructivo e invasor del espíritu norteamericano, incurablemente protestante y democrático-liberal. Coincidía con Anacleto el vicepresidente de la Liga, Miguel Palomar y Vizcarra, en un "memorandum relativo a la influencia de los Estados Unidos sobre México en materia religiosa". Allí se lee: "El imperialismo yanqui es para nosotros, y para todos los mexicanos que anhelan la salvación de la patria, algo que es en sí mismo malo, y como malo debe combatirse enérgicamente". Bien hace Enrique Díaz Araujo en destacar la perspicacia de los dirigentes católicos que no se dejaron engañar por la apariencia bolchevique de los gobiernos revolucionarios de México –recuérdese que la Constitución que impuso Carranza se dictó precisamente el año en que estalló la revolución soviética-, sino que los consideraron simples "sirvientes de los Estados Unidos". No era sencillo descubrir detrás del parloteo obrerista, indigenista y agrarista la usina real que alimentaba la campaña antirreligiosa.

Páginas atrás hemos señalado que Carlos Pereyra lo sintetizó así: "Aquel gobierno de enriquecidos epicúreos empezó a cultivar simultáneamente dos amores: el de Moscú y el de Washington... La colonia era de dos metrópolis. O, más bien, había una sucursal y un protectorado. Despersonalización por partida doble, pero útil, porque imitando al ruso en la política antirreligiosa, se complacía al anglosajón". La política estadounidense se continuaría por décadas, como justamente lo ha observado José Vasconcelos: "Las Cancillerías del Norte, ven esta situación [la de México] con la misma simpatía profunda con que Roosevelt y su camarilla se convirtieron en protectores de la Rusia soviética durante la Segunda Guerra Mundial. El regocijo secreto con que contemplaron el martirio de los católicos en México, bajo la administración callista, no fue sino el antecedente de la silenciosa complicidad de los jefes del radicalismo de Washington con los verdugos de los católicos polacos, los católicos húngaros, las víctimas todas del sovietismo ruso".

Tales fueron, según la visión de Anacleto los tres grandes propulsores de la política anticristiana y antimexicana: la revolución, el protestantismo y la masonería. "La revolución –escribe–, que es una aliada fiel tanto del protestantismo como de la masonería, sigue en marcha tenaz hacia la demolición del Catolicismo y bate el pensamiento de los católicos en la prensa, en la escuela, en la calle, en las plazas, en los parlamentos, en las leyes: en todas partes. *Nos hallamos en presencia de una triple e inmensa conjuración contra los principios sagrados de la Iglesia*".

De lo que en el fondo se trató fue de un atentado, inteligente y satánico, contra la vertebración hispánico-católica de la Patria.

II. El dirigente

Pero Anacleto no fue un mero diagnosticador de la situación, un sagaz observador de lo que iba sucediendo. Fue también un conductor, un formador de espíritus, un apóstol de largas miras.

1. México católico, despierta de tu letargo

En sus artículos y conferencias nuestro héroe vuelve una y otra vez sobre la necesidad de ser realistas y de enfrentar lúcidamente la situación por la que atravesaba su Patria. Se nos ha caído la finca, dice, hemos visto el derrumbe estrepitoso del edificio de la sociedad, y caminamos entre escombros. Pero al mismo tiempo señala su preocupación porque muchos católicos desconocen la gravedad del momento y sobre todo las causas del desastre, ignoran cómo los tres grandes enemigos a que ha aludido, el Protestantismo, la Masonería y la Revolución, trabajan de manera incansable y con un programa de acción alarmante y bien organizado. Esos tres enemigos están venciendo al Catolicismo en todos los frentes, a todas horas y en todas formas posibles. Combaten en las calles, en las plazas, en la prensa, en los talleres, en las fábricas, en los hogares. Trátase de una batalla generalizada, tienen desenvainada su espada y desplegados sus batallones en todas partes. Esto es un hecho. Cristo no reina en la vía pública, en las escuelas, en el parlamento, en los libros, en las universidades, en la vida pública y social de la Patria. Quien reina allí es el demonio. En todos aquellos ambientes se respira el hálito de Satanás.

Y nosotros, ¿qué hacemos? Nos hemos contentado con rezar, ir a la iglesia, practicar algunos actos de piedad, como si ello bastase "para contrarrestar toda la inmensa conjuración de los enemigos de Dios". Les hemos dejado a ellos todo lo demás, la calle, la prensa, la cátedra en los diversos niveles de la enseñanza. En ninguno de esos lugares han encontrado una oposición seria. Y si algunas veces hemos actuado, lo hemos hecho tan pobremente, tan raquíticamente, que puede decirse que no hemos combatido. Hemos cantado en las iglesias pero no le hemos cantado a Dios en la escuela, en la plaza, en el parlamento, arrinconando a Cristo por miedo al ambiente. Urge salir de las sacristías, entendiendo que el combate se entabla en todos los campos, "sobre todo allí donde se libran las ardientes batallas del mal; procuremos hallarnos en todas partes con el casco de los cruzados y combatamos sin tregua con las banderas desplegadas a todos los vientos". Reducir el Catolicismo a plegaria secreta, a queja medrosa, a temblor y espanto ante los poderes públicos "cuando éstos matan el alma nacional y atasajan en plena vía la Patria, no es solamente cobardía y desorientación disculpable, es un crimen histórico religioso, público y social, que merece todas las execraciones".

Tal es la gran denuncia de González Flores hacia dentro de la Iglesia, el inmenso lastre de *pusilanimidad* y de *apocamiento* que ha llevado a buena parte del catolicismo mexicano al desinterés y la resignación. Las almas sufren de empequeñecimiento y de anemia espiritual. Nos hemos convertido en mendigos, afirma, renunciando a ser dueños de nuestros destinos. Se nos ha desalojado de todas partes y todo lo hemos abandonado. "Ni siquiera nos atrevemos a pedir más de lo que se nos da. Se nos arrojan todos los días las migajas que deja la hartura de los invasores y nos sentimos contentos con ellas". Tal encogimiento está en abierta pugna con el espíritu del cristianismo que desde su aparición es una inmensa y ardiente acometida a lo largo de veinte siglos de historia. "La Iglesia vive y se nutre de osadías. Todos sus planes arrancan de la osadía. Solamente nosotros nos hemos empequeñecido y nos hemos entregado al apocamiento". Hasta ahora casi todos los católicos no hemos hecho otra cosa que pedirle a Dios que Él haga, que Él obre, que Él realice, que haga algo o todo por la suerte de la Iglesia en nuestra Patria. Y por eso nos hemos limitado a rezar, esperando que Dios obre. Y todo ello bajo la máscara de una presunta "prudencia". Necesitamos la imprudencia de la osadía cristiana.

Justamente en esos momentos el Papa acababa de establecer la fiesta de Cristo Rey. Refiriéndose a ello, Anacleto insiste en su proposición. Desde hace tres siglos, explica, los abanderados del laicismo vienen trabajando para suprimir a Cristo de la vida pública y social de las naciones. Y con evidente éxito, a escala mundial, ya que no pocas legislaturas, gobiernos e instituciones han marginado al Señor, desdeñando su soberanía. Lo relevante de la institución de esa fiesta no consiste tanto en que se lo proclame a Cristo como Rey de la vida pública y social. Ello es, por cierto, importante, pero más lo es que los católicos entendamos nuestras responsabilidades consiguientes. Cristo quiere que lo ayudemos con nuestros esfuerzos, nuestras luchas, nuestras batallas. Y ello no se conseguirá si seguimos encastillados en nuestros hogares y en nuestros templos. Hasta ahora nuestro catolicismo ha sido un catolicismo de verdaderos paralíticos, y ya desde hace tiempo. Somos herederos de paralíticos, atados a la inercia en todo. Los paralíticos del catolicismo son de dos clases: los que sufren una parálisis total, limitándose a creer las verdades fundamentales sin jamás pensar en llevarlas a la práctica, y los que se han quedado sumergidos en sus devocionarios no haciendo nada para que Cristo vuelva a ser el Señor de todo. "Y claro está que cuando una doctrina no tiene más que paralíticos se tiene que estancar, se tiene que batir en retirada delante de las recias batallas de la vida pública y social y a la vuelta de poco tiempo tendrá que quedar reducida a la categoría de momia inerme, muda y derrotada". Nuestras convicciones están encarceladas por la parálisis. Será necesario que vuelva a oírse el grito del Evangelio, comienzo de todas las batallas y preanuncio de todas las victorias. Falta pasión, encendimiento de una pasión inmensa que nos incite a reconquistar las franjas de la vida que han quedado separadas de Cristo.

Judas se ahorcó, dice Anacleto en otro lugar, mas dejó una numerosa descendencia, los herejes, los apóstatas, los perseguidores. Pero también la dejó ente los mismos católicos. Porque se parecen a Judas los que saben que los niños y los jóvenes están siendo apuñaleados, descristianizados en los colegios laicistas, y sin embargo, después de haberle dado a Jesús un beso dentro del templo, entregan las manos de sus hijos en las manos del maestro laico, para que Cristo padezca nuevamente los tormentos de sus verdugos. Se parecen a Judas los católicos que no colaboran con las publicaciones católicas, permitiendo que éstas mueran. O los que, entregados en brazos de la pereza, dejan hacer a los enemigos de Cristo. También se le parecen los que no hacen sino criticar acerbamente a los que se esfuerzan por trabajar, porque contribuyen a que Cristo quede a merced de los soldados que lo persiguen.

Como se ve, González Flores trazó un perfecto cuadro de la situación anímica de numerosos católicos, enteramente pasivos ante los trágicos acontecimientos que se iban desarrollando en la Patria mexicana. Fustigó también el grave peligro del individualismo. Los católicos de México, señala, han vivido aislados, sin solidaridad, sin cohesión firme y estable. Ello alienta al enemigo al punto de que hasta el más infeliz policía se cree autorizado para abofetear a un católico, sabiendo que los demás se encogerán de hombros. Más aún, no son pocos los católicos que se atreven a llamar imprudente al que sabe afirmar sus derechos en presencia de sus perseguidores. "Es necesario que esta situación de aislamiento, de alejamiento, de dispersión nacional, termine de una vez por todas, y que a la mayor brevedad se piense ya de una manera seria en que seamos todos los católicos de nuestra Patria no un montón de partículas sin unión, sino un cuerpo inmenso que tenga un solo programa, una sola cabeza, un solo pensamiento, una sola bandera de organización para hacerles frente a los perseguidores".

2. El forjador de caracteres

Hemos dicho que desde niño Anacleto fue apodado "el maestro", por su nativa aptitud didáctica. Este "bautizo", que nació de manera espontánea, se trocó después en cariñoso homenaje y hoy es un titulo glorioso. Maestro, sobre todo, en cuanto que fue un auténtico formador de almas. Consciente del estancamiento del catolicismo y de la pusilanimidad de la mayoría, o, como él mismo dijo, "del espíritu de cobardía de muchos católicos y del amor ardiente que sienten por sus propias comodidades y por su Catolicismo de reposo, de pereza, de apatía, de inercia y de inacción", se abocó a la formación de católicos militantes, que hiciesen suyo "el ideal de combate", convencidos de que "su misión es batirse hoy, batirse mañana, batirse siempre bajo el estandarte de la verdad".

A su juicio, el espíritu de los católicos, si querían ser de veras militantes, debía forjarse en dos niveles, el de la inteligencia y el de la voluntad. En el nivel de la *inteligencia*, ante todo, ya que "las batallas que tenemos que reñir son batallas de ideas, batallas de palabras". Los medios modernos de comunicación, escribe, aunque sirven generalmente para el mal, podrán ayudarnos, si a ellos recurrimos, para que nuestras ideas se abran paso con mayor celeridad, en orden a ir creando una cultura católica. No podemos seguir luchando a pedradas mientras nuestros enemigos nos combaten con ametralladoras. En esta obra de propagación de la verdad todos pueden hacer algo: los más rudos e ignorantes, dedicarse a estudiar; los más cultos, enseñar a los demás; los que no son capaces de escribir ni de hablar, al menos pueden difundir un buen periódico; los que tienen destreza en hablar y escribir, podrán adoctrinar a los demás. No nos preguntemos ya cuánto hemos llorado, sino qué hemos hecho o qué hacemos para afianzar y robustecer las inteligencias. A unos habrá que pedirles solamente ayuda económica; a otros su pluma y su palabra; a otros que no compren más los periódicos laicistas; a otros que vendan los periódicos católicos. "Ya llegará el momento en que, después de un trabajo fuerte, profundo de formación de conciencia, todos los espíritus estén prontos a dar más de lo que ahora dan y entonces los menos dispuestos a sacrificarse querrán aumentar su contingente energía. Y de este modo habremos logrado que todos se aproximen al instante en que tengamos suficientes mártires que bañen con su sangre la libertad de las conciencias y de las almas en nuestro país".

Anacleto no se quedó en buenas intenciones. Se propuso constituir un grupo de personas deseosas de formarse, no limitado, por cierto, a los de inteligencia privilegiada sino abierto a todos cuantos deseasen adquirir una cultura lo más completa posible. Para él dicha labor era superior a todas las demás. La influencia de ese grupo resultaría incontrastable, "porque se hallaría en posesión de los poderes más formidables, cuales son la idea y la palabra".

Para este propósito, Anacleto se dirigió principalmente a la juventud, a la que por once años consagró lo mejor de sus energías. La amplia y arbolada plaza contigua al Santuario de Guadalupe, en Guadalajara, fue su primer local, el lugar predilecto de sus tertulias. Su verbo era fascinante. Nos cuenta Heriberto Navarrete que, siendo él estudiante secundario, se encontró un día con Anacleto, a la sazón profesor de Historia Patria, reunido con un grupo en la plaza del Carmen. "Sois estudiantes –les dijo–. Tras de largas peregrinaciones por aulas e Institutos, llegaréis a conquistar vuestra inmediata ambición: un título profesional. Y bien ¿qué habréis obtenido? Una posición; es decir, pan, casa, vestido. ¿Es esto todo para el hombre? Me diréis que de paso llenáis una misión nobilísima cultivando la ciencia. ¿Puede ser esa la misión de un ser como el hombre? No es la principal labor del hombre el cultivo del cuerpo, ni el de la inteligencia. Ha de ser el cultivo de las facultades más altas del espíritu. La de amar; pero amar lo inmortal, lo único digno de ser amado sin medida: amar a Dios. ¿Serán por ventura ustedes de los que se creen que se llena esa infinita ambición con esas prácticas ordinarias del cristiano apergaminado que asiste a misa los domingos? No. Eso no es ser cristiano. Eso es irse paganizando; es un abandonar plácidamente la vida cristiana, pasando a la vera del sagrado con antifaz carnavalesco, sonriendo al mundo y al vicio, mientras en la penumbra vaga del rincón de una iglesia, precipitadamente, en breves minutos con dolor robados a la semana, se santigua la pintada faz del comediante... Amar a Dios, para un joven, debe significar entusiasmos sin medida, ardores apasionados de santo, sueños de heroísmo y arrojos de leyenda. La vida es una milicia". Dice Navarrete que esas y otras ideas fueron brotando en medio de un diálogo vivaz, apasionante. "A mí no me cabía duda. Aquel hombre alcanzaba los perfiles de los grandes líderes. La claridad brillante de sus ideas unida a la férrea voluntad de un ardoroso corazón, lo delineaban como un egregio conductor de masas. Había ahí madera para un santo, alma para un mártir".

Anacleto atrajo en torno a sí a lo mejor de la juventud de Guadalajara. A pocas cuadras del Santuario de Guadalupe de dicha ciudad, a que acabamos de referirnos, una señora ofreció hospedaje y alimentación tanto a él como a varios compañeros que estudiaban en la Universidad. Allí convocaron a numerosos jóvenes para cursos de formación. En cierta ocasión estaban estudiando los avatares de la Revolución francesa, sus víctimas, sus verdugos, la Gironda, el Jacobinismo, etc., y como la que cuidaba la casa se llamaba Gerónima, y los vecinos la llamaban doña "Gero" o "Giro", le pusieron a la sede el nombre de "La Gironda" y a sus ocupantes "los Girondinos". Dicha casa tenía sólo tres habitaciones. Allí se fueron arrimando un buen grupo de jóvenes, unos cincuenta muchachos, atraídos por Cleto y sus compañeros de vida juglaresca. Lejos de todo estiramiento "doctoral", la alegría juvenil del "Maistro" se volvía contagiosa, mientras trataba temas de cultura, de formación espiritual, de historia patria, trascendiendo a toda la ciudad, pero más directamente a la barriada del Santuario, donde estaba la sede. Refiriéndose a aquellos convivios dice Gómez Robledo que "las ideas fulguraban en la conversación vivaz y el goce intelectual tenía rango supremo".

Anacleto estaba convencido de la importancia de su labor pedagógica en una época de tanta confusión doctrinal. Era preciso formar lo que él llamaba "la aristocracia del talento". Para ello nada mejor que poner a aquellos jóvenes en contacto con los pensadores de relieve, los grandes literatos, los historiadores veraces.

Fue ésta su obra predilecta, su centro de operaciones y el albergue de sus amistades más entrañables y de sus colaboradores más decididos. A esos muchachos los consideraba como una ampliación de su familia. En el oratorio de aquella casa contrajo matrimonio, y su primer hijo pasó a ser un puntual concurrente a las reuniones dominicales. "Anacleto era el maestro por antonomasia entre nosotros –testimonia Navarrete–. Estaba siempre a punto para dar un consejo, esclarecer una idea o forjar un plan, ya de estudio, ya de acción. El espíritu infundido por él hizo de nuestro grupo local una verdadera fragua de luchadores cristianos... Nos enseñó a orar, a estudiar, a luchar en la vida práctica y también a divertirnos. Porque él sabía hacer todo eso. Lo mismo se le encontraba jugando una partida de billar, que de damas, tañendo la guitarra o sosteniendo animados corrillos, con su inacabable repertorio de anécdotas. Así fuimos aprendiendo poco a poco que la vida del hombre sobre la tierra es una lucha, que es guerra encarnizada y que los que mejor la viven son los más aguerridos, los que se vencen a sí mismos y luego se lanzan contra el ejército del mal para vencer cuando mueren, y dejan a sus hijos la herencia inestimable de un ejemplo heroico".

Cuentan los que lo trataron que tenía un modo muy suyo de enseñar la verdad y corregir el error. Jamás contradecía una opinión sin ser requerido, pero entonces era contundente. Para corregir los vicios de conducta, nunca llamaba la atención del culpable en forma directa; cuando creía llegada la oportunidad, se refería a un personaje imaginario, de ficción, afeado por los defectos que trataba de enmendar, presentándolo como insensato, como víctima de sus propios actos. Nunca le falló este método de corrección. En cuanto a su modo de ser y de tratar, nos formaríamos de él una representación incompleta si creyéramos que nunca abandonó la rigidez del gesto épico. Según nos lo acaba de describir Navarrete, era una persona de temperamento ocurrente, afectuoso y jovial. Su casa de la Gironda se hizo legendaria como centro de sana y bulliciosa alegría, de vida cristiana y bohemia a la vez.

Creó Anacleto varios círculos de estudio: el grupo "León XIII", de sociología; el "Agustín de la Rosa", de apologética; el "Aguilar y Marocho", de periodismo; el "Mallinckrodt", de educación; el "Balmes", de literatura; el "Donoso Cortés", de filosofía... Por eso cuando se fundó en México la ACJM, o "Asociación Católica de la Juventud Mexicana", como una especie de federación de movimientos católicos, el material ya estaba dispuesto en Guadalajara. Bastó reunir en una sola organización los distintos círculos existentes, unos ocho o diez, perfectamente organizados. Especial valor le atribuía al círculo de Oratoria y Periodismo, ya que, a su juicio, el puro acopio de conocimientos, si no iba unido a la capacidad de difundirlos de manera adecuada, se clausuraba en sí mismo y perdía eficacia social. De la Gironda salieron numerosos difusores de la palabra, oral o escrita.

Destaquemos la importancia que Anacleto le dio al aspecto estético en la formación de los jóvenes. No en vano la belleza es el esplendor de la verdad.

"El bello arte –dejó escrito– es un poder añadido a otro poder, es una fuerza añadida a otra fuerza, es el poder y la fuerza de la verdad unidos al poder y la fuerza de la belleza; es, por último, la verdad cristalizada en el prisma polícromo y encantador de la belleza". Y así les pedía a los suyos que pusiesen al servicio de Dios y de la Patria no sólo el talento sino también la belleza para edificar la civilización cristiana. Sólo de ese modo la verdad se volvería irradiación de energía.

Antes de seguir adelante, quisiéramos dedicar algunas palabras a uno de los compañeros de Anacleto, quizás el más entrañable de todos, Miguel Gómez Loza. Nació en Paredones (El Refugio), un pueblo de Los Altos de Jalisco, en 1888, de una familia campesina. A los 20 años, se trasladó a Guadalajara donde estudió Leyes. Allí conoció a Anacleto, convirtiéndose en su lugarteniente y camarada inseparable. Era un joven rubio, de ojos azules, que irradiaba generosidad, de no muy vasta cultura pero de enorme arrojo y contagiosa simpatía. Se lo apodó "el Chinaco". Los mexicanos llaman "chinacos" a los del tiempo de la guerra de la Reforma, hombres engañados, por cierto, pero llenos de decisión y coraje. A Miguel se lo quiso calificar por esto último, es decir, por su entereza y energía, si bien las empleó con signo contrario al de aquéllos.

Una anécdota de su vida nos lo pinta de cuerpo entero. El 1° de mayo de 1921, con la anuencia de las autoridades civiles, los comunistas vernáculos se atrevieron a izar en la misma catedral de Guadalajara el pabellón rojinegro. A doscientos metros de dicho templo, frente a los jardines que se encuentran en su parte posterior, estaba una de las sedes de la ACJM, donde en esos momentos se encontraban unos cuarenta muchachos. Conocedores del hecho varios de ellos pensaron que era preciso hacer algo y por fin resolvieron dirigirse a la Catedral para reparar el ultraje. Pero al llegar vieron una multitud, y en medio de ella al Chinaco, con la cara ensangrentada. Es que mientras los demás discurrían sobre lo que convenía hacer, él ya se había adelantado, y subiendo hasta el campanario, había roto el trapo y lo había lanzado al aire, con ademán de triunfo. Acciones como ésta, de un valor temerario, cuando estaba en juego la gloria de Dios o el honor de la Patria, le valieron 59 ingresos en las cárceles del gobierno perseguidor. A lo largo de su corta existencia, vivió el peligro en una sucesión constante de hechos atrevidos, deseados y buscados a propósito. Los jóvenes lo admiraban. Era, así lo decían, "el azote de los profanadores del templo, refractario a las claudicaciones, el hombre masculino por excelencia".

La persistencia en la persecución religiosa lo impulsó a unirse con los heroicos cristeros que estaban en los campos de batalla, donde en razón de sus múltiples cualidades fue elegido Gobernador Civil de la zona liberada de Jalisco. Cuenta

Navarrete que en cierta ocasión lo vio rodeado de unos 300 soldados con sus jefes, todos de rodillas, desgranando el rosario. A su término, Gómez Loza rezó esta oración cristera: "¡Jesús Misericordioso! Mis pecados son más que las gotas de sangre que derramaste por mí. No merezco pertenecer al ejército que defiende los derechos de tu Iglesia y que lucha por Ti... Concédeme que mi último grito en la tierra y mi primer cántico en el cielo sea: ¡Viva Cristo Rey!".

El 21 de marzo de 1928 se dirigía con su asistente hacia el pueblo de Guadalupe, sede nominal del Gobierno Provincial, cuando fue sorprendido por sus enemigos en un lugar llamado "El Lindero". Lo ataron a un caballo, y lo arrastraron largo trecho. Luego uno de los soldados lo remató con su pistola.

Hace pocos años tuvimos el gusto de conocer en Guadalajara a dos de sus hijas, ya ancianas. Una de ellas nos contó que cuando su padre se fue al monte, ella era pequeña. Cierto día, en la misma casa donde estábamos conversando, distante una cuadra del Santuario de Guadalupe, un vecino tocó el timbre y le dijo que en la avenida contigua se encontraba tirado el cadáver de un hombre que parecía ser su padre. Ella fue. Efectivamente: era él.

No nos pareció posible evocar la figura de González Flores sin recordar la de Gómez Loza. Juntos se formaron, juntos lucharon, juntos sufrieron la persecución. Anacleto era el fuego que todo lo abrasaba, Miguel el difusor eficaz de las ideas del amigo; si aquél era la luz, él fue la antorcha que la refleja; si Anacleto era la voz, él fue su eco; si Anacleto era la idea que gobierna, él fue la acción que ejecuta. El Maistro y el Chinaco. El verbo de Anacleto y la acción de Miguel. Ambos tenían devoción por la Guadalupana y comulgaban diariamente en su Santuario de Guadalajara. La amistad espiritual que los unía se vio sellada por la piedad eucarística y mariana. Los dos fueron condecorados por el papa Pío XI el mismo día, a iniciativa del gran obispo de Guadalajara, Francisco Orozco y Jiménez, con la cruz "Pro Ecclesia et Pontifice", en premio a su acción común en defensa del catolicismo. Junto al obispo recién nombrado, forman una soberbia trilogía. Anacleto y Miguel sufrirían ambos el martirio y hoy sus restos se encuentran, también juntos, en el Santuario de Guadalupe, tan frecuentado por ellos. Ante la losa que los custodia tuvimos el privilegio de orar con vergüenza y emoción durante largo rato.

Volvamos a nuestro Anacleto. Hemos dicho que no sólo se dedicó a formar las inteligencias, aquella "aristocracia del talento", de que le agradaba hablar, sino también a robustecer *las voluntades* de los que lo seguían. "No soy más que un herrero forjador de voluntades", le gustaba repetir. Este hombre, que al decir de Gómez Robledo era "una afirmación hirviente, tumultuosa, de sangre y hoguera", recomendaba siempre de nuevo: "Hay que criar coraza". La Patria necesitaba caracteres recios. Por eso se dedicó a avivar los rescoldos del heroísmo: "Patria Mexicana, no todos tus hijos se han afeminado, no todos se han hundido en el cieno; todavía hay hombres, todavía hay héroes".

Pero don Cleto no se engañaba. Nadie puede llegar a ser un hombre de imperio, si primero no se ha dominado a sí mismo. Por eso les pedía a los suyos que se volviesen "abanderados de su propia personalidad y caudillos de su mismo ser". Porque dentro de cada uno de ustedes, les decía, hay un forjador en ciernes. Para forjarse a sí mismo no basta la cabeza bien formada, la inteligencia bien empleada. No bastan los filósofos y los maestros, por buenos que sean. La pura formación intelectual no alcanza. Era preciso agregar "el encarnizamiento de las propias manos, de las propias herramientas, del propio corazón..., en caso contrario, todo quedará comenzado". Si se quiere hacer realidad la elevada y recia escultura viviente que Dios soñó para cada uno de nosotros, habrá que despertar al Fidias que duerme en nuestro interior. Si, por el contrario, se prefiere seguir siendo un mero boceto informe, un trazo borroso sin consistencia, una personalidad enclenque, habrá que cruzarse de brazos, permanecer en espera del forjador que nunca llegará, "del obrero que debe salir de nosotros mismos y que nunca saldrá porque no hemos querido ni sospechar siquiera nuestra personalidad".

Anacleto quería que los suyos tuviesen temple de héroes, que no cediesen jamás a "transacciones" y "componendas", ya que tarde o temprano éstas los llevarían a la más ignominiosa de las capitulaciones. Para ello, decía, nada mejor que frecuentar a personalidades vigorosas, al tiempo que no dejarse intimidar por falsas prudencias. Cuando hablaba de eso, su verbo se enardecía: "¡Habéis invertido el mandamiento supremo, porque para vosotros, hay que amar a Dios *bajo* todas las cosas! Por *evitar mayores males* os despedazarán, y cada trocito de vuestro cuerpo gritará todavía dando tumbos: ¡prudencia, prudencia! No temáis a los que matan el cuerpo, sino el alma. Una sola noche de insomnio en un calabozo vale mucha más que años de fáciles virtudes".

Para formarse en la escuela del heroísmo recomendaba Anacleto escoger cuidadosamente a los amigos, descartando los de espíritu cobarde o los que de una u otra forma habían claudicado. El contagio de los amigos, sea para el mal o para el bien, resulta determinante. "El día en que se logre encontrar un alto y firme valor de rectitud, de ideal y de carácter, habrá que sellar con él un pacto de alianza permanente y unir lo más estrechamente posible nuestra suerte, nuestro pensamiento y nuestra voluntad con ese nuevo complemento de nuestra personalidad, porque será para nosotros un manantial fecundo de aliento y vitalidad".

En medio de la borrasca política y religiosa, Anacleto soñaba con "alzar un muro de conciencias fuertes, de voluntades recias, de caracteres que sepan derrotar a la violencia bruta, no con el filo de la espada, sino con el peso irresistible y avasallador de una conciencia que rehúye las capitulaciones y espera a pie firme todas las pruebas". Y a la verdad que dio ejemplo de ello, convencido de que el carácter es la base primordial de la personalidad. Como dice un compañero suyo, se había formado una voluntad tenaz e inconmovible, exenta de volubilidad y extraña al desaliento, superior e indiferente a los obstáculos y a la magnitud de los sacrificios requeridos. La cultivó directa y deliberadamente, imponiéndose una disciplina rigurosa en lo cotidiano y pequeño para contar consigo mismo en los grandes esfuerzos y en las contingencias imprevistas. Elaborado un propósito, no descansaba hasta verlo realizado. La continuidad fue la característica de su acción en todos los órdenes. Fecundo en iniciativas, no abandonaba jamás la tarea comenzada, sino que la proseguía hasta el fin.

Uno de sus amigos nos dice: No recordamos en *el Maistro* el menor desfallecimiento ni la menor desviación. Era una consumada realización de sus ideas y proyectos. En esta alianza indisoluble de la fe y la vida, de la doctrina que pregonaba y la conducta que seguía, reside la principal razón de su influencia sobre los demás. Personalidad rotunda, elevada, avasalladora. Él mismo decía, citando a Goethe, que la capacidad del conductor depende de su personalidad. Si posee una personalidad hecha, martillada sobre yunques sólidos, si tiene una musculatura interior que no se cansa ni se abate, no le es necesario ni hablar, ni escribir, ni obrar; basta que se sienta la presencia de su personalidad, para que arrastre a los que lo rodean con la fuerza irresistible de la fascinación.

Miles de alumnos lo seguíamos para escucharlo, confirma otro de sus admiradores, porque hablaba con autoridad, y sus palabras fluían como un torrente, proclamando el derecho y la verdad. Jamás retrocedió ante las hogueras, ante las cruces, ante todo el aparato de ferocidad con que en esos tiempos se nos amenazaba, ni lo tentó la codicia cuando con dineros y halagos intentaron seducirlo.

Ni el calabozo, que conoció repetidas veces, logró doblegarlo. A una señora que le expresaba su aflicción porque en cierta ocasión había sido detenido y llevado a la cárcel, Anacleto le decía: "Somos varios los jóvenes que estamos presos, pero vivimos muy contentos en la cárcel. Tenemos ya establecido un catecismo para los demás prisioneros; rezamos todas las noches el rosario en común, y en el día... ya Usted lo sabe, trabajamos, acarreamos la leña para la cocina, llevamos los tachos de basura... Total, unas vacaciones pasadas por el amor de Dios. Pero no hay que dudar, este es el camino por donde los pueblos hacen las grandes conquistas". No en vano había escrito: "En las páginas de la historia del Cristianismo siempre se va a la cárcel un día antes de la victoria". Cumplía a la letra aquello que atribuía a los grandes conductores: acometividad para abrirse paso y llegar; persistencia en quedarse, a pesar de todas las vicisitudes; y fuerte e incansable inquietud por dejar una sucesión.

En este trabajo de formación de dirigentes veía la necesidad de proponer paradigmas, espejos donde mirarse. Por ejemplo el gran obispo Manríquez y Zárate, de quien decía: "Tiene en medio de nosotros un alto y fuerte significado. Es él, en la medida en que lo puede ser un hombre, la expresión más alta de la soberanía de la verdad y la recia arquitectura del orden moral forjado en las fraguas únicas de la doctrina católica... El hombre moral ha aparecido con toda la fisonomía radiante y el gesto contagioso, invenciblemente contagioso, del Maestro".

Según lo señalaba más arriba uno de sus discípulos, a Anacleto nunca le faltaron ocasiones, en el México oficial corrompido de aquel tiempo, de lograr una posición económica más que regular. Estimó como grave injuria la proposición que le hicieron algunos agentes de las logias, para que ingresase en la Masonería, que deseaba contar entre los "hermanos tres puntos" a un dirigente de sus talentos y arrastre. Los opositores de Anacleto tenían también amigos en el alto clero. Asimismo, abogados influyentes, iban por la mañana al Obispado y por la tarde visitaban al Gobernador, proponiendo un cambio de táctica: en vez del enfrentamiento, la componenda. Tales personas querían ganarlo a Anacleto para su "política". No lo conocían a este hombre, que estaba a mil leguas de todas las transacciones y los enjuagues, por disimulados que fuesen, el mismo que decía: "El gesto del mártir ha sido en todos los tiempos el único que ha sabido, que ha podido triunfar de todos los tiranos, llámense emperadores, reyes, gobernantes o presidentes".

Así fue Anacleto, el gran caudillo del catolicismo mexicano. Sus actividades pronto se tradujeron en una intensificación de la presencia de los católicos, principalmente en el estado de Jalisco. Se iban abandonando ya, en todos los ambientes, la apatía y dejadez que durante tanto tiempo habían reinado. Era evidente que se estaban gestando los hombres del futuro político, cultural y religioso de México.

3. Hacia un catolicismo pletórico de juventud

Con cierta preferencia, como dijimos, Anacleto se dirigía sobre todo a la juventud. Justamente porque pensaba que en su México tan amado estaba declinando la esperanza, y por consiguiente la juventud languidecía. Los horizontes eran cada vez más pequeños, la mediocridad se encontraba a la orden del día; lo único que interesaba era lo microscópico, mientras las alturas parecían causar vértigo. Muchos jóvenes, replegados sobre sí mismos, sufrían el impacto de este ambiente, limitando sus anhelos a la satisfacción de las pasiones y a los deleites materiales.

González Flores quiso arrancar a la juventud de su letargo, de manera semejante a lo que en su tiempo intentó Sócrates, hermano suyo en el espíritu. "Su instinto de moldeador de porvenir –escribe Anacleto hablando del pensador griego– le había hecho prendarse, por encima de todas las bellezas de Grecia, de la juventud. Vivía embriagado con el aliento virgen, fresco como de odre perfumado. Con las manos hundidas en el barro humedecido de las almas, y los ojos en espera hacia la dinastía remota del nuevo día. Así lo sorprendió la muerte. Murió embriagado de juventud y rodeado de juventud. Un pensador que lo quiso arriesgar y perder todo por la juventud". Señala Gómez Robledo que nadie adivinó mejor que Anacleto la causa de esa actitud, la razón de ese enamoramiento. Lo adivinó porque él mismo llevaba en sí dichas razones. Fue una intuición soberana la que le hizo entrever que el amor a la juventud no es sino el amor a la vida en su instante más bello: cuando es peligrosa y se juega por un ideal.

En vez de un catolicismo integrado por hombres decrépitos de espíritu, González Flores soñaba con un catolicismo militante, juvenil, dispuesto a vivir peligrosamente. "Hemos perdido el sentido más profundo, más característico de la juventud: la pasión del riesgo, la pasión del peligro. Medimos todos nuestros pasos, contamos todas nuestras palabras, recomponemos nuestros gestos y nuestras actividades de manera de no padecer ni la más ligera lastimadura y de quedar en postura bellamente estudiada, no para morir, como los gladiadores romanos, sino para una sola cosa: para vivir, para vivir a todo trance". Y así, agrega, son muchos lo que no se atreven a mover ni un dedo, por temor a despertar las iras del enemigo. Se ha formado una generación de viejos, que sólo saben calcular, contar, comprar y vender, con la fiebre característica de la vejez, que es la avaricia. Todos recomiendan "prudencia", y para ellos prudencia significa pensarlo todo, medirlo todo, calcularlo todo para salvar la tranquilidad y esquivar hábilmente todos los riesgos. Recomiendan quietud y medida en los movimientos, al tiempo que condenan a los "exagerados", como llaman a los que se juegan por la verdad. "Y esta es nuestra suprema enfermedad. Todas las demás parten de ella... Hemos logrado conservar nuestra vida; todavía la tenemos, todavía nos pertenecerá, pero enmohecida, como espada que nunca ha salido de la vaina, como árbol que no ha tenido ni agua ni sol. Se nos ofreció la vida en cambio de nuestro sosiego y de nuestro silencio y de nuestra quietud, y sólo se nos ha podido dar vejez arrugada y marchita".

Será preciso que la vida de los católicos se rejuvenezca, sabiendo que el precio de la victoria ha sido siempre el sacrificio y la lucha. Mientras los católicos no nos decidamos a combatir, la victoria no vendrá. Nosotros hemos querido obtener la victoria al precio de nuestra cobardía y de nuestra inercia. Pero ello no ha sucedido. Tenemos que comprarla. Y su precio es el dolor, o al menos la fatiga y el esfuerzo. Habrá que elevar el corazón, al conjuro de una sola fórmula: vivir por encima de uno mismo. Esta fórmula "dicha hoy, mañana, todos los días al sentir el roce cálido de las alas nuevas de la juventud la echará toda entera con todos sus bagajes de roja y ardiente generosidad hacia todas las vanguardias".

Recuerda González Flores cómo cuando Platón quiso cuajar en el Fedón el recuerdo de su maestro, puso en los labios del mártir estas palabras: "El riesgo es bello y debemos embriagarnos con él". Lo que así comenta Anacleto: "El riesgo fue la más ferviente pasión de Sócrates; había apurado en cada paso el cáliz del riesgo, y tuvo razón para prendarse de la juventud, porque ante ella se encontró cara a cara con la belleza insuperable del riesgo, al paso de las almas ávidas de altura". De esta manera vivió Sócrates, embriagado de riesgo, apurando el cáliz del riesgo a cada paso, y entregando su cabeza al golpe último en plena embriaguez de riesgo: el riesgo supremo de perder la vida. Tal fue el maestro más elevado que tuvo la juventud de Atenas. Comentando las palabras de Anacleto afirma Gómez Robledo que ellas son definitorias para la interpretación estética de su magisterio. Amó a la juventud con el mismo arrebato psíquico con que el artista intuye su creación. Y es propio de los grandes artistas unir la intuición a la aventura, jugarse la existencia por la belleza. "Vincular, como en Sócrates y González Flores, el artista, el maestro y el mártir, es lección eterna de fortaleza. Sus muertes no fueron sino las nupcias sangrientas del artista con la belleza del riesgo".

Insiste Anacleto en que el cristianismo está inescindiblemente unido con la juventud de espíritu. Si Tertuliano dijo que el alma humana es naturalmente cristiana, se puede decir igualmente que la juventud, por lo que tiene de permanente osadía, es naturalmente cristiana. Más aún, "la juventud se completa, se robustece y se asegura contra su debilitamiento o su extinción, poniéndose bajo el aliento perpetuamente juvenil de Cristo". Porque el cristianismo es la doctrina del riesgo, o mejor, la que nos permite cruzar victoriosamente a través de todos los riesgos. "Incorporada la juventud de cada hombre en la juventud eterna de Cristo, se sumará una osadía a otra osadía, y sumadas esas dos grandes audacias, se formará el nudo que abarcará todos los destinos". Será preciso desposar la propia juventud, que es la audacia de un día, con la juventud de Cristo, que es la audacia de lo eterno. Los jóvenes deberán juntar sus dos manos, todavía mojadas en el odre de la vida, con las dos manos de Cristo, mojadas todavía en la sangre de su audacia. He ahí lo que afirmaba Lacordaire: "La juventud es irresistiblemente bella, con la belleza del riesgo, es decir, con la belleza de la osadía", y también: "La juventud es sagrada a causa de sus peligros". Habrá que arrojarse en el mar del peligro, en la corriente de los riesgos, con la canción en los labios, con un gesto de desdén en la boca y con plena confianza en el logro final.

Esto es lo que necesita el catolicismo mexicano: una transfusión de juventud. Es de ella "de donde deben salir los valores que acabarán con nuestro empobrecimiento y con nuestra mediocridad y que saltarán por encima de todas las murallas para quebrar medianías, para pisar nulidades y para empinar a Dios, majestuoso y radiante, sobre los tejados y sobre los hombros de patrias y de multitudes. Nada de valores a medias; nada de valores incompletos; nada de valores que se aferran a su aislamiento, que titubean, que se ponen en fuga frente a la Historia y que se satisfacen con un milímetro de tierra". Sólo harán la gran revolución, la revolución de lo eterno, las banderas tremoladas por la juventud que todavía le reza y le canta al joven carpintero que a los 33 años comenzó la única verdadera revolución, que es la revolución de lo eterno, y que pasa por nuestras vidas como un huracán preñado de heroísmo.

4. El enamorado del verbo

Destaquemos el valor que Anacleto le atribuía a la palabra, sea oral o escrita. Como orador, fue fulgurante. Cual otro Esquilo, "llenó de almenas las alturas del lenguaje", con el fin de suscitar una estirpe de héroes, al estilo de Godofredo de Bouillon, Guillemo Tell y el Cid, sus arquetipos favoritos, que se pusiesen al servicio de la Patria y de la Religión conculcadas.

En un artículo titulado "Sin palabras" afirma que una falsa e infundada apreciación del significado que tiene la palabra, ha hecho que en estos últimos tiempos se la arroje al margen de la vida, o cuando menos, se la coloque en un lugar muy secundario. Poco se confía en la palabra, como si lo único importante fuese la acción. Los obreros que elevan edificios con palabras y no con ladrillos, son vistos con desdén, pensándose que una acción vale un millón de palabras. "Más bien debiera decirse que una acción es una palabra reciamente moldeada en el crisol encendido de la carne y del pensamiento". Ello no es todo. Detrás de cualquier gran acción está la palabra, como germen, como impulso, como estimulante. Tres palabras se encuentran una página antes de la destrucción de Cartago, las de Catón: *"Delenda est Cartago"*. Frente a la Revolución hemos carecido de las palabras adecuadas. "Necesitamos empezar la obra de la reconquista. Solamente se comienza con palabras". No hay fuerza que pueda oponerse a la palabra cuando se la pone al servicio de la idea, abriéndose paso entre los que la objetan.

Anacleto privilegió la palabra oral, dando numerosas conferencias en los más diversos lugares del país, pero principalmente en Guadalajara.

"Conceptos cultísimos, hermoso lenguaje, honda filosofía, riguroso fraseo y maravillosa facilidad de palabra". Así calificaba la oratoria del "maestro" uno de sus admiradores. Famoso fue un discurso que pronunció en el atrio colonial del Santuario de Nuestra Señora de Zapopan, cercano a aquella ciudad, trepado en una pilastra del enrejado, frente a una multitud que colmaba el recinto de la plaza y los jardines adyacentes. En 1918, la ACJM de la ciudad de México lo invitó a dar una conferencia en la capital. Cuando llegó a la estación, los que lo esperaban, que no lo conocían, quedaron poco impresionados por el tipo desgarbado de Anacleto, sus ojos hundidos y soñadores. Horas después subió al escenario con su atuendo sencillo, ante un auditorio donde predominaban los jóvenes. Cuenta uno de ellos que los primeros diez minutos provocaron un gran desconcierto. "¿Ésta es la maravilla que nos manda Jalisco?", se preguntaban por lo bajo. Sin embargo, el tono del discurso, monótono al principio, fue creciendo en vehemencia. Su pensamiento se lanzó a las cumbres. Tras una hora, que pasó fugazmente, la sala estalló en aplausos. "Vibraban nuestras almas al unísono con la suya", dijo uno de los oyentes.

Su elocuencia no fue innata sino fruto de una larga preparación. Él mismo decía que Demóstenes, desde el día en que sintió despertar su vocación, padeció largos insomnios de aprendizaje y no descansó hasta conseguir que su palabra se volviese capaz de ganar las batallas de la oratoria. Anacleto comprendía perfectamente la necesidad de usar bien de la palabra para el combate de las ideas, ya que en torno a ella se trababan las grandes batallas culturales. Había que evitar el gastarlas para discusiones banales reservándola para los temas trascendentes, en orden a rebatir las doctrinas erróneas que pretendían conquistar la supremacía sobre las inteligencias. Es allí donde había de resonar la palabra convincente. "El genio –escribió en uno de sus periódicos– debe interrogar todas las lejanías hasta que su palabra, como luminar esplendoroso encendido sobre la llanura, alumbre todos los senderos", de modo que los que la oigan pierdan su cobardía y se lancen por la ruta que le trazan las palabras.

Aconsejaba insistentemente, practicándolo él mismo, una preparación concienzuda de los temas por tratar. Pero a la hora de pronunciar el discurso, le bastaba con determinar las líneas maestras, las ideas principales, dejando la expresión concreta a la inspiración del momento. "Cansados estamos ya del arraigado y envejecido y ruinoso expediente de salir a la tribuna a leer en un pergamino o en la propia memoria, frases pulidas y martilladas con un siglo de anticipación, joyas talladas en un taller distante y que han perdido la lumbre radiante que las transfiguró, y el brío tempestuoso que las dobló y ablandó, y la huella viva del hierro encendido, y la hoguera que llameó sobre la frente del artífice. Puños de rescoldo, ceniza muda y entristecida que jamás podrá reavivar una emoción fingida. Y esto es todo, menos elocuencia. Porque hoy ya nadie ignora que para que haya palabra totalmente elocuente es preciso que el canto resonante que dicen las rebeldías que se anudan, jadean y disputan la victoria, debe hallarse plenamente presente delante del auditorio convulso, estremecido ante la batalla, aliado primero del hierro insurrecto, y después, juntando el peso inmenso de su corazón y de su espíritu y de sus pasiones, del lado del brazo que golpea y arroja todo: lumbre, yunque, herramientas, clavos, y espadas fundidas en el torrente de la acción".

Según se ve, concebía el discurso como un torneo entre el público y el orador, muy diversamente de lo que sucede en el caso del escritor, que envía a lo lejos su mensaje. "Al tratarse del orador, más lógicamente, más exactamente que decir que es su palabra la que realiza el milagro de la acción sobre los demás, es preciso decir que es el orador mismo, porque él mismo es la palabra elocuente y es su propia palabra". Tal fue su ideal en esta materia: identificarse él mismo con su palabra.

Su oratoria no estaba exenta de cierto barroquismo, pero en modo alguno era vacía, sin contenido. Repetía su mensaje de mil maneras, hasta el hartazgo, como para hacerlo llamear en todas sus facetas, apuntalándolo incansablemente con nuevos argumentos y citas, hasta dejar la forja jadeante. No gustaba de abstracciones deshumanizadas y generalizadoras. Prefería las imágenes individuales y concretas. Su pensamiento seguía la curva parabólica y no la recta silogística. Era un artista de la palabra, entendiendo que mientras el silogismo pasa, agotándose en el momento en que realiza su labor de convicción, el símbolo no pasa, está preñado de sugerencias, y por tanto se prolonga en sus efectos, luego de terminado el discurso.

Mas no sólo fue orador, sino también, aunque secundariamente, escritor. En los pocos años de su actuación pública, logró gestar varias revistas: *La Palabra, La Época, La Lucha.* Pero fue sobre todo en el periódico *Gladium*, que aparecía todas las semanas, donde Anacleto reveló mejor su idiosincrasia, mezclando la especulación doctrinal con el cuento jocoso y la narración familiar. Allí señalaba los peligros del momento, la situación trágica de la Iglesia frente a la Revolución, así como las medidas que habían de tomarse. La revista tuvo amplia repercusión. Hacia fines de 1925 alcanzaría la tirada de 100.000 ejemplares. Miguel Gómez Loza estaba a cargo de la tesorería.

Es preciso leer, les decía a sus jóvenes, leer no sólo revistas sino también y sobre todo libros. "¿Qué es un libro? Un polemista que tiene la paciencia de esperarnos hasta que abramos sus páginas para dilatar el imperio de un conquistador. Hunde su mano encendida en nuestras entrañas . Porque todo él fue hecho en los hervores de la fiebre, bajo el largo insomnio, bajo el ansia nunca extinguida de quedar, de prolongarse, de no morir. La obsesión de cada escritor es reproducirse en muchas vidas, renacer todos los días, bañarse en sangre nueva, reaparecer en la lava hirviente que arroja todos los días el inmenso respiradero del mundo, rehacerse con el aliento espiritual de las almas en marcha. Cada libro se presenta bañado en la sangre todavía caliente de nuevos e inesperados alumbramientos".

Así como un viajero, escribía, cuando tiene que hacer un largo camino sucumbe si lleva sus alforjas vacías, así la juventud que no lee se queda sin provisiones. Para que mantenga el ideal, la gallardía, la generosidad, el arrojo y la audacia en épocas bravías, necesita de la ayuda de los libros. Alejandro Magno no hubiera llegado a ser Grande si no hubiese llevado consigo la Ilíada, que tenía siempre bajo su almohada; Aquiles, el héroe central de aquella epopeya, mantenía enhiesta la llama del guerrero. El buen libro hará que el joven "lleve siempre vuelta la cara hacia el porvenir y logre clavar en las alturas la bandera de la victoria de su gallardía y de su atrevimiento".

Anacleto fue un "poseído del verbo", oral o escrito.

III. La resistencia civil

González Flores no limitó su acción a individuos o a pequeños grupos, sino que la extendió a emprendimientos de alcance nacional. Particularmente se interesó en el problema obrero, siendo el más decidido defensor de los trabajadores. Las injusticias del capitalismo liberal lo sublevaban. Conocedor avezado de la doctrina social de la Iglesia, abogó por la organización corporativa del trabajo, dentro de los principios cristianos, y su papel fue protagónico en la concreción de un enérgico despertar de la conciencia social en México. El Primer Congreso Nacional Obrero, celebrado el año 1922 en Guadalajara, que congregó no menos de 1.300 personas, con la asistencia de varios obispos, tuvo en Anacleto a uno de sus principales gestores. Al fin quedó organizada la "Confederación Católica del Trabajo", que se extendió pronto por toda la Nación. Desgraciadamente este proyecto promisorio sería aplastado por la Revolución.

Más allá del problema obrero insistió Anacleto en la necesidad de organizar el conjunto de las fuerzas católicas, hasta entonces enclaustradas en grupúsculos. Mientras nuestros enemigos, afirmaba, nos dan lecciones de organización, nosotros seguimos aferrados a la rutina y el aislamiento, aunque sabemos por experiencia que este camino sólo conduce a la derrota. Continuamos confiando en nuestro número, satisfechos de que somos mayoría en el país. Pero así seguiremos siendo una mayoría impotente, vencida, sujeta al furor de nuestros perseguidores. De nada valdrá el número si no nos organizamos. Organizados, constituiremos una fuerza irresistible. Y, entonces sí, nuestro número se hará sentir.

1. La Unión Popular y la oposición pacífica

Entusiasmado con el procedimiento de los católicos alemanes que con su resistencia pacífica contra la dura campaña de Bismarck, conocida con el nombre de *Kulturkampf*, habían logrado imponerse en los destinos de aquella nación, creyó que en el ambiente mexicano, tan distinto del alemán, se podrían obtener los mismos resultados. Y así, inspirado en Windthorst, el gran adversario del Canciller del Reich, montó una organización a la que denominó *Unión Popular.* Ya algo hemos dicho de ella, pero ahora creemos saludable abundar. Había en aquel emprendimiento lugar para todos los católicos. Cada uno debía ocupar un puesto, según sus posibilidades, de modo que la acción del conjunto se tornara irresistible. Propuso Anacleto tres cruzadas. La primera fue la de la propagación de los buenos periódicos, junto con la declaración de guerra a los periódicos impíos, que no se deberían recibir ni tolerar en el hogar. La segunda, la del catecismo, en orden a lograr que todos los padres de familia llevasen a sus hijos a la iglesia para que recibieran allí la enseñanza religiosa; más aún, había que tratar que se enseñase el catecismo en el mayor número de lugares posibles y se organizase la catequesis de adultos. La tercera, la cruzada del libro, que consistía en limpiar de libros malos los hogares y procurar que en cada hogar hubiese al menos un libro serio de formación religiosa. "Escuela, prensa y catecismo –decía–, serán las armas invencibles de la potente organización".

Quiso Anacleto que la Unión Popular llegase a todas partes, la prensa, el taller, la fábrica, el hogar, la escuela, a todos los lugares donde hubiese individuos y grupos. "Es la obra que generalizará el combate por Dios", decía, ya que "urge que el pensamiento católico se generalice en forma de batalla y de defensa". Esta organización creció en gran forma, propagándose a los Estados limítrofes. Su órgano semanal, *Gladium*, al que ya hemos aludido, explicaba el propósito que lo movía: hacer que todos los católicos del país formasen un bloque de fuerzas disciplinadas, concientes de su responsabilidad individual y social, y en condiciones de movilizarse rápidamente y de un modo constante, sea para resistir el movimiento demoledor de la Reforma, sea para poner en marcha la reconquista de las posiciones arrebatadas a los católicos. Para el logro de tales objetivos, debían aunarse todos los esfuerzos, desde los económicos hasta los intelectuales. Con engranaje sencillo y sin oficinas burocráticas, la Unión Popular controlaba a más de cien mil afiliados que se distribuían por todos los sectores sociales, tanto en la ciudad como en el campo. Nadie debía quedar inactivo. Todos tenían una misión propia que cumplir para concretar el programa de acción delineado por el maistro Cleto y llevado a la práctica con certera eficacia por su colaborador más estrecho, Miguel Gómez Loza.

Cuando en el orden nacional apareció la *Liga Defensora de la Libertad Religiosa,* Anacleto no se sintió emulado. Ambas organizaciones trabajaban para los mismos fines. Durante algún tiempo mantuvo independiente a la Unión Popular. Era natural, ya que este movimiento concentraba la mitad del poder con que se contaba en todo el país para resistir eficazmente las acometidas del Gobierno. Así lo entendieron también los dirigentes de la Liga, adoptando algunos de los métodos de la Unión Popular. La ventaja era el carácter nacional de la nueva organización, que permitía formar cuadros en todo el país, con jefes de manzana, de sector, de parroquia, de ciudad, de provincia, etc. La idea era llegar con una sola voz, con una sola doctrina, con las mismas directivas a todo México, en orden a vertebrar la multitud hasta entonces informe y atomizada. Al fin, la Unión Popular quedó como sociedad auxiliar y confederada de la Liga. El mismo Anacleto fue designado jefe local de la Asociación Nacional.

La Liga consideraba como héroes paradigmáticos a Iturbide, Alamán, Miramón y Mejía, y repudiaba por igual a los liberales, masones y protestantes, aquellos adversarios que había señalado Anacleto, tres cabezas de un solo enemigo que trataba de destruir a México a través del imperialismo norteamericano. El proyecto de la Liga, que empalmaba con el de la ACJM, era "restaurar todas las cosas en Cristo", fiel al lema común:"Por Dios y por la Patria". El programa, simple pero completo: piedad, estudio y acción. Su propagación tuvo todas las peculiaridades de una cruzada. Sobre esa base se fue educando una generación de jóvenes que aprendieron a detectar y confrontar al enemigo, exaltando el México verdadero, el de la tradición católica e hispánica, asimiladora del indígena.

Hemos señalado anteriormente que con el acceso a la presidencia de Elías Plutarco Calles, la persecución arreció. El 2 de julio de 1926 se hizo pública la llamada "Ley Calles", atentatoria de todas las libertades de la Iglesia. Ante esta agresión brutal, Anacleto, juntamente con los demás dirigentes católicos, declaró el *boicot* en todo el territorio nacional. Al principio, los perseguidores se burlaban de este modo de lucha. Calles lo llamó "ridículo". Pero bien pronto comenzaron a sentir sus efectos: el comercio se restringió, muchos teatros y cines debieron cerrar sus puertas, mermándose así, por innumerables canales, el dinero que afluía a las arcas del Gobierno.

El *boicot* fue finalmente declarado "criminal y sedicioso" y con verdadera saña se persiguió a sus gestores. Pero los católicos no retrocedieron.

Tras diversos avatares que explicaremos en el próximo capítulo, se pasó al levantamiento armado, tema que nos ocupará en el resto del presente curso.

2. Actitud de Anacleto ante el alzamiento cristero

Anacleto no se sentía inclinado al recurso de la lucha armada. Por lo demás eso era lo que aconsejaba el arzobispo de Guadalajara, monseñor Orozco y Jiménez. En un medio como el mexicano, tan propenso a las soluciones violentas, prefería la resistencia pasiva, a la que había recurrido anteriormente, y que ahora estaba dispuesto a replantear hasta en sus menores detalles. No porque en principio rechazase el uso de la fuerza, dada la situación a que se había llegado. Pero pensaba que yendo a las armas se le hacía el juego a Calles, enfrentándolo en un terreno donde ciertamente tendría ventaja. En cambio, sostenía, la fuerza bruta, arma única de la Revolución, se rompería como espada enmohecida al sentir no el choque del hierro sino de los caracteres que no capitulan, de aquéllos capaces de repetir el grito de los que rodeaban a Napoleón en la derrota de Waterloo, el grito de los fuertes: "La guardia perece pero no se rinde". Ponía también como ejemplo la actitud serena y gallarda de los primeros mártires, agregando que en todos los tiempos el gesto del mártir ha sido el único que logró triunfar de los tiranos.

Por eso su mensaje era una permanente convocatoria al martirio. "Nos basta con la fuerza moral", decía. Y también: "La Iglesia está nutrida de sangre de león. No se tiene derecho de renunciar a la púrpura. Estamos obligados a mojarla con nuestra sangre". Por lo demás, "lo que se escribe con sangre queda escrito para siempre, el voto de los mártires no perece jamás". Era el famoso "plebiscito de los mártires", de que hablaría con emoción en uno de sus alegatos.

Anacleto no buscaba tanto el triunfo próximo cuanto la proclamación heroica y martirial de la verdad. Mártires ofrendó la Iglesia primitiva, escribía, mártires la epopeya de la cristianización de los indios, mártires produjo la Revolución francesa... En esta cadena de mártires echa sus raíces la esperanza moral de la Patria. Por ellos, y sólo por ellos, ha de llegar el día en que triunfe la verdad. Esta idea de González Flores nos trae al recuerdo una reflexión de monseñor Gay, obispo auxiliar del cardenal Pie, y es que la Iglesia vive de dos principios, de dos sangres; de la sangre de Cristo, que se vierte místicamente sobre el altar, y de la sangre de los mártires, que se derrama cruentamente sobre la tierra. Ni la Misa ni el martirio faltarán jamás en la Iglesia.

"Mientras la carne tiembla –afirmaba conmovido Anacleto–, el mártir, envuelto en la púrpura de su sangre como un rey que se tiende al morir, en un esfuerzo supremo y definitivo por salvar la soberanía del alma, abre grandemente sus ojos ante el perseguidor y exclama: «creo». Ha sido la última palabra, pero también la expresión más fuerte y más alta de la majestad humana". Cuando empezaron a caer los primeros mártires mexicanos, en las cercanías del templo de Guadalupe, escribió: "Hoy nos han caído cargas de flores, sobre el altar de la Reina... Hoy la Reina ha recibido la ofrenda de nuestros mártires; ha visto llenarse las cárceles con los audaces seguidores de su Hijo; ha oído resonar y temblar los calabozos, en un delirio de atrevimiento santo, de osadía sagrada... Y seguirá la ofrenda. Porque ya sabemos los católicos que hay que proclamar a Cristo por encima de las bayonetas, por encima de los puños crispados de los verdugos, por encima de las cárceles, el potro, el martirio y de los resoplidos de la bestia infernal de la persecución. Y seguirá habiendo mártires y héroes hasta ganar la guerra y llevar el Ayate hecho bandera de victoria, hacia todos los vientos".

Por sublimes que fueran estos propósitos, no pensaba así monseñor José de Jesús Manríquez y Zárate, obispo de Huejutla, de quien hemos hablado páginas atrás. "Si estos tales –aunque sean nuestros mismos gobernantes–, lejos de encauzarnos por la senda del bien nos arrastran al camino de la iniquidad, estamos obligados a ponerles resistencia, en cuyo sentido deben explicarse aquellas palabras de Cristo: «No he venido a traer la paz, sino la guerra»; y aquellas otras: «No queráis temer a los que quitan la vida del cuerpo»... La resistencia puede ser activa o pasiva. El mártir que se deja descuartizar antes de renegar de su fe, resiste pasivamente. El soldado que defiende en el campo de batalla la libertad de adorar a su Dios, resiste activamente a sus perseguidores. En tratándose de los individuos, puede haber algunos casos en que sea preferible –por ser de mayor perfección– la resistencia pasiva. Pero el martirio no es la ley ordinaria de la lucha; los mártires son pocos; y sería una necedad, más bien dicho, sería tentar a Dios, pretender que todo un pueblo alcanzara la corona del martirio. Luego de ley ordinaria la lucha tiene que entablarse activamente".

Poco a poco, Anacleto fue viendo con mejores ojos el recurso a las armas. La experiencia le había ido demostrando que, dada la índole peculiar del pueblo mexicano, pero sobre todo la de los perseguidores, los medios pacíficos de resistencia a que hasta entonces se había recurrido, no parecían conducentes. Los asesinatos de laicos y sacerdotes se multiplicaban por doquier, juntamente con las más terribles vejaciones para todo lo que tuviese carácter católico. Algo que lo inclinó a ir cambiando de postura fue el ver cómo muchos de sus compañeros se alistaban, uno tras otro, en las filas de los combatientes. Particularmente le impresionó la despedida que el 5 de enero de 1927 se le hizo a su gran amigo y compañero de luchas y de cárceles, Gómez Loza, quien había resuelto agregarse a las huestes cristeras de Los Altos de Jalisco. Y así poco a poco fue entendiendo, cada vez con mayor claridad, que era su deber cooperar de manera explícita con el movimiento. Una vez que dio el paso, lo nombraron enseguida Jefe Civil en Jalisco. No iría al campo de batalla, pero con el entusiasmo y tesón que siempre lo habían caracterizado, se dedicó a organizar, sostener y transmitir las órdenes que recibía del centro, referentes a dicho emprendimiento. En Guadalajara, donde tenía su sede de Jefe Civil, comenzó a asistir sin falta a las reuniones secretas de los que se enrolaban para el combate, pronunciando vibrantes arengas con motivo de la partida de quienes se dirigían a los campos de batalla.

No hubo anteriormente cobardía en su preferencia por los medios pacíficos. Era para él una cuestión prudencial, o de estrategia, si se quiere. Ahora veía las cosas de otro modo. Con todo, aunque consintió que la Unión Popular se lanzase al combate, no quiso que abandonara su anterior trabajo en pro de la cultura y de la formación en la ciudad, sin lo cual aquel combate habría carecido de logística. Hubiera preferido separar la obra de la Unión Popular y la organización del Ejército Nacional Libertador. Pero en aquellos momentos no era sino una distinción de gabinete. Y así invitó a los suyos a hacer con Dios "un pacto de sangre".

IV. La muerte del héroe

Anacleto se sintió permanentemente hostigado por la policía de Guadalajara viviendo a salto de mata y debiendo cambiar constantemente de domicilio. Se podría decir que no conoció día sin sobresalto. En diversas ocasiones fue encarcelado. Pero cuantas veces salía de la prisión continuaba como antes, sin retroceder un milímetro en su designio. No podía ignorar, por cierto, que estaba jugando con la muerte. Varias veces la vio muy cerca, pero jamás la esquivó, dejando de hacer, por temor, lo que debía. La idea del sacrificio de su vida no le era extraña ni remota. Uno de los capítulos de la última y más importante de sus obras lleva por título: "Reina de los Mártires, ruega por nosotros". Ya anteriormente había sostenido que si las acciones encaminadas a la salvación de la Iglesia y de la Patria fallasen, sería preciso votar, no con papeletas, de las que se burlaban los enemigos, sino con las propias vidas, en un plebiscito de mártires. "Porque lo que se escribe con sangre, según la frase de Nietzsche, queda escrito para siempre, el voto de los mártires no perece jamás".

Llegó un momento en que el acoso de sus enemigos lo obligó a esconderse. Por algunas infidencias se había enterado de que el Gobierno estaba decidido a acabar con él, en la idea de que así la resistencia se debilitaría sustancialmente. Una familia amiga, la de los Vargas González, le abrió las puertas de su casa, conscientes del grave peligro al que se exponían.

Allí se guareció, disfrazándose de obrero; dejó crecer la barba, enmarañó su cabello, y siguió su actividad como antes. El 29 de marzo de 1927, pasó la noche con su familia, castigada por la miseria, alternando con su esposa, y rezando y jugando con sus tres hijitos. Fue la última vez que los vería.

El 31 del mismo mes estaba, como de costumbre, en la casa de los Vargas González. Allí se confesó con un sacerdote que se encontraba de paso, y después se quedó comentando con él una reciente Pastoral del arzobispo de Durango, donde se aprobaba plenamente la defensa armada. "Esto es lo que nos faltaba –dijo Anacleto–. Ahora sí podemos estar tranquilos. Dios está con nosotros".

Era de noche. Se retiró a su cuarto, y allí se puso a escribir para la revista *Gladium* un artículo de tres páginas, papel oficio, con excelente letra aún hoy perfectamente legible. La noticia de la que acababa de enterarse sobre la decisión del obispo de Durango fue lo que inspiró su pluma: "Bendición para los valientes, que defienden con las armas en la mano la Iglesia de Dios. Maldición para los que ríen, gozan, se divierten, siendo católicos, en medio del dolor sin medida de su Madre; para los perezosos, los ricos tacaños, los payasos que no saben más que acomodarse y criticar. La sangre de nuestros mártires está pesando inmensamente en la balanza de Dios y de los hombres. El espectáculo que ofrecen los defensores de la Iglesia es sencillamente sublime. El Cielo lo bendice, el mundo lo admira, el infierno lo ve lleno de rabia y asombro, los verdugos tiemblan. Solamente los cobardes no hacen nada; solamente los críticos no hacen más que morder; solamente los díscolos no hacen más que estorbar, solamente los ricos cierran sus manos para conservar su dinero, ese dinero que los ha hecho tan inútiles y tan desgraciados".

Llegó la media noche, y Anacleto seguía escribiendo. Había empezado el día de su sacrificio, y, como dice Gómez Robledo, iba a pasar casi sin transición de la palabra a la sangre. Escribió entonces las palabras finales de su vida: "Hoy debemos darle a Dios fuerte testimonio de que de veras somos católicos. Mañana será tarde, porque mañana se abrirán los labios de los valientes para maldecir a los flojos, cobardes y apáticos". Nos impresiona este *hoy*. ¿Era un presentimiento? "Todavía es tiempo de que todos los católicos cumplan su deber; los ricos que den, los críticos que se corten la lengua, los díscolos que se sacrifiquen, los cobardes que se despojen de su miedo y todos que se pongan en pie, porque estamos frente al enemigo y debemos cooperar con todas nuestras fuerzas a alcanzar la victoria de Dios y de su Iglesia". Eran las tres de la mañana y se aprestó a tomar un breve descanso.

Una hora antes, un grupo de soldados había entrado por un balcón en la casa de Luis Padilla, brazo derecho del Maestro, deteniéndolo. Luego, hacia las cinco, movido por la delación de algún traidor, golpean la puerta de los Vargas. Hay soldados sobre las paredes y la azotea. Tras un cateo de la casa, se llevaron a las mujeres, la madre y sus hijas, por un lado, y a los varones que allí se encontraban, Anacleto y los tres hermanos Vargas González, Ramón, Jorge y Florencio, por otro. Todo esto nos lo contó personalmente, con más detalles, por supuesto, María Luisa Vargas González, una de las hermanas, en una entrevista emocionante que mantuvimos con ella en la propia casa donde sucedió lo relatado.

Llegados los varones a destino, comenzó enseguida el interrogatorio. Lo que buscaban era que Anacleto reconociera su lugar en la lucha cristera y denunciase a los que integraban el movimiento armado católico de Jalisco; asimismo que revelase el lugar donde se ocultaba el obispo Orozco y Jiménez. Anacleto no podía negar su participación en la epopeya cristera. Bien lo sabían sus verdugos, ni era Anacleto hombre que rehuyera la responsabilidad de sus actos. Reconoció, pues, totalmente su papel en el movimiento desde la ciudad, pero nada dijo de sus camaradas ni del paradero del prelado. Entonces comenzó la tortura, lenta y terrible. En presencia de los que habían sido detenidos con él, lo suspendieron de los pulgares, le azotaron, mientras con cuchillos herían las plantas de sus pies.

– Dinos, fanático miserable, ¿en dónde se oculta Orozco y Jiménez?

– No lo sé.

La cuchilla destrozaba aquellos pies. Como dice Gómez Robledo, "el hombre que ha vivido por la palabra va a morir por el silencio".

– Dinos, ¿quiénes son los jefes de esa maldita Liga que pretende derribar a nuestro jefe y señor el General Calles?

– No existe más que un solo Señor de cielos y tierra. Ignoro lo que me preguntan...

El cuchillo seguía desgarrando aquel cuerpo. "Pica, más, más", le decía el oficial al verdugo. De manera semejante torturaban a los hermanos Vargas, por lo que Anacleto, colgado todavía, gritó: "¡No maltraten a esos muchachos! ¡Si quieren sangre aquí está la mía!". Los Vargas, abrumados por el dolor, parecían flaquear; pero Anacleto los sostenía, pidiendo morir el último para dar ánimo a sus compañeros.

Tras descolgarlo, le asestaron un poderoso culatazo en el hombro. Con la boca chorreando sangre por los golpes, comenzó a exhortarlos con aquella elocuencia suya, tan vibrante y apasionada. Seguramente que nunca ha de haber hablado como en aquellos momentos... Se suspendieron las torturas. Simulóse entonces un "consejo de guerra sumarísimo", que condenó a los prisioneros a la pena de muerte por estar en connivencia con los rebeldes.

Al oír la sentencia, Anacleto respondió con estas recias palabras: "Una sola cosa diré y es que he trabajado con todo desinterés por defender la causa de Jesucristo y de su Iglesia. Vosotros me mataréis, pero sabed que conmigo no morirá la causa. Muchos están detrás de mí dispuestos a defenderla hasta el martirio. Me voy, pero con la seguridad de que veré pronto desde el cielo el triunfo de la religión en mi Patria".

Eran las 3 de la tarde del viernes 1° de abril de 1927. Anacleto recitó el acto de contrición. Aún de pie, a pesar de sus terribles dolores, con voz serena y vigorosa se dirigió al general Ferreira, que presenciaba la tragedia: "General, perdono a usted de corazón; muy pronto nos veremos ante el tribunal divino; el mismo Juez que me va a juzgar será su Juez; entonces tendrá usted un intercesor en mí con Dios".

Los soldados vacilaban en disparar sobre él. Entonces el General hizo una seña al capitán del pelotón, y éste le dio con un hacha en el lado izquierdo del torso. Al caer, los soldados descargaron sus armas sobre el mártir.

La revista *Gladium* así recuerda las últimas palabras del héroe invicto:

> Nuestro muy digno e inolvidable Presidente, con aquella gallardía cristiana con que siempre se distinguió en presencia de los perseguidores de la Iglesia, a pesar de lo exhausto de fuerzas, y después de ocho horas de terrible martirio, ya para morir y enfrente de los verdugos, que pronto le quitarían la vida, se irguió, y haciendo un supremo esfuerzo, pronunció estas sublimes palabras, que habrán de servir de maldición para los tiranos y para los católicos indiferentes, y como ejemplo para los que seguimos bregando por la santa Causa: *Por segunda vez oigan las Américas este santo grito: Yo muero, pero Dios no muere. ¡Viva Cristo Rey!*

Se refería al grito que en el siglo anterior había lanzado García Moreno en el momento de ser asesinado. García Moreno, presidente católico del Ecuador, era uno de sus héroes más admirados, cuya historia conocía al dedillo.

Anacleto murió siete meses antes que el padre Pro. Tenía 38 años. Sus compañeros, Luis Padilla y dos hermanos Vargas González, fueron torturados y fusilados en el Cuartel Colorado, actual Museo del Ejército. Al tercero de los hermanos Vargas, Florencio, lo dejaron libre por creer erróneamente que era menor de edad, pero en el entretanto fue demorado en un salón del cuartel, para que allí esperara. Cuando la admirable madre vio a Florencio que regresaba solo, entendió que sus otros dos hijos habían sido fusilados, y entonces exclamó: "Ay, hijo, qué cerca estuvo de ti la corona del martirio y no la alcanzaste. Necesitas ser más bueno para merecerla". ¡Singular madre ésta, de dos hijos mártires, que hubiera querido serlo de tres! Florencio, habiendo sido testigo ocular de lo acontecido en el cuartel, pudo luego relatar lo que allí había sucedido.

Los cadáveres fueron transportados en ambulancia a la Inspección de Policía, y allí arrojados al suelo para que sus familiares los retiraran. Por la noche se instaló una capilla ardiente en el humilde domicilio de la familia González Flores. La joven viuda acercó a sus hijitos al cadáver: "Mira –dijo, dirigiéndose al mayor–, ése es tu papá. Ha muerto por confesar la fe. Promete sobre este cuerpo que tú harás lo mismo cuando seas grande si así

Dios lo pide". Guadalajara entera desfiló ante los despojos mortales de Anacleto, pese a los obstáculos puestos por las autoridades. Algunos mojaban sus pañuelos en los coágulos que quedaron en la palangana cuando el aseo del cuerpo, otros tijereteaban su ropa para llevarse consigo alguna reliquia. Alguien le preguntó a uno de los hermanitos sobre la causa de la tragedia, y el niño, de tres años, contestó, señalando el cadáver de su padre: "Unos hombres malos lo mataron porque quería mucho a Dios". Una multitud acompañó sus restos así como los de sus compañeros hasta la tumba. De Anacleto diría monseñor Manríquez y Zárate: "En el firmamento de la Iglesia Mexicana, entre la inmensa turba de jóvenes confesores de Cristo, se destaca como el sol la noble y gallarda figura de Anacleto González Flores, cuya grandeza moral desconcierta y cuya gloria supera a todo encomio".

A su muerte, así cantó el poeta:

¡Patria, Patria del alma!
Patria agobiada, sí, mas no vencida.
La sangre de tu hijo
Es tu manjar de fortaleza y vida.
¡Anacleto!
Trigo de Dios fecundo
Plantado en la llanura sonriente
De Jalisco, no has muerto para el mundo.
Ayer humilde grano...
Eres ya espiga de oro refulgente
Y alimentas al pueblo mexicano.

Grande fue nuestra emoción cuando pudimos arrodillarmos delante de las lápidas que cubren los cuerpos de dos héroes de la fe: Miguel Gómez Loza, el mejor amigo de Anacleto, y el propio González Flores, en el Santuario de Guadalupe de Guadalajara. Sobre la de Anacleto leímos esta frase imperecedera:

Verbo
Vita
et Sanguine docuit

Enseñó con la palabra, con la vida y con la sangre. He ahí el martirio en su sentido plenario. Porque martirio significa testimonio. Y cabe una triple posibilidad de dar testimonio: con la palabra, mediante la confesión pública de la fe; mediante la vida, por las obras coherentes con lo que se cree; y, finalmente, mediante la sangre, como expresión suprema de la caridad y de la fortaleza. Anacleto dio testimonio con la palabra, y en qué grado; por las obras, y con cuánta abundancia; con la sangre, y tras cuáles torturas. Es, pues, mártir en el sentido total de la palabra.

El 20 de noviembre del año 2005, Anacleto González Flores fue beatificado por Benedicto XVI, juntamente con Miguel Gómez Loza, Luis Padilla, Jorge y Ramón Vargas González.

Capítulo Quinto

LA GUERRA CRISTERA Y SUS AVATARES

Nos introducimos ahora en lo que constituye propiamente el objetivo fundamental del presente curso, el levantamiento y la guerra de los cristeros. Lo dicho hasta acá no nos ha servido más que para dilucidar los antecedentes más o menos remotos de la gesta. En su esclarecedor estudio *La epopeya cristera* escribe Enrique Díaz Araujo: "En ciertas partes de nuestro planeta, en muy determinadas regiones de la tierra, la resistencia a la aplanadora masificante de la tendencia modernista ha sido más obstinada. Más aún, existen zonas selectas: la Vendée francesa de la contra-revolución de los chuanes, la Navarra española del tradicionalismo carlista, o el Don apacible del voluntariado ruso blanco, donde esa resistencia ha alcanzado caracteres épicos, dignos de la tragedia homérica". Pues bien, agrega, "entre esos hitos notables hallará su lugar peraltado, el Occidente mexicano, la tierra jalisciense, del núcleo tapatío que se irradia desde Guadalajara por Jalisco, Michoacán, Zacatecas, y Colima".

Analizaremos los comienzos, el crescendo y él *finale con fuoco* de esta epopeya.

I. Prolegómenos del alzamiento

Como lo hemos señalado al tratar de la persecución que asoló a México en los dos primeros decenios del siglo XX, surgieron en aquellos tiempos diversas agrupaciones que tendrían un papel muy relevante en aquella coyuntura. Será, pues, conveniente abundar un tanto en las más importantes.

Antes de entrar en materia nos parece importante indicar que, en aquellas décadas tan agitadas, la actitud que prevalecía en amplios sectores de la Iglesia era de apatía generalizada. "La característica general –escribe Humberto Navarrete– era la abulia. Los esfuerzos de unos pocos parecían ahogarse en un mar de indiferencia". Coincide con Navarrete el padre Rafael Ramírez, cuando destaca lo difícil que se presentaba el panorama en el campo católico a finales del porfirismo. Había en la Iglesia una suerte de desgano colectivo. El pueblo seguía siendo, por cierto, fundamentalmente católico, pero se trataba de un catolicismo de sacristía. El acontecer socio-político se desarrollaba sin los católicos, o mejor, contra los católicos. A fuer de sinceros debemos reconocer que ello era así ya desde los comienzos de la Independencia, "vegetando", por así decirlo, la Iglesia, bajo el desprecio de sus mismos enemigos. Si medimos dicho catolicismo por la asistencia de sus integrantes a los templos, el pueblo mexicano hubiera parecido el más católico del mundo. Pero si ahondamos en ello, no podemos dejar de advertir que se trataba más bien de una masa amorfa donde vegetaban numerosas Asociaciones piadosas, que poco o nada tenían que ver con un catolicismo de estilo militante. No es, pues, de extrañar que cuando en 1910 se inició la Revolución Mexicana, la mayor parte de los fieles permanecieron espectadores pasivos de los acontecimientos, en la esperanza de que la tempestad se calmaría por sí sola, con el mero pasar del tiempo. Por lo demás, la enseñanza positivista, de larga data, había hecho estragos en la juventud. Con todo, quedaban energías latentes, sin lo cual carecería de explicación el derroche de heroísmo que luego sobrevendría. Pero antes, ¿quién lo hubiera podido predecir?

1. La A.C.J.M.

Tres organizaciones encarnaron concretamente esta resurrección, de las que ya hemos dicho algunas palabras en páginas anteriores. Destaquemos para nuestro propósito la eximia figura de un sacerdote por cuyo influjo se volvería a encender la llama, sobre todo en la juventud. Nos referimos al padre Bernardo Bergöend. Dicho sacerdote nació en Francia en 1871, ingresando en la Compañía de Jesús a los 18 años, con la idea de ejercer en México su ministerio sacerdotal. En efecto, luego de terminar sus estudios eclesiásticos fue enviado al lugar que había anhelado. Ya en México, sus nuevos superiores lo destinaron a Guadalajara. El joven sacerdote era un religioso de talento agudo y voluntad decidida, a la vez que un hombre de acción. Hacia el año 1907 entró en contacto con dos caracterizados dirigentes laicos: Luis B. de la Mora y Miguel Palomar y Vizcarra. Pronto se preguntaron si para arrancar al catolicismo de su inercia no sería conveniente organizar un Partido Católico. Reflexionaron sobre dicho proyecto durante tres o cuatro años, entre 1907 y 1911. Finalmente se concretó aquel sueño en el llamado Partido Católico Nacional. Pero dicho proyecto no prosperó por motivos largos de explicar, cuya explicitación excedería nuestro propósito.

Entonces se pensó en algo distinto, que en 1913 quedó concretado en una organización, la A.C.J.M. Asociación Católica de la Juventud Mexicana. El padre Bergöend la proyectó como una federación donde se asociarían los diversos grupos ya existentes de jóvenes católicos. Su lema sería: *Por Dios y por la Patria.* Y así la juventud católica, perdiendo los antiguos miedos de la época de Porfirio Díaz, saldría de las sacristías para lanzarse gallardamente a la calle y proclamar ahí sus ideales. Nacían en una época de combate. Nacían, por consiguiente, para la lucha, en reto constante con los poderes dominantes, liberales y masones. Su presidente provisional fue René Capistrán Garza. Algunos de aquellos jóvenes, los más impulsivos, quisieron lanzarse prematuramente a la acción, pero el padre Bergöend los frenó. Antes de entrar en ella había que formarse. "Piedad, Estudio y Acción –les decía–, y en ese orden, tal es el programa de la ACJM". Desde el comienzo, el nuevo movimiento cuidó mucho la selección de quienes en él querían ingresar, evitando la incorporación de oportunistas, tanto liberales como socialistas, fuesen católicos o no.

Ya desde entonces algunos sacerdotes miraron con recelo a estos jóvenes, entre ellos el futuro obispo Pascual Díaz y Barreto, quien sería uno de los fautores de los llamados "Arreglos", de que luego hablaremos extensamente. Otros, en cambio, los alentaron, como el padre Méndez Medina, compañero de Orden del padre Bergöend, y varios otros, así como algunos obispos. El abstencionismo había sido la gran omisión que ahora la ACJM se proponía corregir. De hecho, cuando estallase la persecución sangrienta, la ACJM podría presentar un frente de unos 4.000 jóvenes preparados para el testimonio heroico.

Heriberto Navarrete nos cuenta en sus memorias cómo era el centro de la ACJM de Guadalajara, a que él perteneciera. Lo formaban unos 16 jóvenes que ya habían terminado los estudios secundarios. En la ciudad había unos 15 grupos semejantes, totalizando más de 200 socios. En aquel al que se incorporó Navarrete las reuniones eran semanales. Estudiaban apologética, historia, filosofía, bajo la asesoría de un sacerdote-capellán. Cada centro trataba de armar una biblioteca de consulta. Orozco y Jiménez, el arzobispo de la ciudad, los ayudaba calurosamente. En sus respectivas sedes pronto añadieron a los cursos formativos, diversas salas de recreaciones: de ping-pong, de billar, una cancha de basket-ball, etc. Su mentor principal fue Anacleto González Flores.

Gracias a las lecturas, clases y conferencias, varios personajes del pensamiento y de la militancia católica europea se les fueron haciendo familiares, como O'Connell, Donoso Cortés, García Moreno, Iturbide, entre otros, guías intelectuales y caudillos de diversos pueblos y tiempos. "Así fuimos aprendiendo poco a poco que la vida del hombre sobre la tierra es una lucha, que es guerra encarnizada y que los que mejor la viven son los más aguerridos, los que se vencen a sí mismos y luego se lanzan contra el ejército del mal para vencer cuando mueren y dejan a sus hijos la herencia inestimable de un ejemplo heroico". A veces aquellos muchachos emprendían acciones concretas, como hizo, por ejemplo, y según lo narramos en el capítulo anterior, el joven Gómez Loza cuando al enterarse de que en la torre de la catedral de Guadalajara, los bolches habían izado la bandera roja y negra, subió, y abriéndose paso entre ellos, la arrió.

El acejotaemero, nos relata Navarrete, sabía que su ideal era muy grande; que el proyecto de "restaurar todas las cosas en Cristo" no constituía un objetivo de poco aliento, era casi una obra sobrehumana. Por eso su mirada estaba fija en el Dios omnipotente, el Dios de los ejércitos, "el que mis manos para el combate adiestra y mis brazos para tensar arco de bronce" (Ps 17, 35). El proyecto tenía para ellos el carácter de una Cruzada, no sin ciertos ribetes de bohemia juvenil. Con ese espíritu, grupos de jóvenes, en binas o ternas, recorrían distintos puntos del país, reuniendo a los jóvenes del lugar, encendiendo en ellos el entusiasmo sagrado, estableciendo allí una filial de la organización. Llegaban incluso a visitar a los rancheros, católicos hasta los tuétanos, y más dóciles que nadie a la voz del dirigente católico que los convocaba a altos ideales. En esas reuniones se hablaba de la situación del país, del significado que tenía para los mexicanos el ser católicos, de la ACJM, sus orígenes, sus fines, sus ideales. La bandera de la asociación, que incluía el lema que les había enseñado el padre Bergöend, "Por Dios y por la Patria", enardecía los corazones de aquellos jóvenes militantes. La obra llegaba también a los niños, a quienes se les hablaba, como a los jóvenes, de la realeza de Cristo, y se les decía que tenían una madre, la Virgen de Guadalupe. Así se fue fraguando la falange acejotaemera, claras las ideas, firme la voluntad. Las reuniones terminaban frecuentemente por la noche con una serenata.

Así fue la gestación y ulterior ampliación de la gloriosa ACJM. Por las razones arriba apuntadas, no nos detendremos más en detallar el desarrollo de esta obra tan lograda como oportuna. Pero, eso sí, nos gustaría citar, a modo de ejemplo, un párrafo del discurso que René Capistrán Garza, presidente de la asociación, pronunció el año 1922, con motivo de un Consejo Federal, es decir, nacional, de la obra:

> Sobrevino el desastre: puestas las causas tuvieron que seguirse inevitablemente los efectos; la Revolución estalló, volcando todo lo malo [...] Querían un pueblo sin Dios y sólo consiguieron algunas hordas de bandidos, querían una nación sin religión, una patria sin historia, una civilización sin moral, y no tuvieron sino el desastre, el fracaso, la caída [...]
>
> La Revolución, que no es, en suma, sino el liberalismo desembozado, el sectarismo en toda su crudeza, el "non serviam" en toda su soberbia, la Revolución, que no es, en suma, sino el Estado sin Dios, vino tan brutalmente a sacudir los espíritus, quiso tan bárbaramente extremar la tiranía, intentó con tanto odio ahogar a la Iglesia, que todo lo que quedaba de fuerza viril y de espíritu cristiano, vigorizado, robustecido y templado a los golpes del dolor y del sufrimiento, surgió encendido de amor a

> Cristo, y surgió especialmente ahí donde era menos creíble, ahí donde más rudamente se le había combatido, ahí donde más completo parecía el naufragio, en la juventud [...]
>
> La Juventud Católica, surgiendo en plena Revolución, formándose su espíritu en el yunque de la persecución, haciendo revivir sus ideales al calor de la llamarada revolucionaria y ante el ímpetu de la ola roja, sembrando su vida de heroísmo y sacrificios, llegando a veces hasta el martirio, haciéndola una escuela de vívido apostolado, es algo tan imprevisto que debe llenarnos el corazón de gratitud a Dios nuestro Señor y debe arraigarnos la convicción profunda, inquebrantable, de que México se salvará principalmente por la acción de la Juventud Católica, si ésta no se aparta del espíritu de Cristo.

Capistrán Garza acabó su vibrante discurso comprometiendo a los suyos y comprometiéndose él mismo a llegar hasta el sacrificio, si fuera necesario, para cumplir con la misión abrazada, manteniendo en alto la bandera, en la certeza de que "solamente caerá de nuestras manos cuando sus tres colores hayan quedado convertidos en uno solo: el rojo de nuestra propia sangre".

El padre Bernardo Bergöend compuso para sus jóvenes de la ACJM la siguiente plegaria: "Oh Dios, que te dignaste conceder tu divino Espíritu a los apóstoles para que propagaran por todo el mundo la verdad de tu Santo Evangelio, concédenos un celo semejante al suyo para luchar por que vuelvan las benditas máximas cristianas a ser la norma de nuestra sociedad y de nuestros gobiernos, para que nuestra patria se salve y se vea libre de nuestros enemigos. Te lo pedimos por la intercesión de la Inmaculada Virgen María y por los méritos de Nuestro Señor Jesucristo".

2. La Unión Popular

Poco diremos de este movimiento, que apareció en 1925, ya que a él nos referimos suficientemente en el capítulo que le dedicamos a Anacleto González Flores, su genial fundador. Tenía por finalidad la defensa pacífica de los derechos de los católicos, extendiéndose por todo el estado de Jalisco y otros estados colindantes. La Unión Popular nació de la ACJM y se nutrió de su mismo espíritu. Se autogobernaba mediante una cadena de dirigentes que operaban en distintos niveles y sectores de la población.

El éxito de la organización, de carácter laical, independiente de la jerarquía y del clero, se explica por el carácter popular que la caracterizaba, exenta de formalismos. Si un católico se interesaba por pertenecer a ella bastaba que buscase al jefe de la manzana y le pidiese que lo inscribiera en sus filas, "para que dejara de ser un católico paralítico", como le gustaba decir a Anacleto.

De hecho la Unión Popular no tuvo tiempo de madurar y perfeccionarse para cuando estalló la persecución religiosa.

3. La Liga Nacional de Defensa Religiosa

Esta institución, llamada también Liga Nacional Defensora de la Libertad Religiosa, apareció, al igual que la Unión Popular, en el año 1925, durante el gobierno de Calles, como lo señalamos páginas atrás. La fundó un grupo de católicos encabezados por Miguel Palomar y Vizcarra y René Capistrán Garza, respondiendo a un antiguo proyecto del padre Bergöend. Dos meses después de su aparición, ante la acusación de que "se metía en política", el Santo Padre así exhortaba a la juventud: "Al combatir por la libertad de la Iglesia, por la santidad de la familia, por la santidad de la escuela, por la santificación de los días consagrados a Dios, en todos estos casos y en otros semejantes no se hace política, sino que la política ha tocado al altar, ha tocado a la religión [...] y entonces es deber vuestro defender a Dios y a su religión".

En el acta fundacional del movimiento se enumeran las libertades concretas por las que se iba a combatir: de enseñanza, de prensa, de culto, de asociación, no, por cierto, en el sentido liberal de dichas expresiones, al tiempo que se señala cómo el gobierno, mediante la ley, ha constituido un frente único de persecución, de manera que ha pasado a ser un agresor injusto. Asimismo se aprovecha la ocasión para dejar asentada su autonomía de los obispos, si bien no desestimará, según se dice, el consejo y la dirección de la Autoridad eclesiástica.

Tendrá, así, libertad para escoger los métodos que crea convenientes, es claro que siempre dentro de la moral; si no bastaran los medios legales, agregaban, recurrirían incluso a la defensa armada. Cuando Calles desencadenó la persecución, el número de los miembros de la asociación había llegado a 500.000. Para su organización tuvo delante el modelo de la Unión Popular de Jalisco, adquiriendo en varios puntos modalidades semejantes a la de dicha asociación, pero reservándose el lema más propio de "Dios y su derecho". Era, pues, una obra de "defensa", y así quiso calificarse frente a la agresión enemiga. Al enterarse de la fundación de esta nueva obra, de carácter nacional, inmediatamente Anacleto adhirió a ella, si bien reservándose por algún tiempo el derecho de mantener independiente a la Unión Popular, convencido como estaba de que tenía en sus manos la mitad del poder con que se contaba en todo México para resistir a la persecución de Calles. Finalmente incorporaría su organización a la Liga, la cual a su vez lo designó como delegado regional. Desde entonces el nombre oficial de la Unión Popular fue "Unión Popular de Jalisco - L.N.D.L.R.".

En el año 1927 se quiso reflotar aquel proyecto anterior de un Partido Católico, ahora bajo el nombre de Partido Unión Nacional, con el fin de actuar en el mundo político de oposición al gobierno. Pero de hecho esa "unión" incluía personajes de muy distintas extracciones: del porfirismo, de la Revolución y también del laicado católico. La Liga negó su apoyo a dicho intento ya que, concretamente, se basaba en un "contubernio" de liberales, católicos y revolucionarios, con lo que logró frenarlo. "Vale muchísimo más un grupo pequeño pero unido y acostumbrado a trabajar al unísono, que ese mosaico donde el que intriga yerra, y el que no, vende la causa por un plato de lentejas", según afirmó un dirigente de la ACJM. Se denunciaba en aquel proyecto

> una política de acomodamiento y de renunciaciones [...] que alzan como bandera la agresiva y decrépita Constitución de 1857 [...] Luego el enemigo quiso dar un paso más hacia la ruina de la Iglesia y de la patria, y desencadenó el constitucionalismo y se realizó la abominación de 1917.
>
> Hace setenta años nuestros padres combatían y derramaban su sangre en defensa de la libertad y de la justicia, contra la Constitución de 1857 y contra los que a su sombra y en nombre de ella destruían y saqueaban templos, disolvían comunidades religiosas, desterraban obispos y asesinaban sacerdotes y ciudadanos intachables. Ahora, vencidos, nosotros lanzamos contra los verdugos de hoy la bandera de los verdugos de ayer, contra los que hoy nos azotan, nos acogemos al azote mismo que flageló las espaldas de nuestros padres y nuestras propias espaldas.
>
> ¿Hasta dónde nos llevará esta tendencia derrotista, este descenso fatídico y monstruoso? ¿Van nuestros hijos, dentro de setenta años, a proclamar contra los tiranos de entonces, como bandera, la Constitución de 1917? No podemos echarnos por ese despeñadero.

> Anacleto González Flores, Miguel Gómez Loza, Armando Telles, Luis Segura y tantos otros mártires ilustres que han caído en torno de la bandera gloriosa de la LNDLR, no habrían muerto ni peleado por el guiñapo del 57. Alzarle ahora como bandera sería una profanación imperdonable de la sangre de nuestros héroes, un sacrilegio horrendo contra la sangre de nuestros mártires.

Pronto la Liga llegó a contar con un millón de miembros, la mayor parte de los cuales en la capital y en las ciudades. Si, como dice Carl Schmitt, para conocer mejor a alguien es conveniente saber quiénes son sus adversarios, podemos advertir que la Liga lo tenía bien en claro: eran los liberales mexicanos, así como los masones y los protestantes yanquis; todos ellos, a su juicio, trabajaban de consuno para la aniquilación de la Iglesia. No otra cosa era lo que enseñaba Anacleto. Palomar y Vizcarra, por su parte, denunciaba especialmente el influjo proveniente de los Estados Unidos: "La Casa Blanca –decía–, continuando su política tradicional, antimexicana y anticatólica; el sector del alto clero norteamericano que secundaba los puntos de vista fundamentales de la Casa Blanca; el gobierno mexicano, siempre agente de Washington, la banca de los Estados Unidos [...] La historia demuestra que la casi totalidad de los males nacionales que aquejan a nuestra patria se debe al imperialismo norteamericano".

Como vemos, el mal concepto que los miembros de la Liga tenían de los Estados Unidos se extendía a veces a los católicos de aquel país, o al menos a un sector de ellos, porque "los intereses nacionales norteamericanos, inspirados por un agudísimo imperialismo, los obliga a postponer a éste los verdaderos intereses de la religión y de nuestra patria". A lo que agrega Ceniceros y Villarreal, abundando en el concepto negativo que muchos mexicanos tenían de no pocos católicos norteamericanos: "Nosotros jamás, como se ha hecho en alguna otra nación ensoberbecida por sus grandezas materiales y su «confort», hemos designado nuestras instituciones con el calificativo de «bienestar». Distinguiremos siempre, con ademán resuelto, ese catolicismo [auténtico], mil veces amado, del catolicismo desteñido que habla de bienestar [...]; no han sabido esos católicos sentir la universalidad de nuestra religión".

Tal desdén por el "imperialismo", solía ir acompañado por un hispanismo y un nacionalismo ferviente. "México –afirmaba Palomar y Vizcarra–, con un catolicismo cinco veces secular, México, el país beneficiado por Dios con la aparición de la Virgen de Guadalupe, México, el de las más ilustres catedrales, México, el saturado de arte religioso propio y admirable, México, el que tuvo origen en la más ejemplar de las labores apostólicas, México el de la ardentísima fe [...], México, pueblo de «confesores y de mártires» [...], México, la primera nación que proclamó la soberanía temporal de Cristo Rey [...], México, cabeza en América de la hispanidad, México, valladar puesto por la Providencia para contener los desbordamientos anglosajones [...]". De ahí la exaltación que aquellos católicos hacían de la figura de Iturbide, cristiano cabal, en contraposición a Hidalgo, "liberal y protestante".

Los mismos temas se retoman una y otra vez en la vasta literatura de la Liga, en folletos, periódicos y libros, reiterándose cómo era de los Estados Unidos de dónde provenía el influjo masónico y protestante, porque, según se afirmaba en un folleto, "los Estados Unidos sembraron la semilla de la masonería en las manos del negrero Poinsett. Todas nuestras revoluciones proceden de allí". De la masonería, pero también del protestantismo. Por algo se llamaron "Leyes de *Reforma*" las innovaciones que en el siglo XIX se quisieron introducir en el México tradicional.

4. El cierre de las iglesias y los primeros brotes de rebelión

Hemos ya señalado cómo la llamada "Ley de Calles" debía entrar en vigor el día 31 de julio de 1926. El último día de julio es, precisamente, aquel en que la Iglesia celebra la fiesta de San Ignacio de Loyola. La Compañía de Jesús, en aquel tiempo, era considerada por la Revolución como la Orden religiosa más reaccionaria. Un alto oficial, el general Coss, le dijo en cierta ocasión a un jesuita, el padre González, hecho prisionero en Tepetzitlán: "Usted pertenece a la Compañía de Jesús que nosotros odiamos y perseguimos". Más que este general la han de haber odiado Obregón y Calles, especialmente al advertir que quienes más se destacaban en la militancia católica eran jóvenes formados por los jesuitas, y más particularmente por el padre Bergöend. Calles había promulgado en junio la ley que reglamentaba el Código Penal, por el que la Iglesia quedaba sometida al poder civil. ¿Por qué se esperó hasta el 31 julio para que se hiciese efectiva? "¿Pensó, al hacerlo –se pregunta el padre Ramírez–, en una velada alusión a los jesuitas, considerados por la Revolución como los abanderados de vanguardia en la defensa de la Iglesia? ¿Dio a su ley precisamente 33 artículos como un número simbólico de la masonería a la que pertenecía? No se han de extremar las coincidencias, pero tampoco es conveniente del todo menospreciarlas".

Llegó el 31 de julio y la suspensión del culto resuelta por los obispos con la aprobación del Santo Padre, a partir de dicho día. Navarrete, testigo de los hechos, nos cuenta que la excitación llegó a su paroxismo cuando los sacerdotes hicieron abandono de los templos, quedando así al cuidado de los fieles. La imaginación de éstos se dio pábulo. ¿Qué haría el enemigo? ¿Se apoderarían las tropas de las iglesias para saquearlas y demolerlas, quemarían las imágenes y los altares? En previsión de tales cataclismos, en muchos lugares los fieles permanecieron en los templos poco menos que atrincherados, organizando luego turnos de guardia, en algunos casos con armas.

El tema de conversación era si la suspensión del culto no abría las puertas a la posibilidad de tomar las armas y entrar en combate. Al parecer, el Presidente estaba convencido de que no habría resistencia en el pueblo, en la idea de que los católicos carecían de virilidad, de que en sus filas no se encontraban más que beatas y ancianos. Pero las cosas no eran como él las imaginaba. Si bien los obispos habían pedido a los fieles que no hiciesen tumultos, de hecho ello se tornaba inevitable. Como escribe Meyer, todo un pueblo montó la guardia. Hombres, mujeres y niños, no encontraron mejor manera de expresar su indignación y rebeldía que organizando peregrinaciones, procesiones y actos públicos de penitencia que congregaban vastas multitudes. Ya era la insurrección, si bien aún no del todo violenta. Algunos, sobre la bandera nacional, juraban morir por Cristo Rey, en caso de que la situación lo hiciese necesario. Los choques se fueron multiplicando por doquier. En Santiago Bayacora, para poner un ejemplo, un pueblito que se encuentra cerca de Durango, apareció en la puerta del templo un anuncio del gobierno donde se decía que a partir del 31 de julio todos los templos serían cerrados y los sacerdotes expulsados a otros países; se agregaban luego diversas disposiciones, por ejemplo, si el encargado del templo repicaba las campanas sería multado, y lo mismo todo aquel que enseñase a rezar a sus hijos, o tuviese en su casa imágenes de santos, o llevase insignias religiosas en su cuerpo, como medallas o crucifijos.

De septiembre a diciembre se fueron sucediendo levantamientos, cada vez más intensos. Dichos alzamientos congregaban grupos de cincuenta, cien, trescientos hombres, con armas rudimentarias, pero dispuestos a morir por Dios y por la Patria. En algunos lugares se hicieron reuniones secretas y se decidió por unanimidad emprender la guerra. En otras partes la gente abandonó los pueblos precipitadamente para ir a los montes, apareciendo sobre la marcha jefes naturales, hombres honrados de reconocido prestigio, que se pusieron a la cabeza de los alzados. Entre ellos se destacaban numerosos rancheros de las regiones campesinas de México. En esos meses se contabilizaron no menos de 64 rebeliones armadas, todas ellas espontáneas, no coordinadas entre sí. Cuando los soldados federales llevaban preso a algún sacerdote, los fieles lo liberaban por la fuerza. Tales enfrentamientos son los que dieron comienzo a la guerra cristera. Dicha situación se prolongaría a lo largo de todo el año 1926. Y a modo de represalia comenzaron a producirse fusilamientos, sin previo proceso ni sentencia, en diversos lugares del país.

5. *"El Congreso o las armas"*

Dos obispos, monseñor Pascual Díaz y Barreto y monseñor Leopoldo Ruiz y Flores, en nombre del resto del Comité Episcopal, pidieron una entrevista a Calles, quien los recibió en el castillo de Chapultepec, residencia oficial del primer magistrado. El encuentro resultó inútil. "Al terminar la conferencia –refirió monseñor Ruiz y Flores en su informe a los obispos–, ya de pie, nos dijo el señor Presidente: «Pues ya saben ustedes; no les queda más remedio que las Cámaras o las armas, y sepan ustedes que estoy preparado para ambas cosas»". Entonces los miembros del Comité redactaron un memorial y lo presentaron al Congreso, donde fue leído. Los diputados, entre insultos y silbidos, lo rechazaron de plano, alegando razones inconsistentes: que los obispos habían recurrido al Papa, que es extranjero, y por tanto no tiene derecho a pedir nada; que el petitorio carece de validez por cuanto está firmado por sacerdotes y no por ciudadanos. Ante dicha repulsa los fieles resolvieron llevar luto en el traje o en el vestido cuando fueran por la calle, para mostrar así que la nación estaba de duelo por las leyes inicuas. Una iniciativa simbólica, preñada de sentido.

Fue entonces cuando la Liga acordó presentar un nuevo memorial, esta vez firmado sólo por varones mayores de veintiún años, es decir, incuestionablemente ciudadanos. La ACJM, por su parte, brazo derecho de la Liga, comenzó a recolectar cartas firmadas en apoyo del memorial de los obispos, llegando a juntar cerca de dos millones, número hasta entonces jamás alcanzado para propuesta alguna. Acompañaban a las firmas una nube de telegramas. En las cartas se decía: "Los infrascriptos, ciudadanos mexicanos, en una sola aspiración por la libertad, ocurrimos a pedir empeñosamente a ese soberano Congreso se digne tomar en consideración y resolver en todo favorablemente la iniciativa de reformas de los artículos 3, 5, 23, 27 y 130 de la Constitución de 1917, representada por el Episcopado nacional, en uso legítimo del derecho de petición que consagra el artículo 8° de nuestra Constitución". Las cartas con las firmas fueron a parar al canasto de los papeles inútiles. Un diputado llegó a decir que no se había recibido en la Cámara ni el memorial ni las firmas.

En aquellos momentos llegó un oportuno mensaje del cardenal Gasparri, Secretario de Estado del Vaticano, diciendo a los obispos que no debían aceptar la ley. Se dio entonces otro paso, del cual algo ya dijimos, y fue el de declarar un boicot en toda la nación. Dicha medida, idea de Anacleto González Flores, la propugnó la Unión Popular, que hizo distribuir en siete puntos del país una hoja con instrucciones, donde se incluían diversas maneras de realizarlo. El texto terminaba recomendando a los católicos repetir todos los días esta súplica: "Dígnate humillar y confundir a los enemigos de la Santa Iglesia, Reina del los Mártires, y ruega por nosotros y por la Unión Popular". Fue con esta ocasión aquel "bombardeo de globos" en la ciudad de México, a que nos referimos al tratar del padre Pro, en uno de cuyos lados se podía leer la palabra *¡Boicot!* Dichos globos, cinco millones, llevaban hojas anexas que exhortaban a lo mismo. Grupos de jóvenes recorrían las ciudades, induciendo a no quedarse con los brazos cruzados. "Oración, más luto, más boicot, igual a victoria", decía un volante que circuló ampliamente en la diócesis de Colima. El éxito de la medida fue enorme. No pocos comerciantes, ante el peligro de verse damnificados, creyeron conveniente dirigirse a Calles y a los obispos para pedirles que cesase el conflicto.

Al fin y al cabo, había sido el mismo Calles quien señaló el camino: o las Cámaras o la lucha armada. Se intentó lo primero, por medios pacíficos, sin éxito. Sólo restaba el combate. Monseñor Mora y del Río comunicaba a Roma que "no queda, pues, otro recurso que la defensa armada", y monseñor Díaz manifestaba a la prensa norteamericana que "no se puede arreglar nada con una tiranía irresponsable [...], es una buena doctrina católica oponer resistencia a cualquier tiranía injusta [...]".

II. Licitud del levantamiento

¿Había llegado, realmente, la hora de combatir con las armas? Las opiniones estaban divididas. Ya en el capítulo que dedicamos a González Flores hemos aludido a este asunto. El tema de si convenía o no pasar a la lucha frontal fue puesto en consideración en una Convención Nacional de la Liga. Allí se resolvió: "Fundada la Liga para defender todas las libertades, y de una manera especial la libertad religiosa, la acción armada, como medio de defensa, no estaba excluida de su programa; por el contrario, estaba incluida en él, pues es el más eficaz, desde el momento que había sido un mito la libertad de sufragio en México, y el constante fraude electoral hecho público. En consecuencia, la Liga aceptó tomar a su cargo la defensa armada".

1. Diversas actitudes de los pastores

Frente al problema de si era conveniente o no lanzarse a la lucha que se estaba por emprender, los prelados se dividieron en tres grupos. En el primero de ellos se agrupaban los que veían las cosas desde un punto de vista puramente legal, sometiéndose simple y llanamente a las leyes vejatorias. El segundo grupo lo integraban quienes preferían una resistencia tan sólo pasiva; sin entrar a discutir la perniciosidad de las leyes, ellos seguían su labor pastoral, soportando toda clase de vejaciones, hasta agotar al Gobierno perseguidor. Finalmente en el último grupo se encontraban los que entendían que era necesario oponer al gobierno una resistencia activa, hasta llegar, si se hacía preciso, a la defensa armada, pues los enemigos parecían totalmente decididos a ir hasta el fin. En el Comité Episcopal estaban representadas las dos tendencias principales en que se resumían las diversas posiciones: o defensa activa hasta llegar a las armas, o entendimiento pacífico con los adversarios de la Iglesia, cediendo lo más posible.

Meyer ofrece una clasificación más pormenorizada de los que por aquel entonces integraban el episcopado, compuesto por 38 obispos. Cuatro de ellos eran de línea dura: González y Valencia, de Durango; Manríquez y Zárate, de Huejutla; Lara y Torres, de Tacámbaro; y Serafín Armora, de Tampico. Entre los obispos proclives a la paz se encontraban Ruiz y Flores, de Morelia; Díaz y Barreto, de Tabasco; Fulcheri, de Zamora; Banegas Galván, de Querétaro; Guízar y Valencia, de Chihuahua; Valverde, de León; y Corona, de Papantla. Es decir, siete obispos, a quienes sus enemigos apodarían de "liberales", cuatro "de fierro", y los demás, de posiciones muy variadas, que iban desde el apoyo moral a los combatientes hasta el "pastelerismo".

Obviamente debemos distinguir, entre otros, a dos grandes obispos, que si bien no eran favorables al enfrentamiento armado, no por ello podemos incluirlos entre los "componenderos". Ambos, previendo quizás el resultado de la contienda, "se echaron al monte", donde vivieron en la clandestinidad, para desde allí seguir dirigiendo sus diócesis en medio de la guerra: monseñor Amador

Velasco, obispo de Colima, y monseñor Orozco y Jiménez, arzobispo de Guadalajara. Sin duda que la presencia de ambos pastores, realmente dignos de todo encomio, no dejó de confortar a los que combatían con las armas. Años después de acabada la guerra, en 1943, dos antiguos jefes de la Liga, declaraban en un periódico: "Nuestra admiración [...] la consagramos a monseñor Lara y Torres, el hombre de los gallardos memoriales, pletóricos de doctrina y quemantes de valor, que al advertir que vientos desencadenados se habrían de despertar en contra de la Liga, nos declaró varonilmente: «Yo me hundo con ustedes»; a José María González y Valencia, el amigo, el de las viriles pastorales, proclamando que «la fuerza tiene un destino providencial que cumplir»; a José de Jesús Manríquez y Zárate, el caudillo, el mexicano por antonomasia [...], que se enfrentó a Calles con aquellas palabras inmortales: «Miente el Señor Presidente»; a José María Mora y del Río, el Primado, el de la actitud sublime ante el Secretario de Gobernación, en momento trágico [diciéndole]: «Ustedes no son Gobierno». Todos apasionados por la libertad de la Iglesia, porque es lo que Dios más ama en la tierra [...], todos sumergidos en las amarguísimas soledades del Calvario".

Refiriéndose Meyer a los obispos más beligerantes, dice de ellos: "Místicos, hombres de acción, en el entusiasmo de la juventud, no podían comprender que se hablara de razón, de política y de conveniencia en el momento en que los campesinos católicos derramaban su sangre por Cristo". Y refiriéndose más explícitamente a Manríquez agrega que "se torturaba pensando que quizás tuviera el deber de marchar con los combatientes y morir a su lado como capellán suyo". Cuando, más adelante, comenzara a insinuarse la posibilidad de llegar a "arreglos" con el Gobierno, monseñor Lara y Torres así le escribiría a monseñor Manríquez y Zárate: "¿Quiere decir entonces que hemos equivocado el camino? ¿Por qué entonces nos lanzamos a la suspensión del culto y por qué hicimos o dejamos sacrificar a tanta gente? No son éstas las horas de la diplomacia. Es mejor dejar consumir las cenizas de nuestra Iglesia heroica antes que mancillarla con un armisticio ineficaz y vergonzante. ¡Y pensar que entre tanto nuestros hijos, en número abrumador, levantan orgullosamente la cabeza y se oponen a la humillación de los prelados! Es necesario que los dos o tres más radicales que quedamos nos apliquemos fuertemente y levantemos el estandarte de nuestros bravos católicos para que no crean que los abandona todo el Episcopado".

En cuanto a los obispos a quienes el cardenal Louis Billot llamaba "liberales", si bien no coincidían en todo, estaban de acuerdo en algo que consideraban fundamental: la necesidad de no confrontar. Algunos de ellos pasaron por todas las posiciones, desde la más firme intransigencia hasta la confianza absoluta en la buena fe del Gobierno.

Tal es el caso de monseñor Pascual Díaz. Cuando la Liga se dirigió al Comité Episcopal para consultarle sobre la legitimidad moral de una rebelión armada, ese obispo contestó, en noviembre de 1926, que en el caso de que hubiese evidencia de tiranía y faltasen los medios políticos para corregir dicha situación, era lícito recurrir a la fuerza. Más adelante, por razones no fáciles de entender, la Santa Sede pareció inclinarse a que las cosas se arreglasen por las buenas, y para ello juzgaría conveniente escoger a Díaz como intermediario suyo con el Episcopado, y a Ruiz como su delegado apostólico, con la intención de que negociasen con el Gobierno una salida a la situación.

Al parecer, los obispos designados llevaron las cosas más allá de lo convenido con Roma, en la idea de que para que la Iglesia encontrase un *modus vivendi* con el Gobierno, las estructuras debían adecuarse a la situación que exigía vivir en simbiosis con la Revolución. Por lo demás, los dos obispos estaban convencidos de que nada político podía triunfar en México sin el aval de Estados Unidos. Era un mal, sí, pero el mal menor. Más allá de las intenciones de estos obispos, los católicos militantes, que veían de cerca la realidad, en especial los de la Liga, creyeron que no les quedaba sino pedirle a San Judas Tadeo, patrono de las causas desesperadas, que librara a la Iglesia mexicana de monseñor Díaz. Algunos de los obispos "liberales" acabarían atacando directamente a los cristeros y a los sacerdotes que los asistían, hasta llegar a llamarlos "bandoleros", que estorbaban toda posibilidad de negociación. Dicha corriente contaba con el apoyo de buena parte de los católicos de Estados Unidos, que veían en los cristeros a "fanáticos".

Hemos considerado la diversidad de actitudes de los diversos obispos. Tampoco los sacerdotes reaccionaron todos de la misma manera. Aproximadamente 100 de ellos, nos dice Luis A. Orozco, se pusieron abiertamente en contra de los cristeros, condenando lisa y llanamente el levantamiento. Nuestros combatientes esperaban de los sacerdotes, señala uno de ellos, "el ejemplo de virilidad cristiana", pero a la postre prefirieron vivir tranquilos, "aunque la Iglesia se acabe y la Patria se hunda en el abismo de la maldad". Años después, un católico de Zacatecas así le expresaba al mismo Meyer la desazón que experimentaron en esos momentos: "Desde luego topamos con un asunto que no hubiéramos siquiera imaginado: que los mismos padrecitos nos prohibieron pelear por Cristo, por la religión que nos inculcaron nuestros padres y luego nos alimentaron ellos en el bautismo, la confirmación y la comunión". Al padre Norberto Reyes que, tras ser hecho prisionero, lo obligaron a escribir a los cristeros exhortándolos a rendirse, éstos le contestaban: "Sin su permiso ni su mandato nos lanzamos a esta lucha bendita por nuestra libertad, y sin su permiso y sin su mandato continuaremos hasta vencer o morir". A otro sacerdote le escribían: "Con sus hechos aman y temen más a Calles y a su Gobierno que a Dios, y por lo mismo hablan mal y critican y consuran a los soldados de Cristo Rey [...] como si el tomar armas fuera un crimen delante de Dios y de la Patria".

Pero así como hubo sacerdotes que se opusieron a los cristeros, hubo otros, unos 100, que ofrecieron su ministerio a los combatientes, ejerciendo con ellos su labor pastoral, y unos 40 que se mostraron vivamente favorables a los que luchaban. El resto, más de 3.300 sacerdotes, abandonaron sus parroquias rurales, lugares que se habían vuelto altamente peligrosos, y fueron a refugiarse en las ciudades o emigraron al extranjero para ponerse a salvo. Los obispos se negaron a conceder capellanes militares a los cristeros cuando éstos así se lo solicitaron, pero por su cuenta algunos padres se ofrecieron como tales. Los que permanecieron en las zonas rurales debían vivir escondidos, limitándose a celebrar la misa y administrar los sacramentos en casas particulares, generalmente por la noche o en la madrugada, custodiados por los fieles que acudían a ellos en elevado número. Tales sacerdotes vivían siempre bajo la amenaza del Gobierno perseguidor, en constante peligro de ser descubiertos y ejecutados sin juicio previo. De hecho muchos de ellos pagaron con su sangre.

Otra opción distinta, muy limitada, la protagonizaron cinco sacerdotes que tomaron las armas, alistándose en las filas de los cristeros. Dos de ellos, que eran párrocos, por sus propias cualidades militares alcanzaron un alto grado en el escalafón militar: los padres Aristeo Pedroza, párroco de Ayo el Chico, Jalisco, quien llegó a ser general, y el padre José Reyes Vega, párroco de Totolán, Jalisco, quien alcanzó el grado de teniente coronel. Los otros tres fueron simples combatientes.

Pero más allá de considerar las diversas actitudes que en aquella insólita eventualidad tomaron los obispos y los sacerdotes, lo que en este capítulo más nos interesa es saber si la resistencia armada fue o no moralmente lícita, cosa que en esos momentos interesó sobremanera a todos los católicos. Resultaba imposible soslayar el problema, como lo entendieron no pocos que fueron a consultar a sus respectivos párrocos acerca de si era o no legítimo el levantamiento. Éstos trasmitieron la consulta a sus obispos y a los teólogos romanos.

Como era de esperar, el Comité Directivo de la Liga Nacional, antes de asumir la dirección de la lucha y responsabilizarse de la empresa, había hecho suyo dicho requerimiento, consultando formalmente al Episcopado sobre su licitud. Para ello se dirigió a quien era entonces el Secretario del Comité Episcopal, monseñor Pascual Díaz y Barreto, solicitándole una reunión de los dos comités, el episcopal y el de la Liga. Ello se llevó a cabo el 26 de noviembre de 1926, asistiendo trece obispos. En aquella reunión los de la Liga señalaron que el movimiento no podía ser ignorado por el Episcopado, ya que se había producido por un motivo religioso y al grito de Viva Cristo Rey. Asintieron aquellos obispos y entonces los de la Liga solicitaron tres cosas. En primer lugar una acción negativa, que consistía en no condenar el levantamiento; luego una acción positiva, en orden a formar una conciencia colectiva por los medios a su alcance, mostrándose que se trataba de una acción laudable y meritoria de legítima defensa armada; finalmente, que designasen canónicamente capellanes castrenses, y también que influyeran en los católicos ricos para que ayudaran a financiar económicamente el emprendimiento.

La respuesta fue que el Episcopado aprobaba por unanimidad lo que se refiere a la parte que a ellos les tocaba, pero con dos modificaciones, a saber, que si bien el Comité no podía habilitar vicarios castrenses, sí podía otorgar autorización a los que deseasen ejercer su ministerio entre los que se levantaban en armas; y en segundo lugar que el Comité veía difícil, por no decir imposible, lo que se le solicitaba acerca de los católicos ricos.

Acusados por el jefe del Estado Mayor de Calles de encabezar la rebelión, el 15 de enero de 1927 así respondían los obispos: "El Episcopado es ajeno [al movimiento]; hemos declarado ya y no es un misterio para nadie que conozca la doctrina de la Iglesia y la autoridad unánime de los grandes Doctores, que hay circunstancias en la vida de los pueblos en que es lícito a los ciudadanos defender por las armas los derechos legítimos que en vano han procurado poner a salvo por medios pacíficos". El 11 de febrero siguiente, monseñor González y Valencia, obispo de Durango, lanzaba desde Roma una famosa carta pastoral dirigida a los católicos de su arquidiócesis, confirmando las palabras de sus hermanos en el episcopado: "Séanos ahora lícito romper el silencio sobre un asunto del cual nos sentimos obligados a hablar. Ya que en nuestra arquidiócesis muchos católicos han apelado al recurso de las armas [...] creemos de nuestro deber pastoral afrontar de lleno la cuestión y asumiendo con plena conciencia la responsabilidad ante Dios y ante la historia, les dedicamos estas palabras: Nos nunca provocamos ese movimiento armado. Pero una vez que, agotados todos los medios pacíficos, ese movimiento existe, a nuestros hijos católicos que anden levantados en armas por la defensa de sus derechos sociales y religiosos, después de haberlo pensado largamente ante Dios y de haberlo consultado a los teólogos más sabios de la ciudad de Roma, debemos decirles: Estad tranquilos en vuestras conciencias y recibid nuestras bendiciones".

Los cristeros ya en combate, hubieran querido quizás un apoyo más definido, sobre todo frente a los obispos y sacerdotes timoratos o directamente enemigos de "la Causa", como ellos llamaban a su gesta. Pero trataron de no incentivar la dialéctica ya existente dentro de la Iglesia. Al fin y al cabo, los prelados habían otorgado lo esencial, que era la aprobación del levantamiento armado, entendiendo que no se trataba de una rebelión, sino de un movimiento de legítima defensa. O, como se dijo con verdadera agudeza en un manifiesto publicado en enero de 1927: "No es esta una revolución; es un movimiento coordinado de todas las fuerzas vivas del país para oponerlas a la revolución [...] La revolución está en el llamado gobierno, que contra la misión propia de los verdaderos gobiernos, está destruyendo el bien común. La revolución está en la justicia negada, en la libertad destruida, en el derecho atropellado [...] El pueblo de México quiere rehacer definitivamente su nación, quiere recoger el cuerpo desgarrado y palpitante, renovándolo con la savia generosa y fecunda de una nueva administración, que circule por todas las arterias del organismo social".

En relación con lo que acabamos de citar, no nos resistimos a incluir un notable texto de Andrés Azcue, tomado de su libro *La Cristiada. Los cristeros mexicanos (1926-1941)*:

> En los análisis históricos superficiales, las revoluciones se suelen presentar como movimientos populares y los movimientos contrarrevolucionarios como movimientos dirigidos y manipulados por élites sociales. Sin embargo, la historia de los cristeros mexicanos demuestra lo contrario: los grandes movimientos contrarrevolucionarios de la historia moderna son genuinamente populares. Los vandeanos franceses, los carlistas españoles, el miguelismo portugués o los

> cristeros mexicanos son la demostración de la existencia de un verdadero pueblo contrarrevolucionario. La mayoría de estos movimientos se inician sin contar con el apoyo de los grandes poderes de su época, sean civiles o eclesiales. Las más de las veces, los movimientos contrarrevolucionarios se alzan en armas contra la Revolución, porque así lo solicita su conciencia y contra todo pronóstico o cálculo político. Los cristeros mexicanos, exceptuando la participación de los requetés en la guerra de España de 1936-1939, pueden considerarse, en pleno siglo XX, los últimos grandes cruzados de la Cristiandad. Son el claro reflejo de un pueblo cristiano que se resiste a morir a manos de la revolución moderna.

El 21 de abril de 1927 fueron desterrados seis prelados mexicanos, entre ellos el arzobispo de México, José Mora y del Río. Previamente éste había mantenido una entrevista con Adalberto Tejeda, ministro de Gobernación. Allí el funcionario le dijo de manera taxativa: "Ustedes son los jefes de la revolución". A lo que por los seis contestó Mora y del Río: "Señor, el Episcopado no ha promovido ninguna revolución. Pero ha declarado que los seglares católicos tienen el derecho innegable de defender por la fuerza los derechos inalienables que no pueden proteger por medios pacíficos". A lo que Tejeda replicó: "Esto es rebelión". Contrarreplicó el obispo: "Esta es legítima defensa contra la tiranía injustificable".

La idea general era que si bien los obispos "no amparaban" la rebelión de los católicos, éstos estaban en su derecho al enarbolarla.

2. El recurso a la Santa Sede

Con el fin de verse confirmado en su posición, el Comité Episcopal resolvió enviar un obispo a Roma en orden a que hiciese de intermediario ante el Santo Padre. Para dicho propósito fue elegido el obispo de Durango, monseñor José María González y Valencia, quien se dirigió a la Santa Sede acompañado de otros dos obispos. El Papa los recibió con afecto. Ellos le rogaron que hiciera pública una encíclica sobre la situación de México. "*Lo faremo*", prometió el Santo Padre. Y lo cumplió. Fue la encíclica *Iniquis afflictisque,* inspirada en el memorial presentado por los obispos. Los enviados le preguntaron al Papa cuál debía ser la actitud de los obispos en relación con los cristeros. "No les digan nada. Que ellos, que están sobre el terreno, hagan lo que crean conveniente". Uno de los monseñores acompañantes, Méndez del Río, preguntó: "¿De qué manera nosotros debemos ser imparciales?" El Papa, dando un golpe de puño sobre su escritorio, contestó: "Nosotros no podemos ser imparciales, debemos estar siempre del lado de la justicia".

Esta tesitura se mantendría por algún tiempo en Roma. Un año más adelante, en junio de 1928, monseñor González y Valencia escribiría desde Europa al presidente del Comité Episcopal: "El cardenal Gasparri ha dicho que los católicos armados hacían uso de sus derechos. Además [...] los teólogos de Roma, tanto de la Gregoriana como del Angélico, han declarado la licitud del movimiento".

Habiendo monseñor Díaz y Barreto, en abierto antagonismo con las declaraciones episcopales, calificado a la gesta cristera de "revolución", siendo precisamente lo contrario, la Comisión de Obispos Mexicanos residentes en la Santa Sede y alojada en el Colegio Pío Latino Americano, le envió una carta muy dura, llena de indignación. Entre otras cosas allí se decía: "Sobre este particular son muy recientes las declaraciones que desde su cátedra en la Pontificia Universidad Gregoriana el P. Vermeersch S.J., uno de los más insignes moralistas de la Iglesia Católica, en una lección dada el pasado 3 de febrero [de 1927], dijo textualmente: «Hacen muy mal aquellos que, creyendo defender la doctrina cristiana, desaprueban los movimientos armados de los católicos mexicanos. Para la defensa de la moral cristiana no es necesario acudir a falsas doctrinas pacifistas. Los católicos mexicanos están usando un derecho y cumpliendo con un deber». Estas palabras, escuchadas por muchísimo auditorio, compuesto de estudiantes eclesiásticos de todas las nacionalidades, entre ellos, un buen número de mexicanos (130), hicieron profundísima impresión y fueron acogidas en todas partes con la satisfacción más grande".

El *Osservatore Romano*, por su lado, ya en agosto de 1926, había publicado un largo artículo titulado "La verdadera causa de los actuales desórdenes en México. Contestación al presidente Calles", que la Secretaría de Estado del Vaticano envió tres días después oficialmente, como criterio pontificio, a los nuncios y delegados de Roma, así como al cuerpo diplomático acreditado en la Santa Sede. Allí se decía que de hecho los católicos mexicanos no habían podido "unirse y organizarse para intentar una defensa por medios legales", porque la Ley Calles se lo prohibía estrictamente bajo las penas más graves. "No queda, pues, a las masas –añadía el artículo– que no quieren someterse a la tiranía, y a las cuales no detienen ya las exhortaciones pacifistas del clero, otra cosa que la rebelión armada", pues todos los medios pacíficos empleados hasta la fecha no habían dado los resultados apetecidos. Para terminar: "Sobre la base de la Ley Calles, que destruye todos los principios del catolicismo, todo acomodamiento es imposible".

III. Cómo se concretó el levantamiento y su ulterior organización

Entremos ahora en la consideración del tema central del presente curso, a saber, lo que fue y cómo se desarrolló la gesta de nuestros hermanos católicos en aquellos tiempos aciagos y gloriosos a la vez. Hemos señalado que, a poco de entrar en vigor la suspensión del culto público, ya habían comenzado los enfrentamientos, si bien en puntos determinados, por ejemplo en el santuario de Guadalupe de la tan católica Guadalajara, con muertos de ambos lados. Al día siguiente, sucedió algo parecido en Sahuayo. Cuando se procedió a la clausura del templo, los soldados se toparon con la resistencia armada de los vecinos, muriendo allí el párroco y su vicario. Lo mismo en otros lugares. Era el umbral de la guerra cristera. El 15 de agosto fue asesinado en un pueblo de Zacatecas el párroco juntamente con tres jóvenes de la Liga. Siete días después había mucha gente en pie de guerra, aunque sin armas, fuera de algunas rudimentarias escopetas. Así, entre agosto y diciembre de 1926 se produjeron alzamientos locales y espontáneos, unos 64, la mayor parte de ellos en Jalisco, Guanajuato, Michoacán y Zacatecas.

Pero los hechos ocurridos en 1926, fueron casos aislados. Luego el conflicto se generalizó. Ya en los primeros días de enero de 1927, todo el territorio controlado por la Unión Popular, o sea, el estado de Jalisco y las zonas aledañas, acató la orden de levantamiento general decidido pocos días antes por aquella organización. El 1° de enero, unos veinte de sus jefes se habían reunido y allí juraron "defender la Santa Causa de Cristo Rey y de Nuestra Señora la Virgen de Guadalupe hasta vencer o morir". A partir de entonces comenzaron a juntarse grupos de ocho a quince personas, gente de rancho, por lo general, que no contaban sino con machetes, guadañas y rifles viejos de tres tiros, y que se dirigían a los lugares de combate entonando cánticos en honor de la Guadalupana. "Tropas de María, vamos a la guerra", cantaban. Mientras tanto, grupos de mujeres avanzaban de rodillas, en señal de penitencia. También en el sur hubo levantamientos. Las noticias corrían sembrando ganas de imitar a los insurrectos: "Los de San José andan levantados", "los de Pueblo Nuevo también", "se pelea en...". Un testigo nos relata que daba lástima ver a aquellos voluntarios con armas tan precarias, llevando vestidos remendados, montando en pelo o yendo a pie.

Obviamente no nos resultará posible desarrollar la sucesión de los hechos que jalonaron los tres años que duró el enfrentamiento. Lo ha hecho de forma magistral y bien detallada Jean Meyer en su tan instructivo como fundamental libro *La Cristiada*, especialmente en el primero de sus tres volúmenes, donde va pormenorizando dicha guerra año por año y región por región. Considerándola más en general, la divide en seis fases: *la incubación*, de julio a diciembre de 1926; *la consolidación*, de julio de 1927 a junio de 1928; *la prolongación* del conflicto, de agosto de 1928 a febrero de 1929; *el apogeo* de los cristeros, de marzo a junio de 1929; y su *licenciamiento*, cuando los llamados "arreglos". Otro autor que relata los hechos bélicos con un análisis particularizado es Antonio Rius Facius en su espléndida obra *México cristero*, que abarca dos tomos.

1. Guadalajara, corazón del levantamiento

Bien ha escrito Enrique Díaz Araujo: "Allí hubo un pueblo que resistió la descristianización violenta con vigor y fortaleza. Y hubo una levadura que se expandió desde su capital natural, Guadalajara. Un fermento, una élite, heroica y eficiente, que organizó la resistencia –primero pacífica y después armada– del pueblo". Sin un monseñor Orozco y Jiménez, arzobispo de dicha sede, agrega, sin la Unión Nacional de la ACJM, sin la Unión Popular Jalisciense (UP), que fundara nuestro querido Anacleto con la colaboración del inefable Miguel Gómez Loza y del periódico "Gladuim", no se hubiera quizás gestado la epopeya. Fue, al decir de Meyer, una guerra que se debió "a una población mucho más que a una geografía", la de Los Altos de Jalisco.

A juicio de Silviano Hernández, autor del libro *Cristera Guadalajara*, el liderazgo jalisciense de este glorioso emprendimiento tiene un origen prevalentemente religioso. Ya desde los comienzos del siglo XIX, aquel territorio había afirmado un liderazgo católico. El magnífico mestizaje cultural que allí tuvo lugar logró suscitar una auténtica identidad regional, preñada de religiosidad. Tales antecedentes explican por qué al estallar la persecución religiosa en todo el país fuese la diócesis de Guadalajara una de las más destacadas protagonistas en el conflicto. Porque, destaca Hernández, el levantamiento de Guadalajara se inspira o al menos coincide misteriosamente con la guerra de la Vendée en la Francia revolucionaria de 1795, con las Cruzadas, con la teoría de la guerra justa, e incluso con el libro bíblico de los Macabeos.

No deja de resultar grotesco, pero cuando se declaró el boicot del que hemos hablado, idea táctica en que tuvo parte principal Anacleto y la Unión Popular, a Calles no se le ocurrió otra cosa que burlarse de aquella iniciativa, arguyendo que Jalisco era "el gallinero de la República". Sin embargo, como años después se lo comentó a Meyer un ranchero mexicano, "dentro de ese gallinero les salieron puros gallos que le dieron fatiga". ¡No eran tan gallinas!, según se pudo ver.

2. De guerrilla a ejército

Militarmente hablando, el levantamiento comenzó, por así decirlo, de la nada. De todas partes provenían multitudes incontables, sin armamento adecuado, simplemente preguntando dónde podían ir a luchar. Bien hace Meyer en comparar dicha movilización caótica con aquella Cruzada popular que en la Edad Media encabezó Pedro el Ermitaño. Un ranchero hablaría de "la necesidad de ir consiguiendo nuestra carabinita por si las moscas". No deja de ser edificante el que todos quisieran tomar parte en el gran combate, y de hecho cada cual logró hacerlo a su modo, unos luchando, otros rezando, otros colaborando como pudieran con los guerreros. Todos se consideraban "cristeros", unos "bravos" y otros "mansos". Mas el propósito era el mismo. Combatir o rezar, serían las dos principales maneras de actuar, pero en estrecha colaboración. La oración constituiría la logística de la batalla. Por lo demás es preciso decir que la decisión de ir al combate fue totalmente personal, sin esperar ninguna exhortación del episcopado.

Buena parte de los combatientes provenían del campo. Bien hace Navarrete al destacar cómo el ideal de los cristeros estaba muy ligado a la tierra, que defendían de los ataques del enemigo. Eran, por lo general, gente simple y humilde; ni siquiera los jefes provenían de la clase media o alta, sino más bien del pueblo sencillo, católico hasta los tuétanos. No pocos de ellos, observa Meyer, eran analfabetos; cerca del 60% no había ido nunca al colegio. Pero tenían una cultura de fondo, lo que pudo advertir de manera fehaciente en las conversaciones que con ellos mantuvo, tan respetuosas de las formas, con comienzo y saludo final. Tratábase de una cultura fundamentalmente oral, agrega, que había echado raíces en el catecismo del padre Ripalda, redactado por su autor en forma de preguntas y respuestas, y aprendido de memoria por sucesivas generaciones de niños, y se había consolidado gracias a las representaciones teatrales profanas y sagradas que, como acontecía en la Edad Media, se daban en los atrios de las iglesias.

Meyer encuentra prodigioso el modo de hablar de estos hombres que, como le decía una señora, está lleno "de sentencias agudas, refranes, astucias, chistes y estratagemas sutiles e ingeniosas que causan asombro y admiración", un vocabulario que incluye términos no frecuentes en el uso común y que revelan un fondo de cultura, por ejemplo las palabras abismo, abominación, adversidad, anatema, alfa y omega, Babilonia, belleza, bienaventurado, casuista, censura, esbirros, corceles, quimera, joyel, saciedad. Clodoveo y Juana de Arco eran para ellos personajes familiares, así como Carlomagno y los Doce Pares de Francia. Uno de los cristeros, Aurelio Acevedo, que después de terminada la guerra fue confidente de Meyer, mostraba la conciencia que tenía de dicha dignidad al decirle: "Me siento orgulloso de ser ranchero, porque éste es siempre exento de politiquerías, triquiñuelas y bajezas de los ciudadanos. El modo de ser ranchero es ajeno a la hipocresía y al doblez de la política de las ciudades".

Así era la gente que fue al combate. No deja, por lo demás, de resultar asombroso cómo personas pacíficas, que siempre habían visto a los sucesivos revolucionarios con horror, pudieron dar ahora la bendición a sus hijos que se despedían para ir a la lucha. Uno de ellos decía: "El gobierno todo nos quita, nuestro maicito, nuestras pasturas, nuestros animalitos, y como si les pareciera poco quieren que vivamos como animales sin religión y sin Dios. Pero esto último no lo verán sus ojos, porque cada vez que se ofrezca hemos de gritar de veras ¡Viva Cristo Rey! ¡Viva la Virgen de Guadalupe! ¡Viva la Unión Popular, muera el Gobierno!". Meyer lo vio bien claro. Fue, de veras, una reacción popular, casi instintiva, de autodefensa, al ver conculcada la religión que ellos amaban. Lo único que sabían los campesinos era que llegaban los soldados, detenían a los sacerdotes, fusilaban a los que protestaban, ahorcaban a los prisioneros, incendiaban las iglesias y violaban a las mujeres. Ante tantos atropellos les pareció necesario rebelarse, como lo más natural del mundo. Ya habían tolerado muchos desmanes del gobierno en otros campos, pero jamás iban a permitir que Cristo y su Iglesia fueran burlados. Y así se lanzaron al combate, ante la estupefacción general, pastores incluidos.

Toda la familia se involucró, nos sigue informando Meyer, tres generaciones de hombres y mujeres: los ancianos servían de mensajeros mientras se quedaban trabajando la tierra, los jóvenes hacían la guerra, las mujeres cuidaban, aprovisionaban y vestían a los combatientes. Es claro que este ingreso masivo de campesinos en los efectivos cristeros, trajo consigo no pocas debilidades, militarmente hablando, por ejemplo la tendencia a obrar según su antojo, haciendo cada cual su propia guerra; o también el creerse autorizados a expresar su opinión y criticar las órdenes de los jefes. Con no poca frecuencia los efectivos eran fluctuantes. A veces, cuando se iniciaba la temporada de lluvias, los voluntarios abandonaban la lucha para atender a sus siembras. Como dijo un testigo de los hechos: "Muchos se turnaban; yo conocí familias que una vez iba el padre, otra vez un hijo y otra vez el otro". A veces los combatientes se alejaban porque hacía tiempo que no tenían noticias de su familia; otros pedían permiso para ir a trabajar, y poder así ganar un poco de dinero porque sus padres estaban en la miseria. A veces era un escuadrón entero el que se retiraba por un mes. Claro que ello aconteció sobre todo a los comienzos. Con el correr del tiempo las cosas se fueron disciplinando.

En cuanto a las edades de los voluntarios eran muy diversas. El 54% tenía menos de 30 años, el 30% entre 30 y 40 años, pero también había chicos de 12 a 15 años. Los jefes trataban de disuadir a estos últimos cuando querían enrolarse, pero ellos insistían, aportando cada cual su caballo y algún fusil. Entre los incorporados se encontraban también numerosos miembros de tribus de indios, sobre todo de los que vivían en pueblos de montaña: coras, tepehuanos, huicholes y colimotes. Eran grupos ya muy cristianizados, provenientes a veces de las misiones jesuíticas.

Según lo hemos señalado, al principio tenían pésimo armamento, pistolas viejas o carabinas elementales. Pero como eran excelentes cazadores, sabían dar fácilmente en el blanco. Es cierto que al tener tan pocos pertrechos debían economizar los cartuchos. Luego les arrebatarían las armas a los enemigos vencidos. Su modo privilegiado de combatir era al estilo de los comandos, dando golpes de mano, que desmoralizaban a los "federales", como se llamaban los efectivos del gobierno. Por lo demás, estos hombres que "se habían juntado" aquí y allá en torno a un *compadre*, tenían la ventaja de conocer muy bien el terreno, atacando y sorprendiendo al enemigo con tanto atrevimiento como eficacia.

Todos los generales del ejército federal coinciden en destacar el apoyo que daban los civiles al movimiento cristero; "la gente que se dice pacífica –declara uno de ellos– fue la que sostuvo el movimiento, la de todos los pueblos". El mismo Calles se asustó cuando un general le dijo: "Los levantados están protegidos por todos los habitantes". Tal es la razón, advierte Meyer, por la que los cristeros entraban en los pueblos y salían de ellos sin mayores dificultades, ya que la población simpatizaba con ellos. En cada uno de esos pueblos había responsables que cubrían las diversas necesidades de los que luchaban, desde la alimentación hasta el alojamiento de los que estaban en tránsito, la información de los movimientos del enemigo y el entierro de los caídos en combate. Aurelio Acevedo decía: "No se ha gastado un solo centavo en comida, pues las rancherías ocurren en favor de los católicos combatientes". A veces los mismos que llevaban alimentos, transmitían mensajes aprendidos de memoria. La relación era diametralmente diversa a la que los del ejército callista mantenían con las poblaciones de los pueblos, quejándose de que a ellos no les daban comida a no ser que la compraran o la arrebataran por la fuerza. Incluso algunos intendentes de los pueblos colaboraban con los nuestros. Todo esto lo pagaban muy caro los civiles y en cuanto los federales descubrían algún colaborador lo fusilaban o lo colgaban en el acto. Más aún, a veces la represión se ejercía a ciegas sobre la población entera.

Un general callista decía que sólo el "fanatismo" podía sostener a los cristeros, durmiendo a la intemperie, siempre temiendo la llegada del ejército regular. "¡Una vida de perros!", según aquel general. Carecían, por lo común, de servicios médicos; si algún doctor o enfermero los atendía, se hacía pasible de ser fusilado, sin previo juicio. Tampoco contaban con gente que les proporcionase regularmente agua y comida. Pero lo más grave fue siempre la falta de armas y de municiones. Señala Meyer que en los combates las piedras desempeñaban a veces un papel decisivo; las hacían rodar de la cumbre sobre el enemigo que pasaba por abajo. Un cristero nos cuenta: "La caballería [del ejército federal] metía espuelas a los caballos y cada vez era rechazada no solamente con balas sino también con piedras. Y los guachos [así llamaban a los callistas] gritaban: «Cristeros muertos de hambre, ustedes pelean con padrenuestros y avemarías", y los cristeros respondían: «Si, ahí les va un avemaría", y era un peñasco que les dejaban ir cuesta abajo. Otro les decía: «Ahí les va un padre nuestro», otro «ahí les va un torito, toréenlo»". Los insultos de trinchera a trinchera eran incesantes, enardeciendo a quienes los proferían: "Si no se rinden, nos llevaremos a sus mujeres para j..." "¡Viva Cristo Rey, hijos de p...". "¡Viva el demonio!". A veces se empeñaban, como en la Edad Media, combates singulares. En fin, según se ve, todo era muy precario y casero. De parte cristera una lucha estilo guerrilla, bastante anárquica, por cierto. Como escribe Meyer, "este ejército desafiaba a un ejército que lo aventajaba en todos los terrenos menos en uno: el del sacrificio".

Pero de esta nada inicial, se fue constituyendo, poco a poco, un ejército disciplinado y compacto, de modo que con el tiempo "pasaron de la partida al escuadrón, del escuadrón al regimiento, y del regimiento a la brigada, hasta llegar a las divisiones". Y así, "en tres años, los cristeros pasaron de la partida anárquica al ejército constituido que, por poco que tuviera con qué disparar, derrotaba, en igualdad de fuerzas, a la mejor tropa federal".

Ya ahora podemos hablar de grados castrenses, de unidades militares y de cantidad de efectivos. El jefe cristero Navarro Origel mandaba 7.500 hombres y dominaba gran parte de la costa de Michoacán. En Colima, Jalisco y el sur de Zacatecas, había 10.000 más. En Guanajuato 800 y en el estado de México 1.500. A fines de 1927 operaban, en total, 20.000 hombres en forma regular, y 10.000 más, de manera intermitente, en 17 estados de la República. Ello equivalía ya casi a la mitad de las tropas con que contaba Calles, si bien éstas tenían, como ya lo señalamos, un enorme margen de superioridad en armas y recursos económicos. En el segundo semestre de 1927 ocurrirían de siete a diez combates diarios en diferentes sitios.

Cada unidad tenía su nombre: Regimiento de San Julián, Carabineros de Los Altos, Tiradores del Cerro de Ayo, Dragones del Catorce [tal era el apodo de Victoriano Ramírez], después llamada de San Miguel, Regimiento Gómez Loza...

El año 1928 registró una novedad inesperada, a saber, la incorporación de antiguos villistas y zapatistas en las filas cristeras. Los viejos villistas vieron en esta guerra una ocasión de purgar los delitos que habían cometido en las precedentes. Ello lo concretaban evitando robar, tener otra mujer que la legítima esposa, perdonando a los enemigos que lograban detener, etc.

Estamos ya lejos de aquellas luchas al estilo de los guerrilleros o de los comandos. Ahora el ejército cristero podía enfrentar al ejército federal, con instrucción militar y disciplina castrense. El problema principal, nos dice Meyer, siguió siendo el de las municiones. Para solucionarlo necesitaban dinero, única manera de adquirirlas; eran casi más importante que las armas, ya que éstas podían arrebatárselas en combate a los federales. ¿Cómo obtenerlas? No, por cierto, de los ricos y estancieros, ya que, como confesó un cristero, "ellos fueron nuestros peores enemigos que, como el joven rico del Evangelio, dejan a Dios por la riqueza". De ahí que se vieran obligados a exigir empréstitos forzosos, que se comprometían a reintegrar cuando les fuese posible. O también compraban municiones a los traficantes. No deja de ser ridículo que la versión oficial de la Cristiada, la que se enseñó por años en los colegios públicos, no vacilase en describir el levantamiento de los cristeros como si se hubiese tratado de una rebelión de los "ricos" contra el pueblo humilde. Fue todo al revés . Entre los combatientes, sólo el 14% fueron pequeños propietarios, la mitad de los cuales poseían menos de cinco hectáreas. El 60% vivía del trabajo de sus manos; eran "braceros", agricultores, carpinteros, panaderos, albañiles, obreros, o bien ejercían oficios manuales.

En cierta ocasión, el general Degollado dijo a sus subordinados: "Convencido estoy de que no debemos esperar nada de nuestros ricos hermanos; continuaremos la lucha como hasta ahora ha sido, ayudados por Dios, por nuestra clase media y por la humilde, que si bien lo vemos, con eso nos basta". Para allegar fondos la Liga se vio necesitada a emitir bonos y estampillas desde cinco centavos hasta cien pesos, que decían de un lado: "Contribución para la conquista de la libertad". Y en el reverso: "El sacrificio de tus hijos muertos [...] como mártires de la fe cristiana, es el toque de lucha para la libertad. Gravísimo deber nos apremia a reconquistarla con nuestro dinero o nuestra sangre. Liga Nacional".

No faltó quien pensara que quizás algún día los católicos de los Estados Unidos podrían decidirse a ayudar con sus recursos a la Causa. Pero la ayuda, salvo raras excepciones, fue meramente moral: algunas protestas ante el Congreso norteamericano, noticias periodísticas u oraciones... Y es que al ciudadano norteamericano, abrevado en el liberalismo democrático, e incluso a la Jerarquía eclesiástica, le tenían que resultar antipática la idea misma de una especie de guerra religiosa. Y además temían quedar mal con la Casa Blanca, que de hecho ayudaba al gobierno de Calles. En 1926, el gobierno de Estados Unidos había decretado el embargo de armas, si no era para el gobierno de México, medida que sólo levantó en 1929, al término de la guerra cristera.

Los hechos confirman esta falta de colaboración de la Iglesia. En septiembre de 1926 René Capistrán Garza, junto con varios compañeros de la ACJM, se dirigieron a Estados Unidos llevando documentos del Comité Episcopal, de la Liga y del arzobispo de México para ser entregados a la jerarquía católica de aquel país. Uno de los obispos de Texas, el de la diócesis de Corpus Christi, les dijo: "Nada se puede hacer. No tienen simpatía los mexicanos en esta diócesis", precisamente uno de los territorios injustamente arrebatados a México. Otro obispo sacó su billetera y les dio diez dólares; otros, más generosos, veinte, treinta o cincuenta dólares. No alcanzaban ni para pagar el viaje. El arzobispo de San Luis, al oírles relatar las canalladas del régimen, golpeó la mesa: "Si en Estados Unidos pasara eso los católicos lo aplastarían", exclamó indignado. Al oírlo, los emisarios cobraron esperanzas. Pero todo acabó con un billetito de cien dólares. ¡Era algo más que sus colegas anteriormente visitados! En Boston, el cardenal los recibió afablemente, y tras escuchar con atención lo que le relataron, los exhortó a sufrir con paciencia las pruebas que Dios les estaba mandando. Así terminó esa gira. En otros países, como Brasil, Argentina, Uruguay, Colombia, Chile, Canadá, Alemania, Suiza, Irlanda, Inglaterra, Hungría, España y Bélgica, sólo recibieron aliento y algunas expresiones de protesta en su favor.

El ejército cristero quería ser verdaderamente católico. Por eso sus jefes se preocuparon de la moral de las tropas no menos que de la dirección de la guerra. Ezequiel Mendoza, antes del rosario cotidiano, así adoctrinaba a sus soldados: "Debemos ser bravos como leones con los enemigos, pero no tiranos como lo son ellos con nosotros; debemos ser honestos en todo, tomaremos de los bienes lo que ocupemos para vivir y pelear, pero no somos ladrones de los bienes ajenos". Ello contribuyó, afirma Acevedo, a que "las fuerzas cristeras dejaran de ser chusma para convertirse en un ejército disciplinado y moral".

3. Las autoridades cristeras

Pronto los cristeros ocuparon extensiones grandes, Estados enteros de México. Cuando entraban en un pueblo, lo organizaban enseguida, instaurando en ese nuevo espacio "liberado" un gobierno militar y un gobierno civil. Si bien se trataba de gobiernos de guerra, nos informa Meyer, instaurados a partir de una victoria militar, cuyo designio primordial era organizar al pueblo para que formara un todo con el Ejército Cristero, los nuevos mandatarios tenían bien en claro que toda su legitimidad provenía de haber sucedido al gobierno de la tiranía allí depuesto. Aun cuando su perímetro de trabajo era local, agrega, sabían que estaban trabajando en pro de una reconstrucción nacional, que se puede calificar de contrarrevolucionaria, ya que estaba en ruptura total con el ideario de la Revolución mexicana. Las nuevas autoridades eran elegidas sobre la marcha, por aclamación. No nos parece que se tratara de un acto de ejercicio de "soberanía del pueblo", porque dicho concepto, de origen revolucionario, no podía tener lugar en el ideario tradicionalista de la Cruzada.

Un Comité Especial de la Liga fungía de autoridad suprema de los cristeros, tanto en el campo civil como en el ámbito militar. Obviamente que al principio los jefes locales carecían de experiencia en el manejo de los asuntos políticos y militares, pero poco a poco fueron adquiriendo conocimiento en ambas ramas de la dirigencia.

Si atendemos al *ámbito político*, lo primero que advertimos es que los pueblos y las ciudades eran organizados a partir de las manzanas. En cada una de las localidades el jefe nombrado cubría los puestos administrativos y judiciales del gobierno cristero. Por sobre estos gobiernos locales había gobiernos regionales, que tenían autoridad sobre zonas e incluso estados. En el estado de Jalisco los jefes civiles fueron casi siempre los mismos dirigentes de la UP, por ejemplo Miguel Gómez Loza, el gran amigo de Anacleto. Diversas eran las obligaciones de las autoridades locales, entre las cuales mantener vivo y fuerte el entusiasmo en favor del movimiento, auxiliar al jefe civil de la zona, cooperar con el ejército en todo lo que fuese posible, sobre todo en lo que tocaba al reclutamiento y pertrechos, organizar y dirigir el servicio de correos, ayudar a las familias de los soldados así como a las viudas y huérfanos, lograr que se hiciera justicia, propiciar el espionaje en torno a los movimientos del enemigo, etc. Cada gobierno civil contaba con seis comisiones principales: finanzas, guerra, publicidad, beneficencia, información y justicia. Ni debían descuidar la moral pública, luchando contra la prostitución, el concubinato, el adulterio y la venta de alcohol. Hasta se llegó a fusilar a un combatiente que había robado maíz a un campesino. Como era de esperarse, los jefes políticos cristeros se sentían en mucha mayor sintonía con el pueblo que las anteriores autoridades del oficialismo, por la comunidad de ideas y de ideales.

Pasemos al *área militar*, también dependiente de la Liga. En agosto de 1926, esta entidad nombró jefe supremo del movimiento armado a René Capistrán Garza. Señala Meyer que los jefes, cualquiera fuese su grado, eran reconocidos como tales por sus subordinados aun antes de que confirmaran su título las autoridades superiores. Los primeros jefes fueron aquellos que tuvieron la iniciativa de tomar las armas. Lo que más se apreciaba en ellos era el coraje y la experiencia militar, a veces por haber participado anteriormente en las campañas del villismo o del zapatismo. Por lo común, dichos jefes provenían del mundo rural, tan analfabetos algunos como sus subordinados. Otros eran estudiantes universitarios, como Navarrete, o militares de carrera, como el general Gorostieta. Pero la mayoría eran de extracción muy humilde, incluidos peones, como Victoriano Ramírez, "el Catorce", de quien hablaremos más adelante. Entre jefes y soldados reinaba una comunión de fondo: de hecho la tropa reconocía gustosamente a sus comandantes, cuyo prestigio residía sobre todo en su capacidad de hacerse obedecer y su ardor en el combate.

En este campo pronto se destacó una figura muy importante, la del general Gorostieta. Porque, como lo señalamos páginas atrás, durante los primeros meses del conflicto, de agosto de 1926 a enero de 1927, los diversos grupos operaban todavía de manera autónoma y hasta un tanto anárquica, dentro de los límites de la geografía que les era familiar. Quien tuvo el mérito de organizar ese ejército, tan fluido, en mandos y zonas militares fue Enrique Gorostieta Velarde, militar de carrera, oriundo de Monterrey, que aceptó unirse al movimiento por invitación y encargo de la Liga. Él no era católico sino agnóstico, un hombre de mentalidad liberal, en el sentido decimonónico del término. Cansado de sus antiguos compañeros revolucionarios, había pedido el pase a retiro, pero la vida civil le aburría. Fue entonces cuando los cristeros lo invitaron a encabezar sus huestes, ofreciéndole un sueldo mensual, como general mercenario.

La convivencia con sus nuevos subordinados lo llevó a una revisión de toda su manera de pensar y fue despertando en él una admiración creciente por la Causa en favor de la cual aquellos hombres combatían, hasta llegar a identificarse con el movimiento. Heriberto Navarrete, que fue edecán del general, lo describe como un hombre elegante, decidor, bromista, pleno aún de juventud física y espiritual. En una de sus cartas, Gorostieta relata cómo en todas partes lo recibían de manera conmovedora, lo que lo decidió "a seguir luchando si es preciso toda la vida hasta conseguir la verdadera libertad para estos corazones grandes y puros". En otra carta le decía a un amigo que vivía en Estados Unidos que se había comprometido en este combate, "ayudado de Dios y aprovechando el esfuerzo viril de esta masa de hombres de buena voluntad, que se han decidido a salvar su patria. Para lograrlo han hecho despliegue de las más excelentes virtudes militares que yo mismo me encuentro sorprendido; he logrado crear, o más bien dar forma a una fuerza incontrastable que pone en aprietos al tirano".

Gorostieta entró así en la epopeya, manteniendo siempre la debida subordinación a las autoridades de la Liga en el campo militar. Tras tomar el mando emprendió una impresionante labor de organización, coordinación y jerarquización en las estructuras castrenses de los cristeros. Como bien escribe Meyer, la seducción que ejercía sobre los combatientes era exactamente proporcional a la que los campesinos católicos ejercían sobre él. El militar y el hombre habían sido conquistados por los combatientes cristeros, a tal punto que el liberal agnóstico se fue volviendo, en cierta manera, cristiano en medio de los suyos, a quienes tanto admiraba. "Con esta clase de hombres, ¿crees que podemos perder? –le decía a un confidente suyo–. ¡No, esta causa es santa, y con tales defensores es imposible que se pierda!". En cierta ocasión, estando en San Julián, se le acercó un mendigo que le dio veinte centavos para colaborar con la Causa. Conmovido, dijo a su asistente: "Si la Causa se pierde será porque no sepamos defenderla; pero no, no se puede perder". Así llegó a identificarse con los ideales cristeros, lo que no le impidió conducir a sus tropas con mano de hierro, al tiempo que se alegraba de tener bajo su mando a los mejores soldados que jamás tuviera a sus órdenes.

Hasta entonces, los cristeros no habían podido formar frentes de combate, debiendo limitarse a la guerra de guerrillas, o, según dice Borrego, a acciones más o menos audaces de "pega y corre". El cambio fue total. La simbiosis resultó perfecta: el oficial de carrera, el alumno brillante de los institutos militares, comenzó adaptándose a la guerra de guerrilla, pero los combatientes le devolvieron todo su apoyo, el carácter voluntario de su servicio y el entusiasmo por la Causa, acabando por convertirse en un ejército regular, es decir, sometido a las reglas castrenses. Como escribe Azkue: "El ejército federal contaba con medios pero no tenía el apoyo popular ni espíritu de combate. Los cristeros, por su parte, contaban con el apoyo popular, luchaban por un ideal pero les faltaba capacidad de vertebrar un ejército regular". Gorostieta acabó por realizar la transformación necesaria.

Su severidad castrense así como su anhelo de convertir a los suyos en un ejército realmente efectivo, se manifiestan en la siguiente circular del 27 de diciembre de 1927:

En el corto tiempo que llevo en convivir con nuestras fuerzas [...] he comprobado una falta completa de obediencia a las órdenes de los jefes y oficiales, y en los casos en que se insiste una orden es patente la flojedad y tardanza en cumplir [...] Por otra parte, he tenido que ver con asombro que como cosa corriente nuestros soldados están acostumbrados a pasar la mayor parte del tiempo en sus casas; que abandonan las filas con cualquier pretexto y merodean en pequeñísimos grupos, fáciles víctimas para el enemigo [...] Yo, como encargado por la Liga Nacional de la organización de nuestras fuerzas, como responsable ante ella y ante la nación de la moralización de la misma, convencido de que nunca obtendremos el triunfo mientras estas condiciones no varíen [...] Es patente la obligación que tenemos como ciudadanos de tomar las armas para defender las libertades públicas conculcadas y, como católicos, la de obtener la libertad de nuestra Iglesia. Aceptaría como razón de nuestra desorganización el que no somos soldados, pero debemos procurar hacernos soldados cuanto antes, ya que con soldados y sólo con soldados se hace la guerra [...]

He determinado hacer una selección de nuestras tropas, que se ejecutará en la forma siguiente: al recibo de la presente orden, se hará saber a nuestras tropas que, a partir de esa fecha, todo individuo que quiera tener el honor de hacerse soldado de Cristo, deberá jurar las obligaciones siguientes: a) Queda obligado a servir cuando menos seis meses, sin separarse del servicio, bajo pena de ser considerado como desertor al frente del enemigo. b) Queda obligado a obedecer ciegamente a los superiores [...] c) Queda obligado a no embriagarse mientras sea soldado de Cristo. d) Queda obligado a soportar, sin recompensa pecuniaria alguna, todas las privacio-

> nes que acarrea una campaña, y por ningún motivo podrá quejarse de la mala calidad o corta cantidad de los alimentos, de que es mucha la fatiga o muy pesado el trabajo [...] Todos aquellos que no estén dispuestos a prestar el juramento, serán dados de baja, recogiéndoseles armas y caballos [...]

Ya en febrero de 1928 estimaba Gorostieta que sus cristeros habían superado el estadio de la guerra de guerrillas. Ahora se respetaban las jerarquías y el verticalismo. Ningún subalterno se había levantado o le había negado la obediencia, y ello en el seno de una admirable camaradería entre los oficiales y los soldados. Fue uno de los logros del joven general. Por lo demás, y más allá de sus evidentes cualidades castrenses, no careció de visión política, ya que intentó acercarse al gran escritor José Vasconcelos quien, en la misma línea de los cristeros, buscaba la toma del poder, si bien por medios políticos. En una carta de éste a Gorostieta le dice: "Parece que el único que pensaba entre mis enemigos y lo dirigía todo con astucia, Morrow, vio eso mismo; de allí el empeño que tuvo de rendir a los cristeros antes de las elecciones".

Volviendo al campo militar, la Liga dividió la región de Los Altos en zonas, encargando cada una de ellas a un general. Gorostieta fue nombrado jefe de las fuerzas cristeras en el estado de Jalisco. A esta altura, ya estaba identificado con los suyos. "Los jóvenes de la ACJM –decía– son un elemento superior para formar oficiales", y añadía que no deseaba "contar para formar su oficialidad más que con jóvenes pertenecientes a esa asociación". ¿Por qué? "Porque ellos saben combatir y saben morir de tal manera que se pueden poner como ejemplo a los militares más completos. Teniendo en cuenta la preparación que se tiene en la ACJM será posible constituir un nuevo ejército nutrido de nobles ideales, y por tanto un ejército nacional que sepa lo que es honor". De hecho la ACJM envió a centenares de jóvenes a la batalla, primero pacífica, y luego sangrienta. En agosto de 1928 Gorostieta fue nombrado por el Comité Directivo de la Liga jefe supremo de todas las regiones. El hasta entonces llamado Ejército Libertador pasaría a denominarse "Guardia Nacional".

El final de Gorostieta fue tan trágico como heroico. Ya no se daba un momento de reposo, viajaba incesantemente de un lugar a otro, disponiendo nuevos ataques y atendiendo asuntos de índole civil. En cierta ocasión se encontraba descansando en una cañada. De pronto advirtió que su grupo se encontraba rodeado de enemigos. Montó a caballo, tomó en sus manos el crucifijo que llevaba al pecho, lo miró, y se lanzó a toda carrera hacia la salida. Una descarga cerrada mató al caballo, y él debió regresar al interior del caserón. "¿Qué hacemos, mi general?", le preguntaron. "Pelear como los valientes y morir como los hombres", respondió. El cerco era compacto. "¿Quién vive?", preguntó el enemigo. "¡Viva Cristo Rey!", contestó desafiante Gorostieta. Tales fueron sus últimas palabras.

4. El ejército federal

Hemos descrito la tesitura del soldado cristero. Digamos ahora algo de la fisonomía del soldado federal. Meyer, tras considerar que su principal debilidad era el alcohol y la marihuana, no duda en calificarlo de indisciplinado, saqueador, asesino, absolutamente desinteresado en la política y únicamente fiel a sus jefes. Mal pagado, mal alimentado, reclutado contra su voluntad para una lucha que no le interesaba, el soldado federal, que no era un soldado de carrera, no podía sino ser considerado por sus jefes como un desertor en potencia. En 1926 hubo más de 9.000 deserciones; en 1928, 28.000; en el primer semestre de 1929 más de 21.000. En cuanto a su comportamiento, las columnas federales eran depredadoras, no vacilando en apoderarse de las cosechas y de los rebaños, ni en incendiar los pastizales y los bosques, dejando un desierto tras de sí. Es claro que el método resultaba contraproducente. Como reconocía un soldado callista: "Más de la mitad de la gente que no se metía en nada, al venir el rejunte [...] se cortó y ganó pa'l monte a juntarse con los otros [los cristeros]". Por lo demás, no pocos jefes estaban interesados en prolongar la campaña para perpetuar sus prebendas, llegando incluso a vender municiones a los cristeros.

Una de las características negativas del ejército federal fue la parvedad de su caballería, al revés de los cristeros, que tenían caballos en abundancia, y eran avezados jinetes, pudiendo así arrollar sin dificultad a las tropas federales. En ello se destacaban particularmente los cristeros de Los Altos sobre las tropas de infantería del gobierno, que dificultosamente podían moverse en regiones que les eran bastante inaccesibles, e incluso sobre la escasa caballería de los federales, con caballos traídos de Estados Unidos, no aptos para este tipo de guerra y para el terreno de combate.

Las pérdidas sufridas por los cristeros durante los tres años de guerra pueden calcularse en un total de 30.000 hombres. Las de los federales fueron dos o tres veces mayores. En el ejército de Calles murieron 12 generales, 70 coroneles y 1.800 oficiales, además de los miles de soldados de línea y agraristas. El total de muertos de ambos lados se acerca a los 100.000.

En las filas cristeras se encontraban obreros y campesinos. El gobierno había hecho todo lo posible para poner trabas al sindicalismo católico que la Iglesia había fomentado, siguiendo las directivas de la encíclica *Rerum Novarum*. Fue con ese fin que se creó el sindicato único, la CROM, de que hablamos páginas atrás, liderado por Luis Morones y Vicente Lombardo Toledano, al que las autoridades eclesiásticas prohibieron afiliarse. En cuanto al campo, la Iglesia se ocupó por instaurar una sana reforma agraria, a la que se opuso, como era de esperarse, la reforma agraria propiciada por el gobierno, el cual organizó también un movimiento oficialista, el "agrarismo", cuya finalidad era la destrucción de la comunidad tradicional, basada en la solidaridad cristiana y los viejos vínculos, sustituidos por el dominio más implacable del gobierno, que dejó a los campesinos disponibles para todo proyecto oficialista, en este caso, para combatir a los cristeros en el campo de batalla.

Escribe Meyer que mientras los campesinos tradicionales, aún no ideologizados, que siguieron fieles a la Iglesia, fueron los principales integrantes de los ejércitos cristeros, los agraristas, a quienes se les prometía ser los beneficiarios de la Revolución, reservaban para los cristeros su odio más feroz. A los agraristas los cristeros los llamaban "agrios". Hay que reconocer que como soldados del callismo fueron muy ineficaces. Refiriéndose a ellos decía Gorostieta: "Si no fuera por las tropas regulares, a los agraristas solos, no importa el número que fueran, les quitábamos los rifles y los mandábamos a puntapiés para su tierra. De ranchero a ranchero yo le echo un alteño a cada cinco agraristas [...] Es evidente que esos cuerpos de irregulares no tienen una razón suficiente (y por consiguiente ausencia de ideal) para venir a luchar a Jalisco. Yo me imagino lo que pensará la gran mayoría de ellos, arrancados de sus ranchos casi a la fuerza para ser arrastrados a una aventura en la que nada les va [...] Soldados improvisados que viven suspirando por volver a su casa.

Además, por maleados que estén los campesinos mexicanos, éstos saben que vienen a pelear contra rancheros como ellos, y contra rancheros que defienden la libertad religiosa. No será mucho el coraje que desplieguen a la hora de los balazos".

El gobierno, por orden de Calles, buscó suscitar "brigadas obreras y campesinas". ¿No se habrá tratado de un remedo de la experiencia soviética, con la hoz (de los campesinos) y el martillo (de los obreros)?

5. *Las Brigadas de Santa Juana de Arco*

La colaboración en la guerra cristera de la gente del campo y de la gente de las ciudades fue diversa. Del campo salían los voluntarios civiles que querían combatir; desde las ciudades, en cambio, se colaboraba en la organización, la propaganda y el aprovisionamiento de los que luchaban en los diversos frentes. En los tiempos de la resistencia pacífica, González Flores, jefe supremo de la Unión Popular, había integrado a las mujeres no sólo en su labor de formación, sino también haciendo de ellas las más entusiastas propagandistas del boicot. Fue éste un período distendido y gozoso, pero después del encontronazo acaecido en el santuario de Guadalupe, en Guadalajara, en agosto de 1926, el recurso al boicot fue dejado de lado, y se comenzó a pensar en recurrir a las armas.

En junio de 1927 se fundó en Jalisco una nueva agrupación; las Brigadas Femeninas de Santa Juana de Arco, bajo la conducción de la Unión Popular. La Iglesia acababa de canonizar a aquella Santa guerrera. Un grupo de 17 muchachas constituyeron en Zapopan la primera de esas brigadas. Algunos días después ya contaba con 135 jóvenes. Pronto las Brigadas se extendieron por todo el país. En la ciudad de México, feudo de la Revolución, la organización empezó a funcionar en febrero de 1928. El movimiento trabajaba en la clandestinidad, imponiendo a sus integrantes un juramento de obediencia y de secreto. La estructura era jerárquica y militar, porque se la entendía como un cuerpo más de combate en la guerra cristera. Entre sus funciones se incluía recaudar dinero de los católicos mexicanos, así como conseguir municiones, que con peligro de su vida llevaban hasta los frentes de combate. Asimismo buscaban informaciones y ofrecían refugio y cuidado a los heridos y enfermos.

A pesar de las redadas del gobierno, la organización siguió funcionando hasta el último día del enfrentamiento. Su misión era altamente peligrosa ya que hacían espionaje no sólo en las zonas ocupadas sino también en las de los enemigos, tanto para averiguar sus planes como para delatar a los posibles traidores que se escondían en nuestras filas.

Cada uno de los grupos incluía, por lo general, cinco miembros, que ignoraban a quienes integraban los demás. Tras el juramento inicial, que pronunciaban al ingresar en la asociación, hacían otro posterior: "Ante Dios, Padre, Hijo y Espíritu Santo, ante la Santísima Virgen de Guadalupe y ante la faz de mi Patria, yo X, juro que aunque me martiricen o me maten, aunque me halaguen o prometan todos los reinos del mundo, guardaré todo el tiempo necesario secreto absoluto sobre la existencia y actividades, sobre los nombres de personas, domicilios, signos [...] que se refieran a sus miembros. Con la gracia de Dios, primero moriré que convertirme en delatora".

Numerosas eran las Brigadas, cada una de las cuales se componía generalmente de 750 afiliadas. Como la agrupación era de índole militar, tenía a su frente una coronel, asistida por una teniente coronel y por cuatro mayores, bajo las cuales había capitanes, tenientes y sargentas. La organización incluía cinco comisiones: de guerra, de enlace, de finanzas, de informes y de beneficencia. Las principales dirigentes procedían todas de Jalisco. Completaban la organización las Brigadas sanitarias, dirigidas por un médico. En total eran unas 25.000 militantes.

Las "Brigadas Bonitas", como las llamaban los muchachos, incluían chicas jóvenes de 15 a 25 años de edad, que debían ser solteras. Había también grupos auxiliares, integrados por mujeres mayores, casadas y con hijos. Se reclutaban de todas las clases sociales, por lo general en los barrios de las ciudades o en el campo.

El aporte de las Brigadas en lo que toca al aprovisionamiento de municiones fue urgente desde 1927. Porque un embargo, decretado por el gobierno de los Estados Unidos, había prohibido vender armas y municiones a nuestros combatientes. Y como los cristeros provenientes del campo no podían fabricar dicho parque bélico, su supervivencia dependía en buena parte del coraje de estas mujeres. Ellas lo conseguían en la capital y lo llevaban a los lugares de combate. Fueron tan astutas y audaces que llegaron a aprovisionarse directamente en las fábricas de armas de la ciudad de México y en los mismos destacamentos militares, gracias a cómplices católicos. Llevaban las municiones en chalecos especiales que se ponían debajo del vestido, y que eran como camisas fruncidas que formaban diversos pliegues donde meter los cartuchos. Cada joven podía llevar así de 500 a 700. La carga era pesada, de 15 a 25 kilos. Una vez provistas, se dirigían en tren a los lugares de destino, sea a Guanajuato, Oaxaca, Guadalajara, Colima, etc., teniendo que eludir en el trayecto reiterados controles, ya que los ferrocarriles estaban bajo vigilancia militar desde el comienzo de la guerra. Así, pues, numerosas eran las jóvenes que iban sin cesar de las ciudades a los campos de batalla.

De manera semejante, nos informa Meyer, millares de jóvenes de las Brigadas garantizaban también los movimientos de los cristeros y, si era necesario, les buscaban refugio en las ciudades.

Asimismo organizaban bailes en los pueblos ocupados por el enemigo para ganarse la confianza de los oficiales callistas, desvanecer sus sospechas y obtener informes. Por lo general, una joven nunca trabajaba mucho tiempo en el mismo lugar para no ser descubierta, y con frecuencia cambiaba de identidad y de domicilio. En las zonas dominadas por los cristeros se quedaban a veces cultivando los campos abandonados por los combatientes, o cuidando las casas y a los hijos de quienes luchaban. Otras veces, si eran casadas, se ocultaban con sus propios hijos en los mismos cerros donde estaban sus maridos, hijos o hermanos. Incluso mantenían viva la catequesis y la piedad de los que luchaban. La gente las llamaba Juanas y Judit.

Hasta marzo de 1929 muy pocas fueron descubiertas y detenidas. Pero a partir de esa fecha varias de ellas sufrieron terribles torturas. En cierta ocasión, se nos cuenta, a una joven que se resistía a delatar, le dijo un general: "Tu orgullo está en que eres virgen, pero si insistes en tu silencio te entregaré a los soldados en este mismo momento". Y pereció víctima del sadismo, no sin antes, ya agónica, gritar ¡Viva Cristo Rey! Otras fueron enviadas al terrible Penal de las Islas Marías, donde estaban detenidos ladrones y asesinos.

A ellas nuestro homenaje. Y estos versos de un lugareño:

Flores Don Luis se llamaba
un señor de mucho ingenio
que con mucho y gran trabajo
y arriesgando el cuero
formó con muchachas güenas
brigadas y regimientos.

Y ya bien aconsejadas
las mandó pa' las ciudades,
las haciendas y los pueblos
pa' que compraran cartuchos
con los del destacamento
y con orden terminante
que cuando los obtuvieran
en canastos o costales
o mejor en los chalecos
los llevaran ellas mismas
hasta nuestros campamentos.

Muchas mujercitas de ésas
perdieron su joven vida
en aquella lucha cruenta,
otras prisión y martirio
y el ultraje de sus cuerpos.
Y, créame, compadre Agruelio,
que pa' estas mujeres güenas
hay un lugar en la historia
y una corona en el cielo.
Yo estoy seguro, compadre,
que todos los nombres
de las heroicas mujeres
en el cielo están escritos
pus con su sangre y tormento
hicieron posible el triunfo
de los soldados de Cristo

IV. Una guerra teológica

Los cristeros sabían bien por qué luchaban. Ellos entendían que el gobierno estaba haciendo todo lo posible para que Cristo fuese desterrado de la sociedad, en razón de lo cual se habían puesto una señal de luto. Por lo demás, advertían claramente que casi todos estaban en contra de ellos, comenta el padre Ramírez. De un lado Calles, con tantos aliados a su favor: la masonería nacional e internacional, los Estados Unidos, brindando apoyo moral y material, el ejército federal, perfectamente pertrechado, los sindicatos oficiales bajo el control de la CROM, los agraristas, amenazados de perder las parcelas de terreno que les habían dado si no apoyaban al gobierno, la prensa nacional amordazada, la conspiración del silencio prácticamente en todo el mundo, el presupuesto nacional a su disposición. Se comprende que Calles pudiera, en su prepotencia, burlarse sarcásticamente de sus víctimas inermes. Por el lado católico, en cambio, una marcada división de criterios, cuando urgía la unanimidad. La Liga midió bien la situación, y, contra viento y marea, tomó la determinación heroica, que era la que correspondía: "Salvar el honor del laicado católico mexicano y morir en defensa de Dios y de la Patria antes que aparecer como cobardes y traidores a la fe", según se expresaron los dirigentes de dicha asociación.

Las trincheras de ambos bandos se habían ido definiendo cada vez mejor. Para los hombres de la Revolución, el individuo más odiado era el sacerdote, que representaba a Cristo y a su Iglesia. Un general callista fue suficientemente expresivo al dirigir esta arenga a los suyos: "Pueblo liberal [...], date cuenta que el enemigo del progreso y de tu patria es el clero [...], decláralo perro del mal y mátalo a pedradas". Para los cristeros, en contraste, el sacerdote era el personaje más querido, convencidos como estaban de que su desaparición entrañaba, en última instancia, un grave peligro para las almas. Por eso el campesino tomó las armas cuando la Revolución trató de arrebatarle al sacerdote. Meyer trae aquí a cuento las diversas respuestas que le dieron los excombatientes cristeros cuando, al término de la guerra, él les preguntó por qué se habían enrolado en el combate. He aquí algunas de ellas: "para defender la Causa, por amor a la religión, para defender a la Iglesia, el derecho cristiano, la fe, los derechos de Cristo y de su Santa Iglesia, la causa de Dios y de mi patria, Dios y la Patria..."

Pero, como lo acabamos de señalar, el haberse atrevido los callistas a tocar la imagen del sacerdote fue uno de los argumentos más determinantes, por todo lo que dicha figura simbolizaba. En una memoria del gobierno sobre la actividad "sediciosa" del clero en los años 1926-1929, se encuentra denunciada la "neurosis mística" de las masas engañadas "por estos inhumanos embaucadores". Lo más criminal, allí se agregaba, es que los caídos por seguir a estos curas fueron en su mayoría jóvenes no mayores de 20 años. Los curas rurales, después de haberlos excitado, se tornaron "feroces cabecillas, alimentando la cohesión de sus chusmas con sus constantes prédicas y sus misas de campaña". La solemnidad de dichas ceremonias, con sus ornamentos litúrgicos, les daba un prestigio excepcional ante esos ignorantes, llevándolos "a un sacrificio estéril"...

No deja de resultar curioso saber que mientras corrían los años de la guerra, en las mismas ciudades donde imperaba el gobierno, juntamente con las misas clandestinas que oficiaban los sacerdotes que allí se ocultaban, se siguieran celebrando ceremonias masivas, como por ejemplo en el santuario de Guadalupe de la capital; la fiesta de Cristo Rey congregó en la misma ciudad no menos de 200.000 personas que pidieron públicamente "a Nuestra Señora y Madre que el reinado de Cristo se establezca en nuestra patria". La afluencia era aún mayor que en los años anteriores, nos dice Meyer. "La procesión sin curas, sin santos, sin obispos, sin cirios, era sencillamente formidable [...] El pueblo ha querido mostrar al gobierno su fe". Las peregrinaciones tenían algo de movilizaciones al grito de ¡Viva Cristo Rey! Por lo demás, y a pesar de la prohibición de las autoridades, la gente persistía en vestir de luto. Estaba de duelo porque se les moría la Patria. En las zonas ocupadas por los cristeros, como es obvio, las misas y procesiones, el rosario y el viacrucis, se realizaban sin trabas. Los combatientes, por grupos de 15 o 20, se iban turnando en la adoración perpetua. Al terminar el rezo del rosario, los cristeros de Jalisco solían añadir esta oración compuesta por Anacleto: "Jesús misericordioso, mis pecados son más que las gotas de sangre que derramaste por mí. No merezco pertenecer al ejército que defiende los derechos de tu Iglesia y que lucha por ti [...] No quiero pelear, ni vivir, ni morir, sino por Ti y por tu Iglesia [...] Concédeme que mi último grito en la tierra y mi primer cántico en el cielo sea ¡Viva Cristo Rey!". Eran dos modos, el revolucionario y el católico, que coexistían. No se trataba, por cierto, de una "coexistencia pacífica", sino en el seno de una definida militancia, por parte de ambos bandos.

Porque dos eran los ejércitos, profundamente antagónicos: o se luchaba en favor de la Iglesia o por la destrucción de la Iglesia. Más allá de los intereses que suelen ocasionar generalmente las guerras, sean económicos, políticos o sociales, ésta era una guerra teológica. Ello se manifestó con evidencia en el modo de comportarse de ambos bandos durante la guerra. Los callistas, como dominados por un *pathos* satánico, cuando se apoderaban de un pueblo, quemaban las chozas, robaban los animales, a muchos jóvenes los mataban en sus casas delante de sus familiares, o saqueaban los hogares dejándolos en la miseria. En una cueva de Colima, donde se refugiaron varias familias perseguidas, los soldados separaron a las mujeres, y en presencia de sus esposos e hijos fueron violadas, luego los hombres asesinados, y a dos chiquitos que, llenos de espanto, se abrazaban a sus madres, los mataron contra las rocas de la gruta. A otras personas que allí se encontraban, les picaron los ojos, les cortaron la nariz y las orejas, les arrancaron la lengua, les cortaron los brazos y hasta les rompieron los dientes. Al conocer estos casos, el cardenal Gasparri, que era a la sazón Secretario de Estado de la Santa Sede, llegó a decir: "Nada comparable a esta persecución se ha visto en la historia, ni aun en la de los primeros siglos de la Iglesia". Un hombre que no era soldado cuenta:

> Me embarqué en Yurácuaro [...] y observé que venían dos soldados custodiando a un pobre viejo con la barba crecida y en su rostro muy pálido se adivinaba un intenso sufrimiento. Aquel señor venía envuelto en un sarapito que de los hombros le colgaba como tilma. Atrás, los soldados custodios de aquel, sin duda prisionero, jugaban y tomaban tequila. Pero después, aquel par de *juanes* que venían con el anciano preso, se durmieron profundamente [...] De pronto éste, al ver que los soldados se habían dormido, con voz débil me dijo: "Señor, tenga la bondad de abrir esa valija y sacar un termo con café que traigo allí [...] Yo no puedo hacerlo, por eso lo molesto". Me imaginé que aquel pobre hombre había sido amarrado por sus custodios para asegurarlo mejor. Por eso abrí el veliz y tome el termo [...] ¡Qué horror! Sacó el anciano por debajo del sarapito los brazos. A los cuales les faltaban las dos manos [...]. El viejito, bajando los ojos por los que corrían dos lágrimas, me dijo destrozándome el alma: "Soy el padre José María González Cornejo... me sorprendieron los soldados diciendo una Misa en Vista Hermosa [...], y me cortaron las manos desde las canillas. Ahora me llevan al Hospital militar de Guadalajara... ¡Quién sabe qué será de mí!

No se equivocaba, por cierto, el cardenal Gasparri al referirse a "este pueblo mexicano de confesores y de mártires".

Dos concepciones de la vida, dos maneras diversas de tratar a la gente. Los cristeros a veces liberaban a sus prisioneros. Lejos de todo sadismo, amaban la vida, el sonido de las campanas, las fiestas en los pueblos. Del otro lado, según ya lo hemos señalado, crueldad, venganzas, muertes y violaciones. Éstos encarcelaban a los padres de familia si se negaban a mandar a sus hijos a las escuelas del gobierno, que buscaban laicizar a los chicos, quitaban asimismo el nombre de santos a los pueblos e instituciones para cambiarlos por nombres profanos, incendiaban las iglesias, fusilaban sin parar; se comportaban "a fuerza de crueldades", comentaba Gorostieta. De los que vivían en Los Altos se decía: "Los habitantes del pueblo están llenos no ya de miedo sino de indignación".

A los ojos de los católicos tal comportamiento les parecía verdaderamente diabólico. Los militares de Calles, escribe Meyer, veían en el terror sistemático un medio de combatir al adversario sembrando el espanto en combatientes y colaboradores, con la intención de disuadir así al pueblo de apoyar a los cristeros. A dicho propósito contribuían las ejecuciones en masa, la muerte por la horca con la ulterior exposición de los cadáveres, la tortura, la tierra arrasada... Al ver cómo los jefes saqueaban, los soldados tendían a imitarlos, en total desenfreno. No estaba, pues, lejos de la verdad más profunda aquel que escribió en una carta: "Las noches en los lugares donde hay fuerzas federales son noches de invasión diabólica". El implacable Secretario de Guerra, el general Joaquín Amaro, fue comparado con Huitzilopochtli, aquella divinidad sangrienta de los aztecas, cuyo manto se teñía siempre de nuevo en la sangre del prisionero indefenso. Porque los federales no hacían prisioneros; fusilaban, simple y llanamente. De manera semejante se comportaban con aquellos que, siendo civiles, tenían el atrevimiento de ayudar a los rebeldes; lo mismo a quienes hacían bautizar a sus hijos, asistían a misas clandestinas o se casaban por la Iglesia. Para sembrar mejor el terror, muchas veces colgaban públicamente a los fusilados o ahorcados, a tal punto y tan sin eludir la fechoría que, en cierta ocasión, un grupo de turistas norteamericanos denunciaron en la prensa de Estados Unidos que mientras retornaban en tren a su patria veían a cristeros ahorcados que pendían de los postes telegráficos a lo largo de la vía férrea entre Guadalajara y La Barca, sin duda que con la siniestra intención de dar un público y aleccionador escarmiento.

El recurso a la tortura era sistemático. Y lo que resulta más demoníaco, no sólo para obtener informaciones sino también para tratar que los católicos renegasen de su fe. Varias eran las modalidades: hacerlos caminar con la planta de los pies en carne viva, desollarlos, quemarlos, descuartizarlos, colgarlos de los pulgares, estrangularlos, hacerlos arrastrar por caballos... El sadismo era un expediente que se empleaba para que los cristeros supiesen por adelantado lo que les esperaba si caían en manos del enemigo. En cierta ocasión un general callista amenazó con ahorcar a varios civiles si no encontraba a un catequista que se había ocultado. Cuando éste se enteró, se entregó voluntariamente, para que no mataran a los rehenes. Nada importó a sus verdugos. Lo ahorcaron primero, delante de sus hijos, a quienes luego se les obligó a servir de comer al general. En otra ocasión a un jefe cristero le escribió un oficial diciéndole que tenía en su poder a dos hermanos suyos, que no eran "rebeldes". Si usted sigue combatiendo, le dijo, "le cortaré el pescuezo a uno de ellos y seguiré procediendo en contra de sus familiares hasta terminar con toda su descendencia [...]; tengo verdadero deseo de mandarlos al cielo para que pasen todos los que hemos mandado en calidad de exploradores". Frecuentemente era tan alevosamente injusta la orden de ejecución que los mismos soldados encargados de cumplirla se negaban a disparar. En dicho caso, se los fusilaba a ellos también. La crueldad iba unida al odio religioso que les inspiraba Satanás. Era para ellos un placer profanar las iglesias, los oficiales entraban en ellas a caballo, hacían comer hostias consagradas a su cabalgadura, transformaban los altares en mesas o en lechos, y tomaban "las hostias con café con leche en el cáliz".

Como se ve, y es lo que queremos demostrar, se trató de una guerra prevalentemente religiosa, o anti-religiosa. Meyer abunda en este tema destacando la inspiración satánica en la costumbre que tenían algunos de "invertir" el orden de las cosas. Eran "invertidos" de alma, buscando hacer las cosas al revés. "Los sacerdotes reconocían el diablo en aquellos oficiales que oficiaban poniéndose los ornamentos al revés, que leían al revés libros puestos al revés, con gafas opacas, y en aquellos soldados que se entregaban a comilonas o bailoteos en las iglesias, organizando aquelarres, bailando con las vírgenes, desnudando a las santas, fusilando a los Cristos, haciendo el amor, orinando y defecando sobre los altares". Como decía un grupo de sacerdotes en una declaración: "Las chusmas callistas cuando llegan a un pueblo renuevan las escenas del 93 en Francia".

Eran dos mundos, dos cosmovisiones. No que los cristeros hayan sido siempre ejemplares en su comportamiento. Pero por lo general se comprometían a respetar la moral. En caso contrario eran castigados por sus jefes. Véase, si no, un espléndido texto de uno de ellos, que muestra de manera inequívoca el sentido cristiano de su combate: "Los cristeros andaban peleando la mejor de las peleas (era una guerra justa) en este mundo engañador, los unos con las armas, los otros ayudando de mil modos a los defensores que dejándolo todo se aventuraban por sólo tres amores: su Dios, su patria, su hogar [...] Oían la voz de Dios a través de la conciencia angustiada: en tu bautismo renunciaste a Satanás, al mundo y a sus pompas, defiéndeme de los que me acosan, azotándome y desgarrando con diabólico rencor a mi cuerpo místico, de hombres libres a imagen y semejanza mía; no te vuelvas insípido, hoja seca despegada de mí que soy tu vida y tu todo; quiero que me des pruebas de amor; yo te las di cuando nací en un pesebre, viví y morí en la cruz por ti y sólo por ti". Bien hace Meyer al observar, de paso, que el vocabulario y los conceptos usados por este hombre que quizás jamás fue a la escuela, muestra que la cultura no está necesariamente unida a la alfabetización. Así eran los cristeros, "esos esforzados muchachos –escribe Rius Facius– que despertaban a la vida entregándose generosamente al ideal de alcanzar el reinado de Cristo en esa tierra bendecida por la presencia de su madre en el cerro de Tepeyac".

Justamente escribe Andrés Azcue, en su tan breve como enjundiosa obra *La cristiada,* que los combatientes católicos no eran "hijos de la modernidad sino que su mentalidad era claramente pre-moderna, profundamente arraigada en el espíritu de la Cristiandad. Es en este sentido en que se puede hablar de espíritu cristero". El campesino mexicano, prosigue, es decir, el 90% del país, entendió muy bien lo que era la Revolución. Veía a los soldados cerrando iglesias, cometiendo sacrilegios, destruyendo la Patria. Tal comportamiento resultaba intolerable para ellos y esa fue la causa principal por la que se levantaron en armas, casi instintivamente. Ellos amaban a su pueblo, a su Iglesia y a sus sacerdotes. El componente religioso constituyó, pues, la razón última del levantamiento. Ya antes vivían una vida cristiana y la siguieron viviendo bajo la Cristiada. En las zonas por ellos controladas, los sacerdotes trabajaban sin problemas; en cada casa había un altar del Sagrado Corazón, y la gente se reunía a la noche para rezar el rosario. La misa era el acontecimiento esencial, "ya que la eucaristía es la que confiere todo su sentido a la lucha emprendida", misa después de una victoria, misa por un difunto, el Santísimo expuesto, en cuanto era posible, con los combatientes rindiéndole homenaje, la Semana Santa vivida con ardor, y, consumándolo todo, la fiesta de Cristo Rey.

En el espíritu del cristero, prosigue Azcue, se escondían reminiscencias medievales y renacentistas, "producto de una arraigada cultura oral, que va desde el catecismo del Padre Ripalda hasta los libros de caballería. Esta cultura, firmemente asentada en el conocimiento de la Sagrada Escritura, hizo que, por ejemplo, Juana de Arco y los Doce Pares de Francia (donde Ezequiel Mendoza veía la prefiguración de la Cristiada) sean personajes familiares del campesino mexicano". Todo ello, unido al rosario, que les enseñó a recorrer los misterios de nuestra fe, juntamente con el papel en ellos de la Santísima Virgen, les dio un conocimiento teológico troncal. De este modo, concluye, "la figura del campesino ignorante y fanático se desvanece, apareciendo en su lugar la imagen de un hombre sencillo, de fe profunda y sorprendente cultura". Tal fue el hombre que no dudó en encaminarse al combate por su Dios y por su Patria.

Coincidiendo con Meyer, observa también Azcue que la imagen que el cristero tenía del gobierno era, asimismo, unánime. La figura de Calles representaba para ellos el perseguidor de la Iglesia por excelencia, el hombre antirreligioso, pero al mismo tiempo el sirviente de Estados Unidos, país que tras haber invadido la nación se anexionó importantes territorios mexicanos, lo que nunca olvidarían aquellos rancheros. Por eso junto con el motivo religioso había un fundamento patriótico. Dios y Patria. ¿No era ése, acaso, el lema de la ACJM, el que le había dado el recordado padre Bergöend? La bandera que blandían era la tricolor, la de Iturbide, con la imagen de la Virgen de Guadalupe, mientras que el ejército federal solía enarbolar banderas rojas y negras, banderas revolucionarias. La mayoría de los cristeros pensaban que Zapata había sido un amigo del campesino, y que, de haber vivido, hubiera sido cristero. Algo semejante opinaban de Villa. De hecho, como ya lo hemos recordado, varios ex-oficiales villistas y zapatistas se enrolaron en el ejército cristiano. Para los cristeros, acota Meyer, el "turco" Calles, vendido a la masonería internacional, representaba los intereses del extranjero yanqui y protestante, adhiriendo con su CROM al naciente comunismo. Los de la Liga no temían afirmar que nuestros combatientes luchaban contra los "bolcheviques", y los revolucionarios los denunciaban como "guardias blancos". Unos y otros no se equivocaban demasiado.

Para Navarrete, el juicio que los católicos hacían de los cristeros era tan suscinto como lapidario: "Ellos [los cristeros] no analizaban; eran soldados de un ejército nuevo, y tenían por enemigos a los aliados del demonio, a los perseguidores de la religión, a los masones. Eso bastaba. Ellos pelearían tanto cuanto fuera necesario. Nada más que les dieran con qué".

Los cristeros entendían, explica Meyer, que existía un contrato entre Dios y el pueblo mexicano, ya que Dios por dos veces había hecho de México su Reino: la primera, con la Virgen de Guadalupe, que Él le envió, y la segunda, cuando la nación proclamó sobre el Cubilete la Realeza de su Hijo sobre la Patria amada. Tal era el motivo último por el cual no dudaban en verter su sangre. De ahí el "entusiasmo" de los cristeros, que tanto impresionaba a los soldados del ejército federal, quienes por ello los llamaban "fanáticos, borrachos". Tal fue la razón última de su coraje, su fe, su convicción, sus juramentos de morir por la Causa, y, además, sus ánimo tan jovial, tan mexicano.

No otro sería el contexto "teológico" en que se entabló el combate cristero. Oigamos cómo proponía uno de sus jefes, en lenguaje tan sencillo como popular, el sentir común del pueblo en un discurso:

> Amigos, hermanos en la fe y compañeros en la guerra armada para defender los derechos de Dios y de su Iglesia, los derechos de nuestra querida patria y el renombre de nuestro pueblo. Los malos mexicanos inducidos por el diablo quieren descristianizar a todo México; así me lo han asegurado muchas per-

sonas que saben y comprenden bien cómo anda la revoltura. Por otra parte, ya ustedes se habrán dado cuenta de cómo Plutarco Elías Calles y su maldito gobierno persiguen, encarcelan, roban, destierran, ultrajan familias, matan sacerdotes católicos, como ha venido sucediendo hace ya varios años, y nosotros aguantando a ver si eso topa, y ellos a tope y tope [...] Ustedes saben cómo se han enviado muchas cartas, súplicas y más protestas a Calles, a sus animadores bárbaros, y todo eso ha sido fallo para nosotros; ellos quieren que les hinquemos la rodilla y los adoremos. Ellos maliciosamente recogieron las más armas que pudieron y cegaron por completo la venta de armas y municiones; nos han dejado unas cuantas carabinas podridas que no pudieron quitarnos y las tenemos sin parque, no tenemos dinero, muchos católicos no nos ayudan porque están metidos en la concha, le tienen miedo al enemigo que sólo mata el cuerpo y no temen al que mata el alma; son pusilánimes, murciélagos, que no son aves ni ratones; son enemigos naturales para nosotros. Pero, ni modo, los enemigos son hombres mortales igual que nosotros, su pellejo es tan suave como el nuestro, ellos cuentan con la ayuda del diablo y sus legiones, pero nosotros contamos con la ayuda de Dios y sus santos, con nuestros pies para correr. Eso es poco o mucho según el caso lo pida.

Nos espera la Cruz, sustos, hambres, desvelos, cansancios, desprecios, burlas y el martirio, que es lo mejor, y por eso no seamos asesinos, ladrones, deshonestos, inhumanos [...] Veamos mi bandera que es también de ustedes, como dicen los colores verde, blanco y colorado, la sagrada imagen de Jesús por un lado, y por el otro la sagrada imagen de la Virgen de Guadalupe; todo nos está hablando de que ¡Viva Cristo Rey, Santa María de Guadalupe y México!

El advertir que siempre tenían a flor de labios a Cristo Rey hizo que sus enemigos los llamasen, en sorna, "los Cristorreyes", o, más comúnmente, "los cristeros". Éste último fue el nombre con que serían universalmente conocidos. Ellos se autodenominaban "Ejército Nacional de Liberación", y se consideraban portaestandartes de tres convocantes amores, que se concretaban en los tres reiterados gritos: ¡Viva Cristo Rey!, ¡Viva la Virgen de Guadalupe! y ¡Viva México! Fue el 11 de enero de 1914 cuando las multitudes mexicanas gritaron por primera vez: ¡Viva Cristo Rey! Poco más de un decenio después, en 1925, Pío XI instauraría para toda la Iglesia la solemnidad de Cristo Rey, haciendo eco a la corriente que se había iniciado en México y que, más adelante, caracterizaría también la Cruzada de España.

Por todo lo dicho podemos legítimamente concluir que la lucha que se entabló en México fue eminentemente teológica, entre Dos Ciudades, al decir de San Agustín, o entre Dos Banderas, en lenguaje de San Ignacio. Para muestras, un botón. En abril de 1927 un ejército del gobierno, compuesto por 1.200 callistas, combatió con un número reducido de cristeros, en el estado de Jalisco. Nos cuenta el cronista que en medio del ruido ensordecedor de las descargas, se oían dos gritos que definían la tesitura de ambos contendientes. De un lado se escuchaba: "¡Viva Cristo Rey!" y "¡Viva la Santísima Virgen de Guadalupe!", y del otro se le respondía: "¡Viva el demonio! ¡Viva el diablo mayor! ¡Que mueran Cristo y su Madre!". Un detalle colateral pero bien expresivo del espíritu jovial y eutrapélico que caracterizaba a los soldados de Cristo. En medio del fragor de una batalla, el que de entre ellos tocaba el clarín se mofaba del enemigo haciendo sonar la melodía con que se anuncia la salida del toro en las lides, o tocando también la chusca melodía popular "La cucaracha". En otra ocasión se escuchó el siguiente diálogo entre los combatientes de ambos lados, según nos lo relata Navarrete:

> "Mañana por la mañana nos veremos en aquel lado, cristeros hijos de…", se le oyó decir al "chango". "No, te lo aseguro, pelón hijo del diablo, porque ya tengo vacía mi carrillera". "¿Ya se les acabó el parque, coyotes muertos de hambre?" "A nosotros no nos mantienen los gringos, callistas vendidos".

El mismo Navarrete nos reitera que tanto él como sus compañeros entendían perfectamente que el general Calles estaba decidido a dar batalla definitiva contra la Iglesia católica en México. Todos tenían por evidente que él no era sino el instrumento, en aquellos años, de la constante y secular conjura mundial que las fuerzas satánicas llevaban adelante en su empeño por destruir el Reino de Cristo. La Cristiada no constituía sino un capítulo de la milenaria lucha entre la Iglesia y las puertas del infierno, que no se resignaban a perder la batalla. Meyer lo dejó dicho de manera contundente: "Se trata del choque de dos fes, de una guerra de religiones". Podríamos expresarlo de otra manera, quizás más complexiva: fue un conflicto teológico entre el espíritu tradicional de la Cristiandad, que llegó a nuestras tierras gracias a la España de los Austria y encarnada en México por Iturbide, y el espíritu de la Revolución francesa, promovido por la masonería y Estados Unidos, y corporizado por Juárez en el siglo XIX y por Calles en el siglo XX.

Se nos antoja que la guerra entablada en México no deja de tener alguna semejanza con la que Rusia vivió en el siglo XX. La ideología soviética no era reductible a un movimiento meramente político-social, era sobre todo un sucedáneo de la religión, una religión invertida, como tratamos de demostrarlo en el segundo volumen de nuestro libro *Rusia y su misión en la historia*. También en México hubo dos gritos, con connotaciones preternaturales: "Viva Cristo Rey y Santa María de Guadalupe", de un lado, y mueras a Cristo, a la Virgen y a la Iglesia, del otro, con los consiguientes vivas al "diablo mayor y a los menores". Eran los jefes callistas quienes inducían a sus tropas a prorrumpir en semejantes blasfemias. Un dato sumamente curioso nos trasmite Meyer: los soldados federales, nos dice, llegaron a confesar que estaban convencidos de que los cristeros recibían una extraña ayuda preternatural durante los combates, interviniendo en su favor tanto la Santísima Virgen como el apóstol Santiago. Algunos de ellos concretaron más su testimonio asegurando que habían visto, junto a los cristeros o en las nubes, una mujer que montaba un caballo blanco, así como un jinete invencible sobre un caballo gris tordo...

V. Personajes singulares

Entre tantos combatientes que integraron nuestras fuerzas cristeras, destaquemos a tres de ellos, dos sacerdotes y un seglar, sobre todo por lo pintoresco de sus figuras.

El primero es el padre *José Reyes Vega*. Por lo común, según lo hemos señalado más arriba, los sacerdotes que se ofrecieron como capellanes a los nuestros, se abstuvieron de empuñar las armas. Reyes Vega constituyó una excepción. Inicialmente fue jefe de los dos regimientos "Gómez Loza", pero pasado el tiempo sería ascendido al grado de general. Siendo todavía simple oficial protagonizó en los primeros meses de la guerra un hecho que le ganó renombre entre los suyos. El general Gorostieta había dado la orden de atacar los medios de transporte, sobre todo ferroviarios, cuando llevaban tropas o material de guerra, lo que dio origen a numerosos descarrilamientos y sabotajes provocados por los nuestros. Recurriendo a dichos procedimientos lograban a veces inmovilizar un tren militar entre dos pueblos para luego atacarlo. Pues bien, cuando se supo lo del asesinato de Anacleto, a los comienzos de la guerra, el padre Reyes Vega ideó como respuesta un audaz ataque contra un tren que iba de Guadalajara a México, lo que daría estado público internacional a la guerra cristera. Se supo que dicho tren llevaba una fuerte remesa de dinero. Reyes Vega ordenó el levantamiento de un tramo de los rieles. Al llegar el tren a dicho lugar descarriló. Los soldados que lo custodiaban comenzaron entonces a disparar. Tres horas duró el combate, hasta que sucumbió el último hombre de la escolta. Entonces los cristeros subieron al tren y se apoderaron de las armas, pertrechos, y 120.000 pesos que ahí se llevaban. Luego regaron con petróleo la máquina y le prendieron fuego. Ello aconteció el 1° de abril de 1927, casi al comienzo del levantamiento. Para vengarse del ataque, el general Joaquín Amaro, Ministro de Guerra, con algunos de sus generales, planeó la represión. Lo primero que hicieron fue destruir el pueblo de Santa Ana Tepatitlán, donde el padre Vega había reclutado sus hombres, luego instalaron campos de concentración para conducir allí a las poblaciones alteñas, se apoderaron de las cosechas y animales de los rancheros, cambiaron la denominación de varios pueblos que llevaban nombres de santos, bombardearon Los Altos con aviones norteamericanos, fusilaron a los cristeros que estaban en prisión y ahorcaron a algunos "pacíficos", así como a los párrocos del lugar, al grito de "¡Viva Satán!" y "¡Viva el diablo!".

El gobierno, mientras tanto, hizo responsable del ataque a los obispos. "Ustedes son los jefes de la revolución –se les dijo–, y por su silencio, después de la pastoral del arzobispo de Durango en la que declara que los seglares católicos están justificados al recurrir a las armas para defenderse, son culpables de tomar parte en ella". En ocasión de este incidente se expulsó de México a los que de entre ellos aún permanecían en el país, quienes se dirigieron a Texas.

Reyes Vega –"el Pancho Villa de sotana", se lo llamaba–, no era, por cierto, un sacerdote ejemplar, especialmente censurado por sus amoríos y por la facilidad con que hacía fusilar a sus prisioneros federales. Uno de los cristeros nos cuenta que "era de los pocos que decían misa con ropa de montar y espuelas, dejando la pistola sobre el altar". Los soldados callistas temblaban con sólo oír su nombre. Por su valentía pronto fue ascendido al grado de coronel, y luego a general. Gorostieta decía de él que era un genio militar, quizás el más brillante estratega en las filas de los cristeros.

El otro padre fue *José Aristeo Pedroza*. Quienes lo conocieron atestiguan que su vida fue irreprochable. Uno de ellos no dudaba en decir que "si él no era un santo, no sé quién puede serlo". Había estudiado en el seminario de Guadalajara y fue ordenado por Orozco y Jiménez en 1923. Durante la guerra, siguió administrando su parroquia de Arandas, en Jalisco. En razón de sus dotes militares Gorostieta lo hizo general brigadier, y lo puso al frente de la Brigada de Los Altos de Jalisco, con cinco mil hombres a su mando. Se lo llamaba “el puro”, en parte por haber impuesto a su tropa, y después a la Brigada de Los Altos, una disciplina de hierro, que admiraba Gorostieta.

Luchó al frente de sus cristeros a lo largo de los tres años de la guerra. Cuando se enteró de que, a espaldas de los combatientes, se habían firmado los “Arreglos”, de que hablaremos enseguida, se acogió a la amnistía prometida por el gobierno a los jefes militares, con la intención de volver a su parroquia de Arandas. Entonces, contra todo lo convenido, fue fusilado tras una farsa de “consejo de guerra sumarísimo” el 31 de julio de 1929.

El tercer personaje que incluiremos en esta galería de “singulares” es un seglar. Se llamaba *Victoriano Ramírez,* alias “El Catorce”. Antes de enrolarse en la gesta cristera, había sido un aventurero que gozaba de enorme popularidad. En su esclarecedor estudio *La persecución religiosa en México,* su autor, Lauro López Beltrán, nos pinta la fisonomía de esta persona tan curiosa como pintoresca. Allí refiere que fue al comienzo de la persecución religiosa de Obregón y de Calles, que Victoriano se lanzó a la lucha armada en pro de los ideales católicos, y a partir de entonces su imagen fue creciendo y agigantándose hasta convertirse en un personaje de leyenda.

Había nacido en San Miguel el Alto, Jalisco. Era un ranchero de varonil presencia, camorrero, bravo como pocos en el combate, certero en los disparos de su pistola, muy enamoradizo, y compasivo con los necesitados. ¿De dónde su apodo de "El Cartorce"? Se cuenta que, años atrás, habiendo sido encarcelado en la prisión de San Miguel el Alto, se le estaba instruyendo un proceso por homicidio en riña, cuando logró evadirse. Salió entonces a buscarlo en los cerros un destacamento de catorce hombres armados. Para eludir a sus perseguidores, se escondió en los riscos de una quebrada. Sin embargo su presencia fue advertida y así comenzó un largo tiroteo en que Victoriano terminó con sus enemigos. Luego recogió las 14 armas y las envió al jefe de la cárcel con un recado donde le recomendaba que "no le enviara a buscar con tan poca gente". En adelante se lo conoció como "el Catorce".

Tal fue el hombre que enarboló un día en su corazón la bandera de la Causa católica. Pronto lo cubrió un halo de heroísmo. De sus primeras acciones como cristero se contaban maravillas, y corría la versión de que en las filas de los callistas cundía el temor cuando en los combates se oía el grito de ¡Viva el Catorce! Además tenía fama por la precisión de su puntería: no erraba un tiro. El gobierno lo quiso comprar con una elevada suma y un pasaporte para Estados Unidos, a cambio de abandonar la lucha que había emprendido. Cuando se acercó el emisario con el dinero en la mano el Catorce le dijo: "No, señor. Yo no quiero dinero.

Yo no quiero más que dejen en libertad a los padrecitos, que digan su Misa y que abran sus templos. Y entonces yo me retiro. Pero mientras no lo arreglen que no piensen que con dinero me van a comprar". Aun cuando no era sino un peón casi analfabeto, que apenas si sabía leer y escribir, por su heroísmo en el combate fue promovido al grado de coronel, y puesto al frente del Regimiento San Miguel el Alto. Su fama se extendió día a día. Era una especie de Robin Hood.

Todo el mundo quería conocer a Victoriano. Principalmente las mujeres, que lo admiraban, le daban flores y lo cubrían de regalos. Cuando los ejércitos cristeros llegaban a una población, a quien aplaudían y vitoreaban no era tanto a los comandantes cuanto a él. Así aconteció, por ejemplo, en San Juan de los Lagos, donde lo recibieron con música y repique de campanas. La gente lo apreciaba más que a los generales, más que al mismo Gorostieta. No tenía sino que bajarse de su caballo, "el Chamaco", para recibir inacabables muestras de admiración y simpatía, lo que, como suele acontecer, no dejó de provocar ciertas envidias. Pronto surgieron dificultades en su trato con los jefes, al parecer con motivo de ciertas reformas militares que impuso el general Gorostieta. El Catorce presentó algunas objeciones a la nueva organización para su Regimiento de San Miguel, por lo que fue relevado de su cargo y se le prohibió rodearse de hombres armados, salvo una pequeña escolta. Victoriano no acató la orden sino que, al contrario, aumentó su escolta. Entonces el padre Pedroza mantuvo una larga conversación con él, exhortándolo a acatar las disposiciones superiores, pero éste se negó. Y así Pedroza en persona, junto con Navarrete, fueron en su busca, y lo llevaron a Tepatitlán donde, luego de ser desarmado, se le metió en un calabozo del Palacio Municipal. Allí, tras un juicio sumario, se lo ejecutó. Al parecer, Gorostieta no estuvo demasiado de acuerdo con la medida. Ello aconteció en marzo de 1929.

* * *

Jean Meyer nos relata lo acontecido en 1929, el último año de la Cristíada. A principios de marzo, se produjo un hecho que pudo ser decisivo en el curso de la guerra emprendida. Dos generales, Manzo y Escobar, se rebelaron contra el gobierno Calles-Portes Gil, juntamente con los jefes militares de Sonora, Chihuahua, Coahuila, Durango y Veracruz. Los escobaristas trataron de ganarse a los católicos, aboliendo la legislación de Calles en la zona que habían conquistado y ofreciendo entablar un pacto con Gorostieta. Nuestro general hizo de la situación un análisis frío. Tanto Manzo como Escobar no eran generales de su confianza, sino hombres sin escrúpulos y malos políticos, cuya hipotética victoria no habría cambiado mucho la situación de la República. Sin embargo, entendiendo que una alianza táctica no lo dejaba comprometido e incluso podría conseguir por fin las municiones tan anheladas desde hacía tres años, intentó un acercamiento con aquellos generales. "Juntos, pero no revueltos", se decía, meros socios ocasionales en la lucha. Los escobaristas, por su parte, contaban con utilizar a los cristeros en provecho propio. Dado que Gorostieta sentía por ellos un gran desprecio como militar, ordenó a sus jefes "impedir que las fuerzas de la Guardia Nacional se mezclen con las fuerzas aliadas. Pues es fácil que pierdan los nuestros por contaminación la serie de virtudes militares que los ha hecho invencibles". Sea lo que fuere, la mera posibilidad de semejante alianza no dejaba de ser preocupante para el gobierno.

Por aquellos días Gorostieta fue muerto accidentalmente por una patrulla enemiga, según lo consignamos páginas atrás. El padre Aristeo Pedroza pasó entonces a ser jefe de Los Altos, y el general Degollado Guízar jefe de la Guardia Nacional. De marzo a mayo, nos dice Meyer, los cristeros, en plena ofensiva desde diciembre de 1928, tras sucesivas victorias, habían logrado apoderarse de todo el oeste de México, con excepción de las ciudades más grandes. En su momento, Gorostieta había tenido la idea de tomar Guadalajara, para lo cual ordenó a Pedroza que reuniera las tropas de Los Altos, y a Degollado que hiciera otro tanto en la zona del sur y del oeste. De este modo los federales se verían envueltos por una ofensiva de gran estilo, organizada y admirablemente ejecutada. Dicho plan se siguió llevando adelante con éxito hasta la sorpresiva paz de junio de 1929.

Juntamente con el acercamiento del general Escobar, que preocupó no poco al gobierno, también en el campo político se produjo un giro inesperado, que pareció favorecer a los cristeros. Calles había terminado su período, y Portes Gil, que era por aquel entonces presidente provisional, debía llamar a elecciones. La coyuntura fue aprovechada por José Vasconcelos, ex Ministro de Educación y ex-rector de la Universidad Nacional. De esta personalidad fascinante, el filósofo alemán conde Keyserling había escrito que era "el pensador más original de América". Vasconcelos había nacido en Oaxaca el año 1881. Los avatares políticos lo llevaron a asilarse en Estados Unidos, de donde regresó en noviembre de 1928. No bien llegado pronunció un discurso convocante: "México se queda sin religión católica [...], sucede que entre nosotros sólo la secta extranjera puede acercarse a las almas [...] porque sucede que su bandera no es la humilde tricolor [...] ¡México, levántate! La más grave de las amenazas de toda tu historia se urde en estos instantes en la sombra, pero aún hay fuerza en tus hijos para la reconquista de tu destino".

Afirma Salvador Borrego que al principio el gobierno no lo tomó en serio, suponiendo que era una especie de ideólogo de gabinete, capaz de manejar ideas pero no personas. Y confiando en ello lo dejó actuar. Era inofensivo. Pero a medida que fue recorriendo el noroeste del país, aclamado por multitudes, la inicial indiferencia del régimen comenzó a convertirse en hostilidad. Mientras tanto, y paralelamente a la gira del Vasconcelos que suscitaba el entusiasmo del pueblo para que de una vez por todas se animase a cambiar el régimen por el camino de las elecciones, la Guardia Nacional de los cristeros proseguía su campaña victoriosa, y Gorostieta le ofrecía su apoyo militar a aquel dirigente político para hacer que se aceptara el resultado de las elecciones. Vislumbrábase así una gran alianza. Por lo demás, el ejército cristero, lleno de empuje, preveía grandes triunfos para 1930.

Pero al fin el gobierno acabó por advertir el peligro. Los clubes vasconcelistas de todas partes fueron disueltos y sus jefes locales asesinados o desterrados. Ahora Vasconcelos sólo podía confiar en el peso de las fuerzas cristeras. Pero justamente en estos momentos se entablaron los llamados Arreglos, de que enseguida trataremos. El 28 de noviembre fue el día señalado para las elecciones presidenciales, que, como era de esperar, terminaron con un descarado fraude. Vasconcelos debió irse al extranjero. Algunos pensaron en proclamarlo vencedor, pero México estaba demasiado desangrado y el proyecto no prosperó.

* * *

Bien ha escrito Luis A. Orozco: "El levantamiento cristero o Cristiada ha sido uno de los capítulos más gloriosos de la historia de México en el siglo XX. Se trata de una epopeya heroica en defensa de la fe, cuyo protagonista fue el valiente pueblo católico mexicano, y que produjo numerosos mártires durante los años que se extendió el conflicto". Coinciden con el irrestricto elogio de Orozco las palabras que pronunció Pío XI en una audiencia del 31 de enero de 1927: "¡Salve, flores de los mártires! ¡Honor a vosotros y a vuestro país, a vuestros obispos, y a todos vuestros pastores, a vuestros sacerdotes, a todos los vuestros que sostienen un combate tan glorioso por el honor de Dios, por el reino de Cristo, por el honor de la Iglesia, por la dignidad y salvación de las almas!"

VI. Galería de héroes

La guerra cristera fue un derroche de intrepitez, según lo señalaría el mismo Papa recién citado en una alocución que pronunció cinco meses después: "Los actos realizados por el Episcopado, el clero y los católicos mexicanos, figuran entre los fastos más ilustres de la Iglesia". ¡Como se equivocaba Calles cuando consideraba las protestas de sus adversarios católicos como "cosa de mujeres", puramente chillonas, incapaces de rebelarse! Las mismas mujeres lo desmentirían.

Presentamos a continuación diversos personajes, de distintos estamentos, que se destacaron, en circunstancias tan aciagas, por su lucidez y su coraje.

1. Obispos

No todos, ya lo hemos dicho, reaccionaron, por cierto, de la misma manera. Algunos fueron más acomodaticios y prefirieron "dialogar" con el gobierno afectado de sordera, como monseñor Díaz y Barreto. Otros jugaron la vida no abandonando la atención pastoral de sus ovejas, como monseñor Orozco. Otros, finalmente, apoyaron con entusiasmo el levantamiento. Entre estos últimos, en quienes recae nuestra preferencia, debemos nombrar a tres grandes pastores, Lara y Torres, Manríquez y Zárate, González y Valencia. Ellos acompañaron moralmente a los cristeros hasta el término del conflicto, aun sabiendo que tal comportamiento les costaría el ostracismo e incluso la renuncia a sus sedes episcopales. Nos referiremos sólo a dos de los que hemos nombrado, monseñor Orozco y monseñor Manríquez, parejos en su heroísmo.

El gobierno pastoral de *Francisco Orozco y Jiménez,* de quien algo dijimos páginas atrás, coincidió puntualmente con las convulsiones de la Revolución Mexicana y la Guerra Cristera. Primero había sido nombrado obispo de Chiapas, y luego, en 1913, lo transfirieron a la sede de Guadalajara. En 1914, dadas las circunstancias, mientras la mayoría de los obispos creyó conveniente optar por el camino del exilio, monseñor Orozco prefirió esconderse en el medio rural de la arquidiócesis, para no abandonar a su rebaño. Por eso el gobernador del Estado lo declaró conspirador y sedicioso, procediendo a ocupar la sede del obispado así como clausurar 19 iglesias y expropiar el seminario diocesano. El año 1917, desde la clandestinidad, envió a sus párrocos una pastoral donde condenaba la Constitución que acababa de ser promulgada. El documento fue leído por todos los párrocos. Entonces el gobernador, con el aval del Presidente, ordenó cerrar las iglesias de Guadalajara donde se había leído la pastoral, considerada como una incitación a la rebeldía. Buscaron incluso detenerlo pero no lo pudieron encontrar. En 1918 lograron ubicarlo en Lagos de Moreno, y lo expulsaron a Estados Unidos. Pero, apenas pudo, regresó, siendo de nuevo encarcelado y desterrado. El incorregible obispo volvió a retornar de este último exilio en 1919 para la celebración del Primer Congreso Catequístico Regional, cuyo lema sería el de la bandera cristera: "Por Dios y por la Patria". Durante la contienda bélica, persistió en mantenerse en la clandestinidad, hasta el día en que se hicieron los llamados "arreglos", que, entre otras cosas, incluirían una condición: el destierro del gran obispo. Murió el 18 de febrero de 1936, siendo enterrado en la catedral de Guadalajara, en la capilla del Santísimo.

En lo que toca a su posición frente a la guerra cristera, si bien nunca la apoyó de manera explícita, no por "pacifismo" sino porque creía que era mejor la mera "resistencia", al estilo de Anacleto, sí lo hizo implícitamente. Meyer llega a decir que "esta presencia de su prelado [en el monte] fue para los cristeros de estas regiones la prueba de la santidad de su causa y un aliento mucho más precioso que un millón de aquellos cartuchos cuya necesidad tan cruelmente se hacía sentir". Y así llevó durante los tres años de la guerra una vida muy semejante a la que tenían los combatientes cristeros. Medio camuflado, como si fuera un campesino más, se dejó la barba. Un día hacía de conductor de mulas, otro de labriego, escapando así de manos de los federales. Al igual que su querido Anacleto, a quien dirigía espiritualmente, no vaciló en cantar la gloria de los caídos, "verdadera pléyade de ínclitos confesores de Cristo", como en cierta ocasión quiso calificarlos.

Pasemos ahora a un segundo obispo, a quien no podemos dejar de incluir en esta galería de héroes, *monseñor José de Jesús Manríquez y Zárate,* célebre primer pastor de Huejutla y verdadero confesor de la fe. Nació en León, Guanajuato, el año 1884, de familia muy cristiana. En su juventud sintió el llamado al sacerdocio, ingresando en el seminario de León, para ser luego enviado al Pío Latino Americano de Roma, doctorándose en Filosofía, Teología y Derecho Canónico en la Universidad Gregoriana. Más allá de su profunda inteligencia se reveló también como un sacerdote lleno de iniciativas: fundó nueve escuelas parroquiales, diversos círculos de obreros y algunos sindicatos. Fue obispo de Huejutla entre 1923 y 1949, época bravía, si las hubo.

Cuando Calles afirmó, con indisimulado descaro, que de la aplicación de los artículos antirreligiosos de la Constitución no había surgido ningún problema de importancia con la Iglesia, y que toda la reacción consiguiente no era sino "cosa de mujeres", lanzó el 10 de marzo de 1926 una severa carta pastoral, la sexta, que lo hizo famoso en todo el mundo, donde reiteraba una frase lapidaria: "Miente el Señor Presidente de la República al asentar tal afirmación".

Al año siguiente, el 12 de julio de 1927, dirigió un Mensaje de alerta al mundo, que sonó como una clarinada. En uno de sus párrafos podemos leer:

> Y tú, ¡oh pueblo mexicano!, pueblo grande en medio de tu desgracia y glorioso en tus infortunios, pueblo de guerreros y de atletas, de sabios y de santos, de héroes y de mártires, que has merecido en estos tiempos de apostasía y de impiedad ser alabado y bendecido por boca del Augusto Vicario de Cristo, y que eres el espectáculo de la Cristiandad; tú que prefieres la desgracia a la infidelidad, la pobreza de Cristo a los falaces programas de este Siglo y la fe de tus mayores a todos los tesoros de este mundo; tú, que durante un siglo de continuos combates con los enemigos de Dios, has conservado intacta la re-

> ligión de tus padres hasta el momento presente; que has confesado la Realeza de Cristo en los campos de batalla, privilegio singular concedido a muy pocos pueblos de la tierra; tú, pueblo mimado e hijo predilecto de la Reina de los cielos, que no se desdeñó de tomar tu mismo semblante y color [...], tú mismo verás la claridad del Señor después de la pesada noche de tus infortunios, tú mismo aplaudirás con delirio santo al mismo Sol que iluminará tus destinos, y asistirás con transportes de júbilo al triunfo de la Iglesia y a la apoteosis de Cristo Rey, en el Monte Santo.

¡Así hablaba este gran pastor! Pronto fue aprehendido por una escolta de caballería, y llevado a pie, días y días, con sus insignias episcopales, a través de muchos kilómetros y de abruptas serranías, hasta donde quiso Calles encarcelarlo. Tratado como un criminal, sujeto a toda clase de vejaciones, quedó retenido en los calabozos de la cárcel de Pachuca durante un año. Porque era, en verdad, un obispo "peligroso".

Bien conocía él este posible desenlace de su heroísmo, como lo había dejado dicho en su famosa sexta pastoral: "Los Prelados no disponemos de metrallas ni de máquinas de guerra; pero nuestra voz es más terrible para el enemigo que un escuadrón en orden de batalla. La palabra, sobre todo de un obispo, es, y debe ser la expresión de la verdad, y la verdad siempre es terrible para los que viven de la mentira y del error". Tras el año en prisión, fue desterrado, junto con varios compañeros, a quienes previamente se les obligó a firmar un papel donde se aseveraba que salían por su propia voluntad. Todos lo hicieron menos él, desafiando así al tirano. Sufrió 17 años de exilio. Sólo en 1944 podría regresar a México.

Tan santo y recio prelado, nos dice López Beltrán, supo mantenerse siempre firme en la defensa de la Iglesia y de la Patria. Al llegar los momentos más brutales de la persecución, en una instrucción pastoral del 26 de marzo de 1929 escribió a sus diocesanos: "Os diríamos, en esta ocasión, como dijo cierto general a sus soldados invictos: «si avanzo, seguidme, si me detengo, empujadme; si retrocedo, matadme». No han de ser más los generales por conquistar una trinchera, que nosotros, los Obispos, por defender a Cristo y a su Iglesia". Volveremos a referirnos a este campeón de la fe cuando tratemos de su postura ante los Arreglos. Murió el año 1951.

2. Sacerdotes

También entre los sacerdotes, y quizás en cantidad proporcionalmente mayor, podemos descubrir un gran número de héroes. No nos cansamos de admirar la naturalidad con que no pocos de aquellos hombres vivieron su sacerdocio, yendo de acá para allá, en medio de peligros, enfrentándose, si era necesario, con los perseguidores, sin miedo alguno al martirio. Más aún, lo consideraban la gracia más grande que Dios les podía dar para contribuir con su propio sacrificio a la victoria de la Realeza de Cristo en México. Ya hemos hablado largamente del padre Agustín Pro, por lo que aquí sólo lo recordamos con inmenso afecto y admiración.

Entre tantos valientes, escogeremos sólo algunos de ellos. Por ejemplo el *padre Rodrigo Aguilar*. Este sacerdote, que se ordenó en el santuario guadalupano de Guadalajara, fue, de veras, un enamorado de Cristo, quien era para él casi una obsesión. Los que lo conocieron nos refieren que en varias ocasiones les rogó a un grupo de religiosos que pidiesen al Señor le alcanzara la gracia del martirio. Dios atendió a tan vehemente deseo. El 27 de octubre de 1927, víspera de la fiesta de Cristo Rey, entraron en Ejutla varios soldados y agraristas que empezaron a cometer sacrilegios, quemando en la calle imágenes de santos y ornamentos sagrados, e incluso llegando a beber el cáliz con la sangre de Cristo y a comer las hostias consagradas que estaban en el copón. Al padre, impotente, lo llevaron a empujones hasta la cárcel del lugar, donde pasó la noche. Al día siguiente, fiesta de Cristo Rey, lo sacaron de madrugada de la prisión, y lo llevaron al pie de un grueso árbol de mango, que todavía se conserva en la plaza de Ejutla. Arrojaron entonces una cuerda sobre una de las ramas más grandes y la pusieron al cuello del sacerdote. Un soldado, queriendo poner a prueba el coraje del padre, le preguntó altaneramente: "¿Quién vive?" A lo que el padre le respondió: "Cristo Rey y Santa María de

Guadalupe". Entonces tiraron la soga y el sacerdote quedó colgando. Luego de un ratito lo bajaron y con fastidio el soldado reiteró su pregunta: "¿Quién vive?". A lo que el padre, sin titubear: "Cristo Rey y Nuestra Señora de Guadalupe", exclamó. Entonces la cuerda fue tirada con fuerza, y el sacerdote quedó otra vez colgando. Se lo bajó de nuevo, y por tercera vez el impertinente soldado le preguntó: "¿Quién vive?". El santo, con lengua agonizante, gritó por última vez: "Viva Cristo Rey y Santa María de Guadalupe". Fue suspendido de nuevo y su alma voló al cielo. Hoy es San Rodrigo Aguilar. En ese mismo año, 1927, fueron ejecutados por lo menos 26 sacerdotes, previa tortura para sacarles datos de los cristeros. Silencio absoluto. Heroísmo absoluto.

Quizás una de las muertes más crueles de todo el martirologio mexicano de aquellos tiempos fue la del *padre Sabás Reyes Salazar,* en Tototlán, Jalisco, el 13 de abril de 1927. Sigamos el relato que de los hechos nos ofrece Luis A. Orozco. Tenía el padre 44 años y 16 de sacerdote. La situación en Tototlán era difícil, por lo que el párroco se retiró, y el padre Sabás tomó el relevo, viviendo, por cierto, en continua zozobra. En enero de aquel año llegaron las tropas del gobierno y ocuparon la iglesia parroquial convirtiéndola en caballeriza, luego profanaron las imágenes y asesinaron a once vecinos. Pronto los soldados se fueron, y el padre pudo reconsagrar la iglesia mancillada. Pero a los pocos días aquellos salvajes retornaron y profanaron de nuevo el templo, tras lo cual lo incendiaron y se retiraron. La gente le decía al padre que los dejase, que lo iban a detener y a matar. "Tengan fe –les contestaba– ¿No son cristianos? A mí aquí me han mandado y no está bien que me vaya". Efectivamente, el 12 de abril retornaron las tropas, y el padre se retiró a una casa donde se le ofreció refugio.

Al enterarse de que alguien lo había delatado, él mismo se presentó: "Aquí estoy. ¿Qué se les ofrece?" Lo llevaron a la iglesia parroquial, ahora convertida en cárcel, y lo ataron a una columna. Pidió agua, porque estaba sediento, y se la dieron. Pero cuando quiso tomarla vio que no podía hacerlo porque lo habían atado fuertemente al cuello con una soga. Durante la noche, el general que comandaba las tropas lo hizo comparecer ante él, lo puso en medio de un círculo de soldados, y comenzó a interrogarlo. Atado con aquella soga al cuello, los soldados tiraban cada tanto de ella, por lo que el padre caía al suelo en medio de carcajadas. A toda costa querían saber dónde se escondía el párroco, pero el mártir no les respondía. Y así lo torturaron toda la noche. Tres días duró ese tormento, dolorosamente atado a la columna, sin poder comer ni beber.

Pronto agravaron el suplicio. El general con su espada y varios soldados con sendas bayonetas comenzaron a herir al mártir, en los brazos, en las piernas, en todo el cuerpo, repetidas veces y por largo tiempo. Herían y herían sin piedad. Luego desollaron sus pies, los mojaron con gasolina y les prendieron fuego, tras lo cual el general ordenó que lo "asasen" para comer "birria de ese fraile". El padre rezaba: "Señor de la Salud, Madre mía de Guadalupe, ánimas benditas, ¡dadme algún descanso!". Un soldado, golpeándole, le tomó las manos y las puso sobre las brasas; luego, entre sarcasmos y blasfemias, apoyaron sus pies en otra hoguera que habían encendido. Al final lo obligaron a levantarse, y lo llevaron caminando hasta el cementerio, donde lo acribillaron a balazos. Tiempo después uno de sus ejecutores confesaría: "Me pesa mucho haber matado a ese padre, murió injustamente. Le habíamos dado tres o cuatro balazos y todavía se levantó y gritó: "¡Viva Cristo Rey!"

Orozco se complace en destacar la profunda devoción eucarística que caracterizó a varios de estos mártires. En ellos la Eucaristía floreció en martirio. No fue una coincidencia, observa, el hecho de que muchos de los sacerdotes victimados durante la persecución, murieran mientras iban a celebrar la Santa Misa, o inmediatamente después, o a causa de ella. Baste un ejemplo para graficarlo. En el mismo año 1927, en un pueblo de Jalisco, los verdugos esperaron a que el *padre Francisco Vega*, un anciano y humilde sacerdote, terminara de celebrar el Santo Sacrificio, y enseguida, tal como estaba, le ordenaron salir de la iglesia para fusilarlo junto a ella. Una impactante fotografía, tomada tal vez por alguno de los soldados en el instante antes de que dispararan contra él, atestigua el impresionante hecho. Allí se lo ve al mártir, todavía revestido con los ornamentos sagrados, las manos juntas y de pie ante el muro de la iglesia. A escasos metros lo apuntan los fusiles de sus verdugos y al fondo el jefe del pelotón impartiendo la orden. ¿No será ésa para un sacerdote la mejor, la más preciosa de las muertes? Cumplir en su carne lo que falta a la Pasión de Cristo...

Pasemos a otro mártir, el *padre Toribio Romo González*. No había aún cumplido 28 años de edad y cuatro desde su ordenación, cuando fue fusilado en una fábrica sita en Agua Caliente, cerca de Tequila, Jalisco. Hijo de campesinos, pasó su niñez como pastor de rebaños. Entró al seminario de San Juan de los Lagos y luego lo trasladaron al de Guadalajara, siendo ordenado sacerdote por monseñor Orozco y Jiménez. Sus escasos años de ministerio los pasó en sucesivas parroquias. Cuando estalló la persecución se escondió en una fábrica de tequila que se encontraba en un rancho cercano. Desde allí fundó varios centros clandestinos de catequesis. Por la noche iba al pueblo, asistiendo a los enfermos de la parroquia y celebrando la Santa Misa en casas particulares. Quienes lo trataron nos lo pintan como un hombre lleno de celo apostólico, pasión por la Iglesia, y un amor especial a la Eucaristía, lo que se transuntaba sobre todo en su manera de celebrar la Misa, y también a la Virgen de Guadalupe. Relata un testigo que, en cierta ocasión, con motivo de la solemnidad de Cristo Rey, a pesar del ambiente tenso en que se vivía, se concentraron en las cercanías del pueblo, más concretamente, en un cerro, unos 15.000 fieles que allí asistieron a Misa y juraron ante el Santísimo expuesto defender la fe aun a costa de la propia vida. Uno de los allí presentes dice que en aquella ocasión la montaña se estremeció con los gritos de "Viva Cristo Rey".

El 24 de enero de 1928 el padre Romo pasó la jornada en su refugio. Al día siguiente quiso celebrar la Misa a las cuatro de la mañana, tras lo cual se retiró a descansar, acostándose vestido. Los soldados, alertados por un delator, lo descubrieron en su escondite, y ahí mismo lo acribillaron a balazos al grito de "¡Muera el cura!". Cayó en brazos de una hermana suya a quien mucho quería, que en aquellos momentos se encontraba en aquel lugar. "Valor, padre Toribio", le dijo. Y agregó: "Jesús misericordioso, recíbelo… ¡Viva Cristo Rey!". Tales fueron las palabras que su heroica hermana gritó ante los asesinos. Los vecinos del rancho donde se había ocultado improvisaron con ramas una camilla y llevaron su cuerpo, que aún chorreaba sangre, hasta Tequila, y de allí al cementerio, rodeados por federales que los silbaban y cantaban canciones vulgares.

Nombremos finalmente al *padre Tranquilino Ubiarco Robles,* que se ordenó de sacerdote en la catedral de Guadalajara y murió en Tepatitlán el 5 de octubre de 1928. Tras ser detenido por los federales, fue llevado a la alameda del pueblo, donde se lo ahorcó sin juicio alguno. Pero, dato curioso, inmediatamente antes fueron fusilados dos soldados del pelotón que debía ultimar al mártir. Uno, por negarse a echarle la soga al cuello, afirmando que en modo alguno cometería esa canallada, que estaba arrepentido de ejercer la milicia entre asesinos, y que si pudiera salvaría la vida del sacerdote, a quien estaba dispuesto a defender aunque fuese a costa de su propia existencia. El otro, viendo el coraje de su compañero, gritó ¡Viva Cristo Rey!, y expresó la vergüenza que sentía por haber colaborado en la aprehensión de un sacerdote tan digno. El general Lacarra mandó que fusilaran a los dos rebeldes junto con el padre Ubiarco, muriendo los tres con el grito de ¡Viva Cristo Rey! Sus cuerpos, cubiertos de sangre, quedaron colgados en aquella alameda.

3. Laicos

Si nos detenemos en los seglares, el número de mártires resulta apabullante. Prescindiendo de cuantos murieron en el campo de batalla, fueron muchos los ejecutados sin haber empuñado las armas, como Anacleto González Flores, a quien hemos recordado con tanta frecuencia. Meyer contabiliza más de 250 que de entre ellos reúnen, a su parecer, las características propias del martirio según el juicio de la Iglesia. Pero lo que nos impresiona de manera particular, más allá del número de los caídos, es el espíritu martirial que invadía a aquellos héroes, el anhelo de martirio que revelan, como si éste fuera un capítulo o elemento integrante de su espiritualidad, según puede verse con frecuencia en las cartas que mandaban a sus familiares antes de morir, así como en sus declaraciones ante quienes los fusilaban. Hasta los ancianos decían: "Hay que ganar el cielo, ahora que está barato". Incluyamos un testimonio muy aleccionador. En 1927 habían condenado a muerte en Sahuayo a 27 cristeros. Uno de ellos fue perdonado porque era demasiado chico, confesaría años más tarde a un sacerdote que lo reprendía por su excesivo apego a la bebida: "Me emborracho, padre, porque me da el sentimiento que Dios no me quiso para mártir". Los cristianos pensaban que una hemorragia tan grande del pueblo mexicano sólo podía ser explicada por la predilección que Cristo Rey y la Virgen de Guadalupe sentían por dicho pueblo. Los cristeros no vacilarían en morir ahorcados, fusilados, desollados vivos, o quemados, si la disyuntiva era renegar de Cristo. El verdugo los conminaba a gritar: "Muera Cristo Rey" o "Viva el diablo", pero ellos gritaban lo contrario. El hecho fue que el pueblo sencillo, aun privado de sus sacerdotes y de los sacramentos, permanecería impertérritamente fiel a Cristo Rey y a Nuestra Señora de Guadalupe hasta el testimonio sublime de la sangre.

Recorramos la nutrida galería de esos católicos. Nos restringiremos tan sólo a algunos de ellos. Nombremos en primer lugar a *Joaquín de Silva*, de 21 años de edad, y a *Manuel Melgarejo*, de 17, ambos de la ACJM. Cierto día, pocos meses antes del levantamiento, más precisamente en septiembre de 1926, se dirigían en tren hacia Zamora, para colaborar en la defensa de la Causa. Un pasajero, que iba de particular, y era el general Cepeda, se les acercó para terciar en la conversación. También él era católico, les dijo, y participaba de sus ideas. Los jóvenes, incautos, le contaron lo que pensaban hacer para mejor servir a Cristo y a la Iglesia. Al llegar a Zamora, el general cambió bruscamente: "Amigos –les dijo– están ustedes perdidos, dénse por presos". A lo que replicó Joaquín: "A mi máteme, o haga lo que quiera; pero a este joven, que tiene sólo 17 años, déjelo usted ir libre". Manuel lo abrazó y le dijo: "No, Joaquín, yo quiero morir contigo". El general trató de convencerlos de que estaban equivocados, pero fue inútil. Y así quedaron detenidos. Entretanto el alto oficial le mandó un telegrama a Calles preguntándole si quería que los remitiera a México o que los ejecutara: "¡Fusílelos!", contestó. Enseguida se les comunicó la sentencia de muerte.

Mientras eran llevados al lugar de la ejecución, alguien les preguntó: "¿Van ustedes al patíbulo?". "No –contestó Joaquín–, vamos al Calvario". Al llegar al cementerio, lugar elegido para que allí fueran fusilados, cuando le quisieron vendar los ojos a Joaquín, él se negó: "¡No soy un criminal! Yo mismo les daré la señal para disparar. Cuando diga: ¡Viva Cristo Rey! ¡Viva la Virgen de Guadalupe!, entonces pueden tirar". Antes de morir pidió pronunciar unas palabras: Que los perdonaba y que iba a morir por Dios y por su Patria así como en defensa de su fe. En ese momento, uno de los soldados, conmovido, arrojó el mauser: "¡Yo no tiro, patroncito –le dijo al muchacho–, yo también soy católico y pienso como usted!", lo que le valdría ser preso y, al día siguiente, fusilado él también. Después Joaquín dijo a Melgarejo: "Quítate el sombrero porque vamos a comparecer ante Dios". Y volviéndose a los soldados, con voz vibrante gritó: "¡Viva Cristo Rey! ¡Viva la Virgen de Guadalupe!". Sonó la descarga. Al ver esto, Melgarejo cayó desmayado. Entonces descargaron sus armas contra él.

Otro de los primeros mártires de esta terrible persecución fue *José García Farfán*, en la ciudad de Puebla. Era José un hombre ya anciano, muy querido por la gente, que había sido miembro de la Liga. Atendía por aquel entonces un negocio, donde vendía periódicos y revistas. En la vidriera había puesto, en un lugar bien visible, diversos carteles que decían: "¡Viva Cristo Rey!" - "¡Sólo Dios no muere, ni morirá jamás!" - "¡Cristo vive, Cristo reina, Cristo impera!". Dejemos que López Beltrán nos cuente lo que allí sucedió. Era el 28 de julio de 1926, tres días antes del cierre de los templos.

Esa mañana, como de costumbre, García Farfán había ido a misa y comulgado. Ahora estaba tras el mostrador. A eso de las once de la mañana un auto se detuvo frente a su negocio. Iban en él dos generales, además del chofer y un soldado. El chofer bajó del auto y le dijo al anciano: "Por orden de mi general Anaya, que salga usted a verlo". "¿Dónde está?", le preguntó. "En su automóvil, allí, a la puerta", a lo que García Farfán: "Pues dígale a su general que hay la misma distancia de su automóvil a mi mostrador. Y que si quiere él hablarme, que venga él aquí, donde estoy a sus órdenes".

Los dos generales, hechos una furia, irrumpieron en el negocio. "¡Viejo imbécil –le dijo Anaya–, tal por cual, quite de su vidriera todos esos letreros subversivos!". A lo que nuestro héroe: "¿Que quite yo esos letreros?... Ni pensarlo. Yo estoy en mi casa, y en mi casa nadie manda sino Dios y después yo. No hay ningún bribón de los de ustedes que me obligue a quitarlos". Entonces el general desenfundó su pistola y le disparó un tiro a quemarropa, pero sólo le perforó el costado del saco. Luego comenzó a romper los letreros. Farfán, por lo visto, era un hombre de pocas pulgas. Furioso, tomó en sus manos un frasco lleno de chiles en vinagre y lo tiró a la cara del general. El compañero de éste detuvo el frasco pero se lastimó la muñeca con el vidrio. Mientras tanto Anaya seguía destrozando todo lo que había en los estantes. Sólo por estar muy alto, o por no haberlo visto, dejó un letrero, bien visible, por cierto, que decía: "¡Dios no muere!". Terminado su acto de arrebato, ordenó al soldado que detuviera a García Farfán y lo llevara al cuartel. A la mañana siguiente, Anaya mismo formó el cuadro de soldados que habían de fusilarlo. "¡A ver ahora cómo mueren los católicos!", le dijo. "¡Así!" –le respondió, estrechando en su pecho el pequeño crucifijo de su rosario, mientras con voz estridente gritaba: "¡Viva Cristo Rey!". Los amigos de García Farfán se dirigieron a su negocio, y allí, en lo alto del estante destrozado, pudieron leer conmovidos aquel letrero supérstite que Anaya pasó por alto: "¡Dios no muere!". Todo un símbolo.

También en 1926, durante los primeros días del conflicto, sucedió otro hecho semejante. He aquí que en San Juan de los Lagos se había organizado una manifestación de protesta pacífica, pero ardorosa, contra los desmanes que se estaban cometiendo. Lo que sucedió nos lo contará Miguel Ángel León. Los jóvenes que participaban en el acto llevaban carteles con el grito de ¡Viva Cristo Rey! Terminada la manifestación, un niño que en ella había tomado parte con entusiasmo, llamado *José Natividad Herrera y Delgado,* volvió a seguir jugando en la calle con otros chicos. Había por allí un grupo de personas que no se habían atrevido a enfrentar la manifestación, pero ahora se fijaron en los niños que jugaban y de manera especial en uno que llevaba en el sombrero el lema de la Realeza de Cristo. "¡Quítate ese letrero, chamaco!", le gritó uno de ellos "¿Que me lo quite? Jamás. ¡Viva Cristo Rey!". "Si no te lo quitas te vamos a fusilar", amenazó el hombre. El padre del chico, que estaba cerca, al oír esas palabras, le pidió a su hijo que lo hiciera. Irguióse el niño, lleno de asombro, pues nunca había visto en su padre una debilidad semejante. "¿Cómo, papá? ¿Que me lo quite? ¿No te acuerdas que mamá delante de ti dijo que no me lo debía dejar quitar por nadie? ¡No, no me lo quito!". El entrometido, que era soldado, echó el arma al hombro y disparó su carga sobre este héroe de siete años.

Poco tiempo después, siempre en 1927, hubo en León una masacre de jóvenes católicos. De aquel hecho nos queda una carta donde se lo narra:

> Te adjunto los retratos de los muchachos antes y después de ser fusilados y martirizados. El de delante llamado Valencia Gallardo fue un verdadero santo. Imagínate que uno de sus compañeros estaba con un lazo al cuello tan apretado que ya el pobrecito tenía la lengua fuera de la boca y los ojos saltados [...], entonces el joven Gallardo fue y le dijo que tuviera paciencia [...] Otro de los muchachos, pues eran once en conjunto, que tenía apenas 13 años, se puso a llorar cuando vio los iban a fusilar y también entonces el ínclito Gallardo se dirigió a él para consolarlo y recordarle que dentro de breves instantes sus penas se cambiarían en gozo. Fue entonces cuando el bandido que capitaneaba el pelotón ordenó que le cortaran la lengua; y Gallardo, aun con la lengua cortada y llena de sangre, sonreía de contento al padecer por Cristo, y con la mano levantada hacia el cielo alentaba a sus compañeros de martirio.

También en los inicios de 1927, en Santa María de las Parras, Coahuila, diez jóvenes de la ACJM y de la Liga, fueron aprehendidos y llevados al cementerio. Orozco nos relata lo que entonces ocurrió. Uno de aquellos jóvenes, *Francisco Guzmán*, pidió permiso para hablar y así se dirigió al coronel de la escolta: "Vamos a morir y sólo pido la gracia de ser el primero en derramar la sangre por mi Cristo. Nosotros, los cristianos, debemos morir a imitación de nuestro Supremo Capitán, Cristo Jesús, con los brazos en cruz, para ofrecer este pequeño sacrificio por las agonías de Cristo en el Calvario". Y a los que estaban junto a él: "Compañeros, hermanos míos, estemos felices y dispuestos a pasar revista ante Nuestro Señor y Nuestro Dios. La muerte se aproxima para nuestros cuerpos pero estemos seguros que nuestras almas, protegidas por la Virgen Morenita del Tepeyac, a quien nos consagramos el día que recibimos nuestra insignia, el distintivo de la ACJM, Ella las llevará a la presencia de su Hijo, Jesucristo nuestro Señor, y las guiará a la entrada de su inmortalidad". Luego, mirando al pelotón de fusilamiento: "Soldados del gobierno, vosotros sois ciegos y no comprendéis la importancia de este momento. Sois instrumentos para cumplir los designios de la Providencia. Nosotros, aunque indignos, hemos ofrecido hasta la última gota de nuestra sangre en holocausto por los pecados nacionales para que sea aceptada por Dios... De todo corazón os perdonamos, y ojalá que en vuestra hora suprema os volváis a Cristo, nuestro Dios y Señor". Finalmente, "y vosotros, compañeros de martirio, quitaos vuestros sombreros, vuestra mirada al cielo, vuestro pensamiento en Dios. ¡Viva Cristo Rey! ¡Viva la Virgen de Guadalupe!".

Otro joven, *Tomás de la Mora,* de 18 años, nacido en Colima y miembro también de la ACJM y de la Liga, fue ahorcado el 27 de agosto de 1927. Unos días antes de morir le había escrito a su hermana, que vivía en la ciudad de México: "A pesar de ser tan tibio y tan poco virtuoso [...], según pienso esta persecución va a hacer que México brille por la heroicidad de sus mártires [...] Ya no hemos de pedir que cese la persecución, sino que en cada católico haya un héroe, como en tiempo de Nerón". Y en una carta posterior terminaba diciéndole: "Pídele a Dios que sea un mártir. Tomás de la Mora". Como se ve, la idea del martirio suscitaba en él un anhelo acuciante.

Llegó el día de su detención, tras la cual fue llevado a la presencia del general Flores, jefe de la guarnición, hombre duro e impío, quien le pidió que le dijera quién era el que le aconsejaba. Como el joven se negara, ordenó que le dieran "una calentadita". Lleno de moretones en la cara, fue llevado de nuevo al general, quien reiteró su pregunta. "Es inútil, mi general. No diré nada. Y si me da usted la libertad, mañana voy al Volcán a unirme a los cristeros en la lucha por Cristo

Rey". Tras insistir una vez más en su pregunta con el mismo resultado, el general dio la orden de ejecutarlo prontamente. A la medianoche lo sacaron del cuartel para que fuese ahorcado. Que el joven elija el lugar que quiera, dispuso el general. Él se detuvo frente a un árbol histórico, venerado por los liberales como una especie de lugar sagrado. Bajo él, en una piedra que aún se conserva, otrora se había sentado a descansar Benito Juárez, la encarnación misma del liberalismo mexicano y uno de los más encarnizados enemigos de la Iglesia. Fue, pues, en ese preciso sitio donde nuestro Tomasito se detuvo, diciéndole a los soldados: "Este es lugar de ignominia. Aquí cuélguenme para que se cambie en bendición este lugar de maldición". Entonces un soldado se le acercó para ponerle la soga al cuello. "No me toque –le dijo Tomás– porque me mancha". "¿Por qué?", le preguntó el soldado. "Porque ustedes son soldados del demonio y nosotros de Cristo Rey". Entonces el soldado le pidió que él mismo se pusiese la soga. Tomás, sonriendo, le contestó: "Yo no sé cómo se pone. Es la primera vez que me ahorcan. Dígame cómo". Antes de ser colgado gritó el consabido ¡Viva Cristo Rey! Bellísima esta página del martirologio mexicano, donde el héroe hace gala de coraje y hasta de humor.

También en agosto de 1927 fue detenido en Unión de San Antonio, Jalisco, *Anselmo Padilla*, por orden del general Miguel Z. Martínez. Aprehendido en su rancho, le pidieron que vivara a Calles.

Él vivó a Cristo. Se le reiteró la orden y reaccionó de la misma manera. El general, furioso, mandó que con un serrucho le rebanaran la nariz. Tras ello, Padilla volvió a vivar a Cristo. Martínez, fuera de sí, ordenó que le cortaran la boca con un cuchillo. Él persistió en su postura. Lo colgaron entonces de una soga y le desollaron las plantas de los pies, luego lo alzaron y lo apoyaron en un brasero con carbones encendidos. "Para que vea que cuando se sufre por Cristo ni la lumbre quema –dijo el héroe–, voy a apagar ese fuego con mi sangre". Así fue, en efecto, ya que su abundante hemorragia apagó las llamas. Luego entró en agonía, y vinieron los ángeles para llevárselo el cielo.

Hubo mártires de todas las clases sociales. Un zapatero muy humilde *Florentino Álvarez,* era miembro de un sindicato católico de la ciudad de León, Guanajuato. El 7 de agosto de 1927, el general Sánchez ordenó ocupar las oficinas del sindicato, y le dijo a Florentino: "¿Todos ustedes son una punta de sinvergüenzas, de esos que gritan viva Cristo Rey?". A lo que respondió: "Sí, señor, gritamos viva Cristo Rey, pero no somos ningunos sinvergüenzas sino trabajadores honrados". "Pues su Cristo no es Rey..., y lo que pasa es que se reúnen aquí para conspirar contra el Gobierno". "Miente usted –respondió indignado Florentino–. Todos nosotros, y usted mismo, sabemos que Cristo es Rey, y aquí no nos reunimos para conspirar contra nadie sino para procurar nuestro bienestar moral y económico". El general montó en cólera: "¿Miento, desgraciado?", dijo, al tiempo que le daba una bofetada que lo hizo sangrar. Los obreros allí presentes se le acercaron para defenderlo, pero Florentino los frenó y gritó: "¡Viva Cristo Rey!", lo que sus compañeros reiteraron. "Quedan todos detenidos, en filas y a la cárcel".

Pocos días después, los soldados lo sacaron a Florentino con las manos atadas atrás y lo llevaron a las afueras de la ciudad. El mártir, entendiendo bien a dónde lo conducían, comenzó a cantar en alta voz: "Corazón Santo, tu reinarás". Los soldados le pegaban en la boca para que se callase, pero él reiteraba "¡Tú reinarás!". Al llegar al lugar del suplicio, Florentino lo saludó con un ¡Viva Cristo Rey! Un soldado, furioso, lo abofeteó y le dijo: "¿Quién vive?". "¡Viva Cristo Rey y viva la Virgen de Guadalupe!". Una descarga lo abatió. Al día siguiente circuló por la ciudad de León esta esquela mortuoria: "¡Viva Cristo Rey! El señor D. Florentino Álvarez murió confesando a Jesucristo, a la edad de 37 años, el 10 de agosto de 1927. Su madre, esposa, parientes y amigos, con inmenso regocijo lo participan a usted, para que pida por el triunfo de la religión en México, poniendo por valiosa intercesión el alma de Florentino". Un mártir. Y una familia mártir.

Numerosos fueron los mártires de humilde extracción. Como escribe Orozco, "de pobres campesinos, semianalfabetos, se converten en mártires admirables y en héroes que asombran con su ánimo viril y resuelto a los gobernantes, a quienes todavía la víspera saludaban con el sombrero en la mano en señal de respeto a la autoridad. Porque ellos supieron distinguir muy bien entre el respeto debido al César y el honor y servicio a Dios, que está por encima de cualquier otra cosa".

El heroísmo se había vuelto contagioso. Estaba a flor de piel, incluso en mujeres y en niños. Cierto día, nos cuenta Orozco, en un suburbio de Guadalajara, un chico de barrio iba a la escuela llevando en su mochila libros y cuadernos. De vez en cuando, se detenía, y le daba a la gente con la que se cruzaba un volante en favor del boicot que por aquellos días estaba organizando la Unión Popular. Mas he aquí que uno de esos transeúntes era del oficialismo. "¿Quién te dio esto?", le preguntó. El niño nada respondió. "Verás cómo lo dices en la comisaría". Allí lo llevó y el que lo condujo le dijo al comisario: "Este chamaco está repartiendo en las calles esta porquería y no quiere decir quién se la ha dado". "Pero a mí me lo vas a decir, ¿verdad? Yo soy el comisario". El chico no movió los labios. "Te voy a zurrar un poco, ¿eh?". Entonces le sacó la camisa y los pantalones, tomó un látigo y comenzó a pegarle, hasta que sus espaldas quedaron amoratadas. "¡No sea malo, señor, no me pegue! ¡No me pegue! ¡No sea malo, no me pegue así!". Entonces el comisario fue a un cuarto vecino e hizo llamar por teléfono a la madre del chico. "Vamos a ver entonces si así habla o no habla". Cuando llegó la madre, el comisario le dijo que quería saber quién le había dado a su hijo esos volantes. La señora respondió que había sido ella. El comisario no le creyó. La madre miraba a su hijo y el hijo a su madre, fortaleciéndose con ese entrecruce de miradas. Entonces volvieron a desnudar al chico. Cuando la señora vio que levantaban el látigo, se interpuso. "¡No le pegue! –gritó– ¡Pégueme a mí, si es hombre, y no a un niño!". "Pues que diga", vociferó el comisario. Entonces, cuenta el relator, sucedió algo increíble, digno de los Macabeos: "¡No digas, hijo, no digas!", clamó la madre, llorando. El comisario, furioso al verse vencido por una mujer y un niño, le torció los brazos al chico hasta que se los quebró. "Vieja infame..., llévese a su hijo... tal para cual". La madre cargó al niño sobre sus hombros y lo llevó corriendo a su casa, mientras le repetía: "¡No digas, hijo, no digas!" Cuando llegó a su casa, puso en la cama el cuerpo llagado de su hijito. ¡Estaba muerto!

La ciudad de Sahuayo fue un rescoldo de mártires. Del caso que ahora nos ocupará algo hemos dicho páginas atrás, pero ahora lo volvemos a presentar de manera más detallada. Cierta vez, los federales capturaron a 27 cristeros y los encerraron en el templo parroquial. Al rato entró allí un capitán del ejército callista. "Que venga uno de los presos", ordenó. Uno de ellos se adelantó con gallardía... "Grita: Que viva Calles –le dijo– y te dejo en libertad". A lo que éste contestó: "No, que vivan Cristo Rey y Santa María de Guadalupe". El capitán, que tenía la pistola en la mano, le pegó un tiro en la cabeza. "Que venga otro", rugió. Todos los presos avanzaron al mismo tiempo, ansiosos de morir como su compañero. "No –dijo el oficial–, que avance solamente uno". Entonces le hizo a éste el mismo ofrecimiento, obteniendo idéntica respuesta. La operación se repitió una y otra vez.

Quedaban tan sólo dos jovencitos. "A ustedes no los mato porque son muy chicos", les dijo, y los envió a un correccional, de donde meses después lograron fugarse. Alguien de los que fueron testigos del hecho nos cuenta que, pasados los años, uno de los que no habían sido muertos, que se llamaba Claudio, fue a Sahuayo, acompañado por su padre, para visitar los restos de sus antiguos compañeros, que se conservaban en la cripta del templo parroquial del Sagrado Corazón. Mientras se dirigían hacia allí, el padre le dijo al sacerdote que, lamentablemente, su hijo se solía embriagar. El sacerdote los llevó hasta la tumba. Claudio levantó la tapa y les dijo a sus antiguos camaradas, como si estuvieran vivos: "Compañeros, pídanle a Dios me vaya al cielo a acompañarlos". Luego la cerró violentamente y se retiró emocionado. El sacerdote aprovechó la ocasión para decirle que estaba mal que, habiendo sido un combatiente de la Causa, ahora se emborrachase. A lo que el joven, lagrimeando, contestó: "Me emborracho, padre, porque me da sentimiento que Dios no me quiso para mártir".

Otro caso en Sahuayo. Un muchacho de 17 años, *Leopoldo Cepeda Gálvez*, fue condenado a muerte. Poco antes de expirar se le oyó exclamar: "¡Viva Cristo Rey en mi corazón, en mi casa y en mi Patria!". Espléndida afirmación por la que proclamaba de manera palmaria la Realeza de Cristo, individual, familiar y social, es decir, sobre los corazones, sobre las familias y sobre la Patria. No otra cosa es la Cristiandad.

Un último caso, también en Sahuayo, el de *José Sánchez del Río*. Desde sus primeros años, vivió José ese clima de combate y de coraje que se iba generalizando entre los mejores católicos. Más de 2.500 personas se habían adherido en aquella localidad al alzamiento, muchos de ellos tomando las armas. Nuestro José fue uno de los primeros en presentarse, pero no lo admitieron "hasta que cumpliese diecisiete o dieciocho años". Él insistió en su propósito, a pesar del llanto de sus padres, recurriendo a jefes cristeros de mayor renombre para que intercedieran por él. "¡Nunca ha sido tan fácil ganarse el cielo!", decía. Él quería "morir en la raya al lado de Jesucristo", según confesaba con sabia ingenuidad. Por aquellos días se había enterado de la gloriosa muerte del "maistro", Anacleto González Flores, así como del jesuita Miguel Agustín Pro. Insistió entonces a sus padres. Las objeciones que éstos le ponían no lo convencieron: que apenas era un adolescente, que poco podría servir a la Causa, que no aguantaría vivir a la intemperie y en la zozobra. Por fin accedieron, permitiéndole llevar a cabo su propósito con la condición de que se limitara a ser ayudante del capitán, abanderado o corneta. Al verle por primera vez los cristeros, juzgaron que era demasiado chico, que sólo serviría para cuidar caballos o ser mandadero. Pero él se sentía feliz, junto con algunos compañeros de su edad, llevando la vida de los soldados. Pronto los veteranos comenzaron a admirarlo, y le enseñaron a tocar la corneta. Quedó así a las órdenes del general Luis Guízar Morfín, quien para mejor protegerlo le ordenó que estuviera siempre a su lado, custodiando la bandera. De este modo participó, desde su puesto de corneta, en varios combates, mostrándose siempre valeroso. Como premio a su ejemplar desempeño recibió dos distinciones del general Mendoza: ser el clarín de órdenes oficiales así como el portaestandarte y abanderado en los combates.

En una de las tantas batallas, cerca de Cotija, el caballo del general cayó fulminado, debiendo su jinete saltar para no quedar atrapado. Todos sus soldados se dispersaron. José, con el rostro sudoroso, y la bandera en la mano, le gritó: "Mi general, aquí está mi caballo". "No –le respondió–, huye tú". "Yo soy chico. Usted hace más falta que yo. ¡Viva Cristo Rey!". El jefe saltó entonces sobre el animal y salió al galope. Los soldados enemigos rodearon a José junto con otro joven que estaba por allí, llamado Lorenzo, y comenzaron a empujarlos, profiriendo blasfemias que los muchachos nunca habían oído. "¡Me han apresado –exclamaba José–, pero no me he rendido!". Lo encarcelaron, entonces, a él y a su compañero, en la prisión de Cotija. Desde allí José escribió con lápiz una carta a su madre: "Mi querida mamá: fui hecho prisionero en combate en este día. Creo que en los momentos actuales voy a morir, pero no importa, mamá. Resígnate a la voluntad de Dios; yo muero contento porque muero en la raya al lado de nuestro Dios. No te apures por mi muerte, que es lo que me mortifica, antes dile a mis otros hermanos que sigan el ejemplo que su hermano el más chico les dejó; y tú haz la voluntad de Dios; ten valor y mándame tu bendición juntamente con la de mi padre. Salúdame a todos por última vez y tú recibe por último el corazón de tu hijo que tanto te quiere y verte antes de morir deseaba. José Sánchez del Río".

Junto con su compañero fueron trasladados a Sahuayo, al templo parroquial, que el diputado Rafael Picazo había profanado convirtiéndolo de casa de Dios en un gallinero, donde guardaba sus gallos de riña. Ambos jóvenes quedaron encerrados en el bautisterio. La iglesia, ocupada por la soldadesca, llena de pertrechos militares y de botellas vacías, se había convertido en caballeriza, al tiempo que gallinero. En un rincón estaban los caballos y cerca del altar mayor numerosos gallos de riña, algunos en los altares, otros en el comulgatorio y el púlpito, otros en el sagrario. Uno de los soldados, que había sido padrino de bautismo de José, le ofreció la libertad si se avenía a entrar en el ejército federal. "¡Primero muerto! ¡Yo no me voy con los changos!". Así llamaban, recordémoslo, a los federales. "¡Nunca con el perseguidor de la Iglesia! ¡Si me sueltan, mañana regreso con los cristeros! ¡Viva Cristo Rey! ¡Viva la Virgen de Guadalupe!"

Llegó la noche, y los soldados se retiraron. Nuestro joven logró sacarse las ataduras y se dirigió enseguida al presbiterio del templo. ¿Era posible que la iglesia donde había sido bautizado y donde había recibido la primera comunión, estuviera en esas condiciones tan deplorables, llena de excrementos y convertida en lugar de francachelas? "Al menos no tendrán peleas de gallos", pensó al retorcer el pescuezo de dos de ellos. Cristo había purificado el templo de mercaderes, él lo limpiaría de gallos de riña. Al día siguiente, cuando el diputado Picazo se enteró de la suerte que habían corrido sus gallos, se presentó iracundo en la iglesia y recriminó a José por su acción. "¿Sabes lo que has hecho? ¿Sabes lo que vale un gallo de riña?". A lo que el chico respondió: "Lo único que sé es que la casa de Dios no es palenque ni corral". Uno de los soldados, queriendo quedar bien con sus jefes, le propinó una bofetada, haciéndole sangrar. Cerca de él, su compañero Lorenzo se mostraba temeroso. José le dirigió palabras de ánimo, poniéndole el ejemplo del padre Pro y de Anacleto.

Por la tarde ambos fueron llevados a la plaza. A Lorenzo lo colgaron en un cedro. Al verlo así, José pidió que lo matasen a él también. Pero lo volvieron a llevar a la iglesia, y allí lo dejaron amarrado, ahora solo, en el bautisterio. Mientras tanto Lorenzo, que equivocadamente había sido dado por muerto, logró escapar, regresando con los cristeros. Mientras tanto, los padres de José, sin que él lo supiera, ofrecieron un rescate para que lo liberaran. Los federales se negaron. Mientras tanto nuestro joven héroe escribió una carta a su tía, firmando: "José Sánchez del Río, que murió en defensa de su fe". Esa noche lo torturaron, tajeándole la planta de los pies, y golpeándolo brutalmente, mientras él no cesaba de gritar ¡Viva Cristo Rey! Luego lo obligaron a caminar descalzo hasta el cementerio, ubicado a unas diez cuadras de la iglesia, en las afueras del pueblo. En medio de los insultos persistía en aclamar a Cristo y a la Virgen de Guadalupe. Ellos, cansados de oírlo, le golpearon la mandíbula, rompiéndola a culatazos. Luego, para evitar que se escucharan los disparos, lo apuñalaron en el pecho, el cuello y la espalda. A cada puñalada gritaba: ¡Viva Cristo Rey! El cabecilla le preguntó, no sin cierta ironía: "¿Qué le vamos a decir a tu papá?". José alcanzó a balbucir: "Que nos veremos en el cielo. ¡Viva Cristo Rey!". Tras dispararle con una pistola, arrojaron su cuerpo a la fosa.

En el pueblo pronto se conocieron los detalles de su pasión, y desde entonces comenzaron a invocarlo como mártir. Todos los chicos querían ser como él. Todas las madres querían tener un hijo como él.

* * *

Hemos tratado de adentrarnos en el drama de la terrible persecución contra los cristeros mexicanos, escuchando en cada recodo de sus caminos el grito siempre reiterado de *Viva Cristo Rey* que, al decir de Silviano Hernández, "habrá de seguir resonando a pesar de otro gran tirano: la historia falsificada", o el olvido deliberado. El primer beatificado por Juan Pablo II, en octubre de 1988, fue el padre Miguel Agustín Pro. Desde entonces la Iglesia ha seguido beatificando a varios de aquellos mártires. En noviembre de 1992, en la solemnidad de Cristo Rey, el mismo Papa beatificó a 22 sacerdotes mexicanos y a tres jóvenes laicos de la ACJM. Se encuentran entre ellos el padre Cristóbal Magallanes, Agustín Caloca, Tranquilino Ubiarco, David Uribe. El 20 de noviembre de 2005, en el Estadio Jalisco de Guadalajara, el papa Benedicto XVI beatificó, entre otros, a Anacleto González Flores, Miguel Gómez Loza, los hermanos Vargas González, Luis Padilla, José Sánchez del Río, etc. Dios nos concedió la gracia de estar presente en esa ocasión.

Capíítulo Sexto

"LOS ARREGLOS... SI ARREGLOS PUEDEN LLAMARSE"

Vamos ya llegando al desenlace de esta aventura, ética y mística a la vez, que encarnó lo mejor del pueblo mexicano.

I. Situación previa a los Arreglos

Las circunstancias habían ido llevando el enfrentamiento a un pico de alta tensión, tanto en el campo político como en el religioso. Por cierto que las dificultades no eran del todo nuevas, sino que se venían arrastrando desde hacía bastante tiempo, pero se habían agudizado considerablemente.

Ya desde el segundo semestre de 1927 la situación política no era la misma. Si bien Calles seguía recibiendo apoyo de la Casa Blanca, su gestión se veía muy erosionada. Estaba acercándose al fin de su período de cuatro años de gobierno. Más precisamente, su mandato debía concluir en diciembre de 1928. El Turco –como todos lo llamaban– había recibido el poder de manos de Obregón, y ahora se disponía a devolvérselo para el siguiente mandato. Efectivamente, según lo proyectado por Calles, Obregón fue reelecto. Pero aconteció un hecho tan inesperado como detonante. El 17 de julio de 1928, un joven de 27 años, José de León Toral, atentó durante un banquete, esta vez exitosamente, contra la vida del general Obregón, por lo que fue condenado a muerte. Calles quedó descolocado, pero pronto se repuso, e inclinando las voluntades de las Cámaras, logró que el 25 de septiembre designasen Presidente Provisional a Emilio Portes Gil, quien asumió el 1° de diciembre. Pero de hecho el Turco seguía siendo "el Jefe máximo de la Revolución".

Ya entonces comenzó a hablarse de un posible arreglo con la Iglesia. En su libro *México cristero*, Rius Facius nos pone al corriente de tales prolegómenos. Dwight Whitney Morrow, nos dice, que era socio de Morgan, el famoso banquero judío de Wall Street, cultivaba estrecha amistad con una familia católica norteamericana de abolengo, de apellido Brady. Al enterarse el cardenal Hayes que Morrow sería nombrado embajador en México, le pidió a Brady que concertara una entrevista con él. Así se hizo, y en el encuentro el cardenal le solicitó a Morrow que hiciese valer su influencia para llegar a un arreglo en el conflicto religioso de aquel país.

Morrow se mostró interesado, e incluso le contó que ya tenía instrucciones de su gobierno en ese sentido, sólo que, como él era protestante, necesitaba un sacerdote católico que lo asesorara. El cardenal le sugirió el nombre del padre John J. Burke, secretario del Comité Permanente de Obispos de los Estados Unidos. Nombrado ya embajador, concretó Morrow, antes de partir a México, una entrevista con el padre Burke, y en ella le pidió que fuese a México y hablase personalmente con Calles sobre el conflicto religioso.

Antes de partir a su destino, el nuevo embajador le confesó al redactor de un periódico, que él estaba convencido de que el anticlericalismo de Juárez, a mediados del siglo XIX, así como el de Calles y Obregón más recientemente, provenía de que los prelados mexicanos se habían solidarizado con las fuerzas contrarrevolucionarias. De ahí que, a su entender, las leyes antirreligiosas eran algo así como "represalias políticas" y no "hostilidad antirreligiosa de principios". Partiendo de esa base tan equivocada elaboró un plan simplista en orden a persuadir al gobierno mexicano de que los obispos, suficientemente informados, acabarían por aceptar la Revolución mexicana como un hecho consumado. Una vez dado este paso, no sería difícil que el Gobierno "hiciese una interpretación de las leyes que la Iglesia pudiera aceptar".

El encuentro entre Calles y el embajador se llevó a cabo a mediados de 1928, en un lugar cercano a Veracruz, donde fue también el padre Burke. A Calles el proyecto le causó poca gracia, mostrándose inflexible y hasta algo virulento, por lo que no se arribó a ningún acuerdo. Una semana después, el padre Burke visitó de nuevo a Calles en el castillo de Chapultepec, y éste le dijo que pusiera su proposición por escrito, lo que hizo Burke poco después, en un informe donde entre otras cosas decía: "He sabido que nunca ha sido intención de usted destruir la integridad de la Iglesia, ni molestarla en sus funciones espirituales [...] Estoy convencido de que los obispos mexicanos están animados por un patriotismo sincero y desean una paz duradera". Si había buena voluntad de ambas partes la cosa tendría solución, pensaba Burke, quien mantuvo varias nuevas entrevistas con Calles, tratando de que se aviniera a un arreglo con la Iglesia. Se equivocaba Burke, comenta Ríus Facius, "pues era la intransigencia de raíz masónica del Gobierno, y no las pretensiones de la jerarquía en cuestiones políticas lo que impedía llegar a la solución del conflicto, como lo estaban proclamando los sangrientos sucesos ocurridos durante los dos últimos años". Calles acusó recibo del informe, señalando que se daba por enterado del deseo de los obispos de reanudar el culto público, y que no era su voluntad destruir la identidad de la Iglesia.

Mientras esto sucedía, en San Antonio Texas se habían reunido los obispos desterrados para elegir sucesor del presidente del Comité Episcopal, recientemente fallecido. Ello fue en abril de 1928. La votación recayó en el arzobispo de Morelia, monseñor Leopoldo Ruiz y Flores, quien enseguida se trasladó a la ciudad de México para asesorar al padre Burke en sus gestiones con el gobierno. Ambos fueron a ver a Calles en Chapultepec y lo encontraron más flexible que la otra vez. Luego monseñor Ruiz viajó a Roma para informar al Papa de las gestiones que se estaban realizando. Al mismo tiempo Obregón, todavía en vida, entró en contacto con monseñor Pascual Díaz, obispo de Tabasco, cuya antipatía hacia los cristeros era notoria.

Cuando los miembros de la Liga y los combatientes cristeros se enteraron de estas tramitaciones hechas a sus espaldas, sin ser previamente consultados para nada, se alarmaron sobremanera. Tampoco los obispos o, para ser más preciso, la mayoría de ellos, habían sido debidamente informados. Véase, si no, lo que monseñor Manríquez y Zárate le escribía al secretario del Subcomité Episcopal, monseñor Miguel de la Mora, obispo de San Luis: "Las últimas noticias de la prensa acerca de los arreglos religiosos me han llenado de angustia. Sé que monseñor Ruiz ha ido a Roma precisamente a inclinar al Santo Padre a un arreglo de la cuestión religiosa, más conveniente a nuestros enemigos que a los intereses de la Iglesia, al menos así lo juzgo, dado el modo de pensar del ilustrísimo prelado [...] Yo también me pregunto: ¿Quién ha nombrado representante de los obispos ante el Vaticano a monseñor Ruiz?" El arzobispo de la Mora se mostró de acuerdo con esta carta y así se lo informó en copia a todos los prelados mexicanos. Entonces los laicos, terciando en el asunto, comenzaron a moverse. Con fecha 31 de mayo de 1928, diversas entidades católicas, entre otras la Liga y la ACJM, mandaron un extenso memorial a Pío XI dándole a conocer la posibilidad "de que ciertos individuos del gobierno sectario y perseguidor" llegaran a un acuerdo con algunos prelados, lo que traería "un sentimiento de desaliento, de derrota", en los combatientes, "con la certeza fundada en una amarga y segura experiencia de que los perseguidores no cumplirían los compromisos contraídos", agregando que "lo que el gobierno quiere es la rendición de los combatientes y que la Iglesia se sujete a una ley que ella misma condenó". Al parecer, este memorial surtió el efecto esperado, ya que por el momento no se habló más del asunto. Monseñor Ruiz y Flores volvió a Estados Unidos declarando que su gestión había fracasado porque él Santo Padre no había admitido los arreglos propuestos.

¿Por qué Calles, y luego Portes Gil se interesarían por llevar adelante tales presuntos arreglos?, se pregunta Salvador Borrego. "Ni Calles ni Portes Gil se habían vuelto de pronto guadalupanos", dice con sorna. "Simplemente ambos eran empujados por fuerzas internacionales a ofrecer concesiones". Porque Estados Unidos no podía sacar ventaja alguna mientras el gobierno mexicano estuviera sacudido por tantos problemas: la lucha cristera, el levantamiento del general Escobar, el intento de Vasconcelos, etc. El combate del gobierno contra los cristeros demandaba abundante presupuesto, de modo que se hacía difícil seguir financiando la guerra que llevaban a cabo las tropas federales, justamente ahora en que los cristeros eran cada vez más fuertes.

Cuando Portes Gil asumió el gobierno se mantenía dicha situación, incluso agravada. México debía muchos millones de dólares a Estados Unidos y éstos no estaban dispuestos a seguir prestando sin límites. En sus *Memorias*, Portes Gil confiesa que tenía que gobernar un país "en medio de la conmoción provocada por el clero católico, que mantenía en pie de guerra a más de 20.000 hombres en el territorio nacional". Y si Portes Gil estaba preocupado, más aún lo estaba la Casa Morgan, que financiaba dicho gobierno. En un editorial del *New York Times* de junio de 1928 se podía leer: "El Gobierno Calles se ha visto seriamente entorpecido por lo que podría llamarse revolución endémica en México. Son precisamente los altos gastos del ejército de operaciones los que han causado la falta de pago de la deuda exterior mexicana. Calles debe estar dispuesto a cualquier arreglo razonable". El mismo Morgan le había escrito a Calles indicándole que "las finanzas de México pedían la paz religiosa para la prosperidad del país".

Sostiene Orozco que si bien en 1929 el balance de la guerra se inclinaba en favor de las fuerzas cristeras, con todo, el fin de la contienda se veía como algo remoto. La escasez crónica de municiones hacía prácticamente inviable que los nuestros pudiesen derrocar al gobierno, el cual seguía contando, por lo menos hasta entonces, con el apoyo material de Estados Unidos. Como señala el mismo Orozco, "ni el gobierno había podido con los cristeros ni éstos tenían la victoria cercana, aunque sí habían causado serios dolores de cabeza al gobierno federal, quien ya miraba con preocupación y más respeto el alzamiento cristero". Ninguno de los anteriores levantamientos contra los sucesivos gobiernos, en que México era tan prolífico, había tenido en su contra "un ejército tan poderoso como el que puso en pie de guerra el general Joaquín Amaro, secretario de defensa de Calles, ni un gobierno tan firmemente apoyado por los Estados Unidos con ayuda financiera, pertrechos militares y apoyo político". Es cierto que entre los cristeros perduraba "el entusiasmo sagrado", la disposición a morir en defensa de la Causa justa, pero ello no significa que dejaran de sufrir la escasez de medios y la impotencia de fuego, cien veces menor que la del ejército federal. Es cierto que, como calcula Meyer, durante los tres años de guerra, por cada cristero muerto en combate habían caído al menos tres o cuatro soldados callistas. Dicho trienio causó entre 20 y 25 mil bajas cristeras por 60 o 70.000 soldados federales y agraristas, 1.800 oficiales, 70 coroneles y 12 generales. Se ha hablado de un total de entre 200.000 o 250.000 muertos, entre civiles y militares. Sea lo que fuere, en junio de 1929, la situación parecía prolongarse indefinidamente. No olvidemos tampoco que el hecho de que buena parte del pueblo fiel se hubiese visto privado por casi tres años de sus sacerdotes y alejado de los sacramentos, constituía una preocupación real para la jerarquía católica mexicana, y también para Roma, que seguía de cerca los hechos.

Según todas las apariencias, pues, a mediados de 1929 se había llegado a una suerte de empate. Sin embargo, como bien observa el padre Iraburu, es preciso destacar una gran diferencia: "En tanto que los cristeros estaban dispuestos a seguir luchando el tiempo que fuera necesario hasta obtener la derogación de las leyes persecutorias, el gobierno, viéndose en bancarrota, tenía extremada urgencia de terminar el conflicto cuanto antes".

Tal fue el contexto que enmarcó el emprendimiento de los "arreglos". Así describe dicha circunstancia, con lenguaje ranchero, uno de los testigos: "El gobierno se encontraba ya bastante derrotado y sin esperanza ya de acabar con los cristeros y andaban muchos personajes católicos, delegados y hasta extranjeros, tratando de arreglar todas las cosas [...] y como Calles ya presentía su derrota hace un arreglo firmando aquel contrato para quedar en libertad y para que en los templos ejercieran el culto". Por aquellos días Calles le dijo a

Portes Gil: "Ya terminamos con Escobar, pero con los cristeros no acabaremos, por lo tanto busque la manera de entrar en arreglos con los curas y dar fin a esta guerra que nos aniquila". No otra cosa era lo que pensaba el embajador Morrow.

Por cierto que las opiniones divergen sobre la "oportunidad" de propiciar o no los arreglos. Para algunos estudiosos del tema, por ejemplo Andrés Azkue, el gobierno se sentía acosado e inició los trámites para evitar la derrota. Los federales estaban exhaustos, replegados en las ciudades, pero aun allí eran blanco del enemigo. A Calles no le quedaba, pues, otra salida que consensuar con los obispos, más por necesidad que por convencimiento. Otros autores juzgan que los cristeros sabían que no les era posible vencer, por lo que se volvía conveniente llegar a un acuerdo con el gobierno, idea promocionada por algunos obispos, preocupados, como lo insinuamos arriba, por el peligro de que, estando cerrados los templos, los católicos se fueran apartando de los sacramentos.

II. Los gestores de los Arreglos

Algo hemos dicho páginas atrás de los personajes que en ellos intervinieron. Pero nos parece conveniente abundar sobre dicho asunto. Díaz Araujo nos ofrece al respecto interesantes observaciones. Según ya se ha indicado, el banquero

Morgan tenía en México a Morrow como portavoz suyo para hacer entrar en razón a Calles y a Portes Gil. Por este lado, señala el ilustre historiador mendocino, no había problemas. El problema eran los católicos, especialmente los "fanáticos", o los "bandidos", como los llamaba Morrow en sus informes. Este personaje nefasto actuó en coherencia con su condición de masón y de protestante. El Lic. Narciso García Naranjo, en un artículo que publicó en Estados Unidos, no vaciló en calificarlo de "promotor de asesinos" porque "dispensó sus simpatías a la más sanguinaria banda de forajidos que registra la historia del mundo".

El grupo católico de Estados Unidos que propiciaba el acercamiento estaba integrado por el cardenal Hayes, el padre Burke, monseñor Fumassoni Biondi, delegado apostólico en Washington, quien mantenía cordiales relaciones con el Departamento de Estado, y los padres jesuitas: Wilfrid Parsons y Edmund Walsh. Lo que ahora se proponían era saber si los obispos mexicanos estaban dispuestos a participar en esos convenios. Por aquellos días al gobierno mexicano se lo veía relativamente fuerte, pues el levantamiento del general Escobar acababa de ser sofocado. Fue aquí cuando apareció en escena el obispo de Tabasco, monseñor Pascual Díaz y Barreto, que por aquel entonces residía en Nueva York y se mostraba muy interesado en mantener coloquios con el callismo. El 25 de abril de 1928, monseñor Ruiz y Flores, arzobispo de Morelia, había sido nombrado presidente del Comité Episcopal, en reemplazo del fallecido monseñor Mora y del Río, y monseñor Pascual Díaz secretario del mismo Comité, lo que no dejó de suscitar alarma entre los obispos que sostenían firmemente la Causa y los derechos de los cristeros, como monseñor Manríquez y Zárate, Lara y Torres y algunos otros.

Bien hace en recordar Díaz Araujo que los diferendos de monseñor Díaz con la Liga y con los cristeros se remontaban ya al año 1926. Cuando en 1927 dicho monseñor fue expulsado de México, al llegar a Guatemala hizo declaraciones donde afirmaba que "el clero no participaba en la agitación religiosa de México, aunque algunos sacerdotes, aisladamente, tal vez agitasen a la masa creyente. Él, como obispo y como ciudadano, reprobaba la rebelión, cualquiera que fuese su causa". Luego reiteraría tales declaraciones en Nueva York. Ello no agradó a varios obispos, a punto tal que la Comisión de obispos mexicanos ante la Santa Sede, presidida por monseñor José María González y Valencia, le reclamó por sus decires, que juzgaba del todo contrarios a los precedentes pronunciamientos colectivos del episcopado. "*¡Non possumus!* No podemos tolerar más esta situación", habían dicho antes los obispos, entre ellos el mismo monseñor Díaz. "Sería para nosotros un crimen tolerar tal situación y no quisiera que en el Tribunal de Dios nos viniere a la memoria aquel tardío lamento del Profeta: *Vae mihi quia tacui* (ay de mí porque callé)". Al verse ahora objetado, monseñor Díaz creyó autojustificarse alegando que sus actuales ideas habían sido muy bien recibidas por los obispos de Estados Unidos y el pueblo norteamericano.

No es posible obviar, considera Borrego, en la consideración del presente tema, el papel de la masonería. La lucha religiosa en México era más vigorosa en 1929 que en 1925. La masonería debía propiciar una tregua, no la paz. Hacer "arreglos" entre la Iglesia y el Estado sería una manera inteligente de seguir adelante. Refiriéndose a aquellos momentos, escribiría Vasconcelos: "Dentro de la Iglesia altas personalidades impacientes contemporizaron y aceptaron el arreglo que se les ofrecía [...] Los prelados regresarían a México sin más garantías que promesas verbales y secretas [...] En aquel momento según el punto de vista militar, los cristeros se hallaban fuertes. Todos sabían que las elecciones, distantes ya unos cuatro meses, iba a darles la bandera política que aumentaría la fuerza moral de su posición. Del lado del vasconcelismo funcionaba todo un partido político católico que en las ciudades se dedicó a formar el padrón electoral [...] Todo esto se vino abajo con los pactos secretos que forzaron a la rendición de los rebeldes".

En el campo cristero, el general Gorostieta, todavía jefe de la Guardia Nacional, cuando se enteró por trascendidos de lo que se estaba tramando, mostró su displicencia: "Que los señores obispos tengan paciencia –declaró–, que no desesperen, que día llegará en que podamos con orgullo llamarlos en unión de nuestros sacerdotes a que vengan otra vez entre nosotros a desarrollar su sagrada misión, entonces sí en un país libre. ¡Todo un ejército de muertos nos manda obrar así!". Por aquel entonces él se encontraba en plena actividad, proyectando una acción audaz: la ocupación de Guadalajara. Pero el 2 de junio, quince días después de hacer la declaración que acabamos de evocar, de manera sorpresiva, fue descubierto en una hacienda, y allí lo mataron, sucediéndolo como jefe de la Guardia Nacional el general Jesús Degollado.

En un reportaje reciente sobre el tema que nos ocupa, Portes Gil había dicho: "De parte del Gobierno de México no hay inconveniente alguno para que la Iglesia renueve sus cultos cuando lo desee, con la seguridad de que ninguna autoridad la hostilizará, *siempre y cuando los representantes de la propia Iglesia se sujeten a las leyes que rigen la materia de cultos*". Y aunque ello parezca grotesco, comenta Rius Facius, tales palabras fueron tomadas por monseñor Fumassoni Biondi, el cual era, recuérdese, delegado apostólico en Washington, como una invitación implícita pero cordial para llegar a un acuerdo, por lo que le pedía a monseñor Ruiz y Flores hiciera una declaración en respuesta a Portes Gil, lo que aquél hizo con gusto mostrando que todo podía ser corregido y que las palabras del Presidente trasuntaban buena disposición.

¿Quién era, en verdad, Portes Gil? Vasconcelos, que lo conoció bien, nos dice de él: "La gente lo llamaba «el Pelele», porque Calles lo había sacado de la oscuridad; y venciendo su mala fama en los negocios de Tampico [...] lo había elevado nada menos que a la Presidencia Provisional de la República, encargada de preparar las elecciones para Presidente definitivo. Personalmente lo conocí. Calles, en premio del servilismo de él [...] hizo de Portes Gil su Presidente del país. En cada discurso suyo, Portes hablaba de su afecto filial por Calles. Se proclamaba discípulo de la doctrina callista [...] A pesar de todo, no mandaba Portes. En el Gobierno mandaba el Ministro de Guerra, Joaquín Amaro. Y en el país disponía el general Calles".

Sea lo que fuere, el hecho es que Portes Gil, impulsado sin duda por Morrow, mostró su disposición a entrar en conversaciones con monseñor Ruiz, lo que se haría entre gallos y medianoche, sin que se hubiese dicho una sola palabra, reiterémoslo, a los que habían jugado su vida por Dios y por la Patria. El 5 de junio de 1929 los dos obispos que tramitaban este asunto, acompañando al infaltable Morrow, se dirigieron en tren a México. No dejó de llamar poderosamente la atención el que se negaran a recibir a nadie, ni siquiera a sus colegas en el episcopado, lo que trajo enorme malestar en la Iglesia. Todo lo harían solos, sin permitir la participación de los otros 36 obispos, ya que en aquellos tiempos los prelados mexicanos eran 38 en total. Tres días después de arribar a destino, nos relata Rius Facius, los recibió Portes Gil, quien les dio un borrador de pacificación donde se decía "que la Iglesia podía reanudar el culto conforme a las leyes, y que él creía que con esto bastaba". Los dos obispos sintieron vergüenza de tener que mandar al Santo Padre algo tan escueto, y, para colmo, sin previo acuerdo con el colegio episcopal, pero Morrow los tranquilizó asegurándoles que era lo más que podrían obtener.

El 20 de junio, nos cuenta Ruiz y Flores, recibió éste un telegrama cifrado del Papa, donde se lo autorizaba a firmar la reanudación del culto, con tres condiciones: amnistía general para todos los levantados en armas que quisieran rendirse; devolución de las casas parroquiales y episcopales; y garantía de estabilidad de dichas devoluciones. Al día siguiente lo fueron a ver a Portes Gil quien se avino a firmar el documento. Pero antes de hacerlo puso el broche de oro a su triunfo pidiendo que tanto el arzobispo de Guadalajara, monseñor Orozco y Jiménez, como el obispo de Durango, monseñor González y Valencia, y el de Huejutla, monseñor Manríquez y Zárate, permanecieran indefinidamente en el exilio. El Delegado Apostólico protestó tímidamente contra esta nueva condición, pero el Presidente le dijo que, a su juicio, esas ausencias eran necesarias por algún tiempo. Al término del encuentro, agrega monseñor Ruiz y Flores, se dirigió con su compañero, monseñor Díaz y Barreto, a la basílica de Guadalupe a dar gracias a la Santísima Virgen por el arreglo, y al retirarse le dijo a monseñor Díaz: "Le tengo que dar una noticia: usted es el arzobispo de México". A lo que el agraciado comentó: "Hombre, ¡qué barbaridad!".

En una biografía de Morrow que escribió Harold Nicholson leemos: "El domingo 30 de junio de 1929, todas las iglesias de México volvieron a abrirse. Morrow se había ido la tarde anterior a Cuernavaca; pero fue despertado al amanecer por el repique de campanas de la catedral y de las otras iglesias, echadas a vuelo repentinamente después de tres años de silencio. El embajador gritó a su esposa: "¡Bety!, ¿oyes eso? ¡Yo he abierto las iglesias de México!".

Tales fueron los personajes más relevantes involucrados en estos "Arreglos" tan nefastos, a pesar de las apariencias para algunos halagüeñas: Morrow, Portes Gil, Calles, monseñor Ruiz y Flores, Monseñor Díaz y Barreto, John Burke, etc.

Concretamente las disposiciones legales anteriores a los arreglos seguían en vigor, si bien con algunos atenuantes: los registros de ministros del culto se harían en conformidad con los obispos; la enseñanza religiosa, que no podía impartirse en las escuelas, públicas o privadas, podría serlo en los templos; el derecho de petición estaba vigente; y se agregaba que el Gobierno no tenía el ánimo de destruir la identidad de la Iglesia Católica. ¿Representaba esto algún progreso en las relaciones de la Iglesia y el Estado? Como lo señala el gran historiador mexicano Carlos Pereyra, en la misma Constitución de 1917, cuya validez ahora se aceptaba, había sido prescrito: "La ley no reconoce personalidad alguna a las agrupaciones religiosas denominadas iglesias", lo que invalidaba todo lo que se estaba haciendo. De manera tajante concluye Pereyra su reflexión señalando que "en México no hay otra Constitución y otras leyes que las balas". Por lo demás, no se fijaba ningún tipo de garantías sobre el cumplimiento de lo poco que se había "arreglado", en consecuencia de lo cual, como bien observa Díaz Araujo, cuando a poco andar el gobierno volvió a la persecución, la Iglesia no pudo reclamar en base al derecho. Todo quedaba en los papeles. Pasado algún tiempo, mientras cumplía en Roma su exilio monseñor Orozco, se encontró un día con el padre Walsh, y aprovechó entonces la ocasión para preguntarle cuál era la garantía de los Arreglos. A lo que el interrogado respondió: "¡Morrow!... ¡Pero Morrow se nos murió!"

El texto de los Arreglos lo había redactado, a su gusto y conveniencia, el mismo Morrow, quien fue en realidad el verdadero autor de los mismos. Por eso lo escribió en su propia lengua, el inglés. Y no sólo se contentó con redactarlo sino que también se encargó de convencer a sus "amigos eclesiásticos" de que lo prometido era lo más que podía esperarse, "por lo que ya era inútil insistir". A monseñor Ruiz y Flores le dijo que el permiso de reanudar los servicios religiosos "era lo único, y le pareció suficiente, por el momento, que se podía conseguir". El texto rezaba: "El clero mexicano reanudará los servicios religiosos de acuerdo con las leyes vigentes". Ni siquiera se dice "de los cultos religiosos" sino de los "servicios religiosos", que es la manera protestante de hablar. Porque, no lo olvidemos, además de masón, Morrow era protestante.

III. Diversas reacciones frente a los Arreglos

Según lo hemos señalado anteriormente, no todos los obispos reaccionaron de la misma manera frente a la persecución y al ulterior alzamiento. Hubo quienes se opusieron frontalmente a los poderes políticos, apoyando la lucha cristera, y otros que coquetearon con el gobierno. Por lo menos once obispos fueron decididos amigos del Régimen imperante. Nombremos entre ellos a Ignacio Plasencia, obispo de Zacatecas, quien en su momento negó a los católicos disconformes el derecho de legítima defensa, y llegó a amenazar con la excomunión a todos los que tomaran las armas contra el gobierno o auxiliaran a los insurrectos; también a Antonio Guízar y Valencia, quien, en 1927, prohibió formalmente, bajo pena de excomunión, el levantamiento armado en Chihuahua, y se atrevió a saludar a Portes Gil llamándolo "un nuevo Constantino". De todos ellos, sin embargo, nadie fue más lejos que monseñor Plasencia, el cual en una circular no trepidó en incitar a los fieles a la delación de los cristeros, lo que originó muchísimas muertes. Tales actitudes, como era de esperar, no pudieron sino llenar de indignación a los que combatían por la Causa, uno de los cuales llegó a decir: "No parece sino que los obispos son más masones que Plutarco". Pues bien, entre estas dos corrientes tan antagónicas, trataron de moverse a mitad de camino los obispos Díaz y Ruiz, quienes desde un punto de partida más bien proclive a la Liga, acabaron en un final adverso a dicha asociación.

Meyer, por su parte, señala la existencia de tres grupos entre los obispos que tuvieron que ver más de cerca con la resolución del tema cristero. Por un lado, el Subcomité Episcopal, residente en la ciudad de México, bajo el obispo de la Mora; por otro, la Comisión de prelados que estaba en Roma, presidida por el obispo de Durango, monseñor González y Valencia; y finalmente el Comité Episcopal, en el exilio norteamericano, encabezado por los monseñores Ruiz y Flores y Díaz y Barreto. Los dos primeros organismos, que miraban con simpatía a los cristeros, no fueron, como era de esperar, partidarios de "cualquier arreglo", y por eso tuvieron enfrentamientos con el tercero. Por otro lado, operaba la diplomacia vaticana, con el cardenal Gasparri a la cabeza, flanqueado por varios monseñores, entre otros Pizzardo y Fumassoni Biondi, simpatizantes del arreglo.

Fue precisamente en estos momentos cuando la Liga envió un memorial al Santo Padre denunciando los enjuagues del dúo episcopal en el exilio. Ceniceros y Villarreal, por su parte, mandó al cardenal Gasparri el siguiente telegrama para que fuese entregado al Papa: "A Su Santidad Pío XI, Roma, Vaticano. Sábese fundadamente que perseguidores propalan arreglos con algunos prelados, mediante simple promesa ir derogando paulatinamente ley sectaria, previa reanudación culto público. Damos testimonio que pueblo católico escandalizarase pacto esas bases, juzgando universalmente perseguidores tratan sorprender benevolencia algunos prelados, fin esclavizar definitivamente Iglesia mexicana, pretexto ese malestar nacional. Quebrantaríase seriamente nacionalidad. Imposible fiar palabras hombres sin honor. Damos testimonio de que pueblo y sociedad, sinceros católicos, inclusive combatientes, prefieren continúe situación dolorosa y lucha con todas sus consecuencias, teniendo certeza que perseverándose lograríase al menos escarmiento gobierno base firme y todo gobierno futuro respete conciencia nacional".

Algunos cristeros, por su parte, interpelaron directamente a la Comisión Episcopal. Entre ellos, el padre Aristeo Pedroza, quien le escribía a monseñor Ruiz y Flores en los siguientes términos, conmovedores por cierto: "Si el tirano se niega a conceder todas las libertades que exigimos, dejad que el pueblo continúe la lucha para alcanzarlas y no entreguéis a toda esa porción de vuestra grey a una matanza estéril. Recordad que Vosotros declarasteis hace tres años que era lícita la defensa armada contra la tiranía callista; no entreguéis a vuestras ovejas a la cuchilla del verdugo". No hubo respuesta. Las negociaciones con el gobierno siguieron adelante, como si nada. Bien escribió Jean Meyer que "los cristeros sirven de peones sobre el tablero en que juegan el Estado y la Iglesia".

No coincidimos, empero, con el juicio negativo de Meyer sobre los obispos que se encontraban en disidencia con las decisiones que se estaban por tomar. Él lo atribuye a la formación histórica y teológica que se impartía en aquella época en los institutos eclesiásticos. Habían aprendido, sostiene, la historia eclesiástica y la historia mexicana, estrechamente imbricadas, a la luz del ideal de Cristiandad, lo cual no le parece positivo. Para ellos, prosigue, las fechas trágicas eran 1859, 1873 y 1917, consideradas a la luz del ideario de la Revolución francesa, el imperialismo yanqui y el complot protestante y masónico. No era otra la visión de Anacleto, según los señalamos en su momento. En cuanto a la formación teológica de los obispos, agrega Meyer, estaba marcada por el *Syllabus*, cosa que tampoco mira con buenos ojos. Recuerda acá, a modo de ejemplo, los términos del memorandum que un obispo mexicano elevó a Roma a comienzos de junio de 1929 sobre las causas del conflicto religioso: "1° Causa remota: tendencia norteamericana de descatolizar a México, que comprende: a) influencia de las sectas protestantes; b) influencia de la masonería; c) influencia del liberalismo norteamericano; d) expansionismo norteamericano; e) exclusión de elementos e influencias europeos; f) hegemonía (imperialista) norteamericana; g) predominio mundial de las finanzas norteamericanas. 2° Causa próxima: a) tendencia de la Revolución; b) Constitución de 1917; c) protervia y política de Calles. 3° Causa ocasional: reglamentación del artículo 130. 4° Pretexto: las declaraciones del arzobispo de México, provocada de intento por nuestros mismos enemigos". Divergimos también con Meyer en su opinión negativa de este memorandum: a nuestro juicio el diagnóstico del obispo al que se refiere daba en el clavo. Páginas después vuelve Meyer sobre el tema señalando que los obispos que él llama "idealistas" habrían reprochado a los "conciliadores" su "situacionismo" de modo que "el Episcopado se dividiría, desigualmente, entre unos cuantos místicos que dicen: «Perezcan los hombres ya que la sangre de los mártires es semilla de cristianos», y los otros, que han comprendido la lección de Roma de «perezcan los principios para que viva la Iglesia»". A lo que agrega: "Es una división agravada todavía más por el desfasaje entre la sutil diplomacia de Roma, que negocia con el gobierno perseguidor, y la urgencia pastoral en las diócesis en que los cristeros se baten y caen al grito de ¡Viva Cristo Rey!".

Los obispos "negociadores" habían obtenido, al parecer, el aval de Roma. Las divergencias en el seno del Episcopado eran ahora notables. Aparentemente un año atrás parecían realmente unidos. Véase, si no, el Memorial, lleno de sensatez, que el conjunto de los obispos había enviado a Roma el 16 de junio de 1928, donde pedían al Santo Padre que "aunque la espera se alargue, pero que los Arreglos no sean a medias". Luego explicaban la razón principal de su cautela: la precariedad del compromiso gubernamental, o sea, de "la promesa del Gobierno de no poner en vigor las leyes de persecución, ya sea dejándolas intactas en la Constitución, y en su Reglamento y en el Código Penal, o prometiendo revocarlas o reformarlas más adelante". Son vaguedades, agregaban, es demasiado poco, habría que exigir revocación y reforma de las leyes persecutorias, como lo ha solicitado el Episcopado y el pueblo mexicano. "Es tan grande la oposición del clero y del pueblo a un arreglo a medias, que apenas circula algún rumor de un arreglo en dicha forma, como pasa actualmente, cuando al punto todo el pueblo se alarma, entra en una inquietud terrible, y como que se escandaliza. Y no se oye otra cosa que ésta: ¿De qué han servido tantos sacrificios, si al fin los católicos hemos de quedar esclavos? ¿A qué tanta sangre, tantos sacrificios y lágrimas si hemos de quedar como estamos ahora y poco menos? [...] Un arreglo parcial o a medias dejaría descontento al pueblo, desmoralizado y sin alientos para volver a luchar por su fe y daría por perdidos todos sus sacrificios". ¡Mejor no se podía decir!

Algunos obispos objetaban que si se prolongaba el conflicto los católicos perderían sus costumbres cristianas, perderían su piedad y hasta su fe, acostumbrándose a estar privados de los sacramentos. Pero a dicha aseveración salió al paso monseñor Lara y Torres: "En la clausura de los cultos no faltó, como algunos tal vez pudieron figurarse, la administración de los sacramentos [...] Ni faltó la instrucción religiosa, aunque con muchas dificultades. Ni desmayó la piedad de los fieles, sino que antes bien se sentía una atmósfera de fe cristiana y de fervor, que se acrisolaba con la persecución y producía frutos de virtudes cristianas, verdaderamente admirables. Como en los primeros siglos cristianos, cuando éstos vivían en las catacumbas [...] El culto mismo era más fervoroso en nuestras catacumbas, que lo es actualmente en nuestros templos".

Inicialmente Roma parecía haberse inclinado a no aceptar "cualquier arreglo". Dicha fórmula había sido empleada por Pío XI en su encíclica del 18 de noviembre de 1926. Sin embargo monseñor Ruiz y Flores se atrevió a decir en Nueva York: "Los ciudadanos católicos de mi país [...] aceptarán sinceramente *cualquier arreglo* entre la Iglesia y el Gobierno". Y, como escribe López Beltrán, sería tan "cualquier arreglo" el que él con monseñor Díaz y

Barreto convinieron, que el propio monseñor Ruiz y Flores en carta a monseñor Azpeitia y Palomar, del 1° de agosto de 1929, dijo que a aquellos arreglos, *"si arreglos pueden llamarse"*, no se atrevía "a llamarlos promesas".

A los católicos fervientes les caía muy mal la actitud de los obispos componenderos. Vasconcelos llegó a hablar de "un dúo de Indios Malos: el Pascual y el Portes Vil", quienes anularían con sus Arreglos toda posibilidad de resistencia católica.

Reiteremos algo importante: los dos obispos gestores de este "tratado" llevaron adelante su proyecto no sólo sin la anuencia de los otros obispos, sino también omitiendo consultar a la Liga, directamente interesada en el asunto. Tanto que esa asociación, en un tajante Memorial del 10 de septiembre de 1930, señalaría: "El Señor Delegado Apostólico, así como el señor Díaz han hecho y hacen ostentación de estar en íntima comunicación y amistad con los hombres que imperan en México, no obstante que ante la conciencia de toda la nación son usurpadores, criminales, asesinos, prostituidos, escandalosos, amancebados, traidores, destructores de la Patria, y sobre todo, notoriamente anticatólicos. Esto causa justificada indignación y escándalo".

El 31 de mayo de 1929, sólo unos veinte días antes de firmarse los Arreglos, tanto la Liga como varias organizaciones de laicos y sacerdotes, entre ellas la ACJM, habían elevado al Santo Padre un extenso Memorial, donde se incluye el siguiente párrafo: "Van a tratar un asunto en extremo grave [...] Quienes promueven estos arreglos quisieron que cuanto antes esta persecución cesara, de cualquier manera, y se volviese a la paz. Aunque esa paz fuera la que reina en los sepulcros. Esas personas no han luchado jamás por su fe ni lucharán por ella [...]". Se señala luego "el desconcierto que causaría en muchos, porque se encuentra ya inconsecuente la conducta seguida por el V. Episcopado por haber suspendido los cultos y condenado enérgicamente la Ley Calles, para luego someterse a ella, siendo que se ha derramado la sangre de los hijos más fieles de la Iglesia". Más adelante se enfatiza la gravedad de las consecuencias de un arreglo semejante, en base a "la convicción más firme que muchos abrigan de que lo que pretenden los perseguidores es deshonrar la causa que defienden los católicos, presentando el espectáculo de ver a la Iglesia sujetarse a una ley que ella misma condenó, y obtener la rendición de los que en el sagrado derecho de legítima defensa se han enfrentado con los tiranos resistiendo con las armas en la mano: una vez obtenido esto, consolidado el desaliento y la desconfianza, el Gobierno triunfante, puesta la planta en la Iglesia, continuaría tiranizándola hasta estrangular [...] Tenemos la certeza, fundada en una amarga y segura experiencia, de que los perseguidores no cumplirán los compromisos contraídos [...], y se podría asegurar que en el momento en que cesara el interés que actualmente tienen para obtener la paz, desconocerían con la mayor desvergüenza sus compromisos, sin que les importara nada que ante el mundo se les dijese que no tenían honor". La predicción se cumpliría trágicamente...

Sea lo que fuere, esta "paz" acabó siendo aprobada por Roma, en base razones pastorales. Porque en la Santa Sede se siguió creyendo, a pesar de todas las objeciones, en la viabilidad del *modus vivendi*. Como apunta Meyer, Roma creía ganar, a largo plazo, haciendo concesiones a plazo breve. Había que practicar "la ciencia de perder ganando".

Monseñor Ruiz y Flores diría que "la Iglesia había cedido hasta donde pudo ceder". No fue la Iglesia la que cedió, comenta López Beltrán, sino que el que cedió fue él, quien para un asunto tan delicado obvió pedir la conformidad de los demás obispos, ni tuvo en cuenta a la Liga y a los combatientes cristeros. Luego recuerda las nueve normas que Pío XI había señalado para concertar los Arreglos: 1) Oigan los obispos las proposiciones hechas por los agentes del Gobierno, sin hacerles ellos ninguna (esto no se cumplió: sólo las conocieron dos de ellos). 2) Si las proposiciones no son aceptables, dese por terminado el asunto de los Arreglos. 3) Si parecen aceptables, antes de proseguir, exíjase a los agentes del Gobierno credenciales auténticas (de hecho se contentaron con la sola palabra). 4) Si no las presentaren, dense por terminadas las negociaciones. 5) Si son aceptables, pídanselas por escrito y firmadas (no se les pidió). 6) Si no las dan en esta forma, ténganse por terminadas las negociaciones. 7) Si las proposiciones fueron presentadas en la forma dicha, adviértase a los representantes del Gobierno que se necesitará no menos de un mes para resolver, en el que se consulte a aquéllos [los obispos] y a ésta [la Liga], que den por escrito su dictamen (tampoco esto se cumplió). 8) Envíense las proposiciones del Gobierno y los dictámenes de cada obispo y de la Liga a la Santa Sede (a los otros obispos se los marginó, lo mismo que a la Liga). 9) Espérese la resolución del Papa. Las puertas de los dos obispos, que quedaron cerradas a los otros 36 y a la Liga, permanecieron bien abiertas a Morrow, según lo hemos señalado previamente.

En marzo de 1930, un grupo de sacerdotes y laicos les mandaron a aquellos dos obispos una respetuosa interpelación. Entre otras cosas les decían: "Por favor, Exmo. Sr., ¡díganos toda la verdad! ¿Hizo bien o hizo mal el Episcopado Mexicano en 1926 cuando publicó aquellas hermosas Pastorales Colectivas que nos llenaron de aliento para arrostrar todos los peligros de la persecución, que nos confortaron para pronunciar un *non possumus* muy solemne junto con nuestros Prelados?". En el documento se sigue preguntando si hizo bien o mal el Episcopado al suspender el culto casi por tres años, previendo lo que iba a pasar: que muchos fieles enfermos murieran sin sacramentos, etc. ¿Hicieron bien o mal los católicos que tomaron las armas en defensa de Dios, de su fe y de la libertad de la Iglesia, y que para ello dejaron sus familias y ofrendaron su vida no temiendo sufrir tanto como sufrieron en los cerros, en las cuevas y en el campo...?

Algunos le echaron la culpa a Roma. Es cierto que es responsabilidad de la Santa Sede el haber promovido a monseñor Ruiz como delegado apostólico y a monseñor Díaz, como arzobispo de México. Sin embargo, al parecer, los dos obispos se propasaron en sus funciones, ya que no cumplieron las condiciones que el Papa les había puesto para llevar adelante las negociaciones, según acabamos de verlo.

Por lo demás, recuerda Meyer, antes de firmar el documento, Portes Gil había pedido como un favor, aunque no como una condición, que se indicara a los obispos González y Valencia y Manríquez y Zárate, los únicos que habían tomado claro partido en favor de los cristeros, así como a monseñor Orozco y Jiménez, pesadilla del gobierno, aun cuando nunca apoyó públicamente a los alzados, la conveniencia de "pasar algún tiempo en el destierro", para calmar a los jacobinos rabiosos. Lo cual se aceptó. "Me han vendido –se le oyó decir a este digno obispo– para hacer sus arreglos".

A juicio de Silviano Hernández, los arreglos señalaron el comienzo del fin del espíritu cristero, no sólo en el ámbito bélico sino incluso en el influjo de los católicos en el ámbito social, entre otras cosas porque arrebataron la bandera de la justicia social de mano de los Obreros Guadalupanos y de la ACJM, para entregarla de hecho a la CROM, y más tarde al PNR, facilitando así la laicización generalizada.

Leopoldo Lara y Torres, primer obispo de Tacámbaro, y uno de los grandes pastores del atribulado México de aquellos tiempos, dejó escrito:

> Nada hace ver que la situación creada por los Arreglos del 21 de junio de 1929 tienda a reformarse en buen sentido, sino antes más bien a empeorar. Los católicos conscientes desde un principio comprendieron que no había tal buena voluntad de parte del Gobierno, ni menos garantías de que cumpliera lo que acaso había ofrecido, sino patraña y fingimiento para engañar a los Excmos. Sres. Delegados, Ruiz y Diaz, y en tener de ellos, por falsas promesas, lo único que importaba al Gobierno: que declararan terminado el Conflicto Religioso, con lo que el Gobierno Mexicano quedaría libre del problema militar, que él mismo había suscitado por su cruel persecución, y libre de la angustiosa situación en que se encontraba para poder hacer frente a sus compromisos de la Deuda Exterior, en que naturalmente estaban interesados el Gobierno Norteamericano y los banqueros, representados ambos por el embajador Mr. Morrow. Con esto conseguiría también el Gobierno Mexicano que las leyes revolucionarias fueran pasando sin protestas ni resistencia, hasta que los mexicanos tragaran el anzuelo y se acostumbraran a ellas.

Este mismo obispo dejó varios escritos donde reaparece nuestro tema. En uno de ellos responde en los siguientes términos una carta que monseñor

Ruiz le había enviado el 5 de abril de 1930: "V. Excia. lo dice en su carta: «No hay base sólida para resolver el conflicto». Por eso siento que estamos bajo la losa sepulcral que ha echado sobre nosotros el imperialismo yanqui y que nos morimos de asfixia en la estrechez de una tumba [...] Si eso es *modus vivendi*, más bien debiera llamarse el *modus moriendi* de un pueblo católico que muere, no en los ergástulos de Nerón y Domiciano, sino pacientemente en la tumba de oro y de mármoles que le labraron los fosores yanquis". En un *Memorial* que le envió a Pío XI, el 1° de noviembre de 1931, le dice al Papa: "Muchas personas sensatas han visto con recelo y desconfianza los Arreglos de 1929, en que se favorecieron los intereses financieros de los norteamericanos, y se dejaron a un lado los intereses superiores de la Patria Mexicana. Y como claramente se ha sabido la parte que tuvieron Mr. Morrow, Mons. Burke, el P. Walsh y otros muchos elementos norteamericanos en los Arreglos predichos, la labor del Exmo. Sr. Delegado [Ruiz y Flores] y del arzobispo de México, monseñor Díaz, es considerada por muchos despreciable, antipatriótica y ruin".

Poco después, en este mismo *Memorial*, el corajudo obispo agrega: "Y digo que nos dejaron abrir el culto en las iglesias por convenir así a los fines financieros del mismo Gobierno; porque el Gobierno de los Estados Unidos, juntamente con los banqueros del Wall Street, no quisieron entrar en arreglos de la Deuda Exterior, cuyo pago exigían ellos mismos al Gobierno Mexicano si no se solucionaba el Conflicto Religioso; por eso Mr. Morrow, embajador de los Estados Unidos y miembro prominente de la Casa Blanca, tomó tanto empeño en arreglar de cualquier manera el conflicto, con tal que, cesando el problema militar con los llamados Cristeros, quedara México en aptitud de recobrar sus fuerzas para pagar la deuda, aunque los católicos quedáramos en las pésimas condiciones que son ya bien conocidas y que expongo de nuevo en este informe".

Monseñor era insistente. El 1° de noviembre de 1931, en una severa lamentación que le dirigiera al Santo Padre, le da cuenta de una catástrofe bien concreta que aconteció en un pueblo de la diócesis de Tabasco, a saber, el incendio provocado de un templo, con los fieles que allí se habían reunido para orar. Los esbirros cerraron las puertas de la iglesia, llena de fieles, le echaron gasolina y le prendieron fuego. En marzo de 1932, el mismo obispo envió un largo *Memorial,* esta vez al Secretario de Estado, el cardenal Eugenio Pacelli:

> Se informa que la Autoridad Eclesiástica aceptó el *modus vivendi* únicamente para evitar mayores males. Esta razón la verán seguramente los Excmos. Sres. Arzobispos que intervinieron en los Arreglos del *modus vivendi,* con algunos más que los rodean, pero en la conciencia de la mayor parte de los Obispos que nos quedamos en contacto con el pueblo, de los sacerdotes que más sufrieron la persecución y de los fieles más sensatos de toda la República, está asen-

tada esta verdad: que no fueron mayores los males que siguieron a la clausura de los cultos, que los que han seguido de la aceptación del *modus vivendi* [...] Porque en la clausura de los cultos no faltó, como algunos tal vez pudieron figurarse, la administración de los sacramentos, ni a los pobres, ni faltó la instrucción religiosa, aunque con muchas dificultades. Ni desmayó la piedad de los fieles, sino que antes bien se sentía una atmósfera de fe cristiana y de fervor, que se acrisolaba con la persecución y producía frutos de virtudes cristianas verdaderamente admirables, como en los primeros siglos cristianos, cuando éstos vivían en las catacumbas [...]

Los que empezaron a flaquear fueron los que estuvieron fuera de la República [Ruiz y Díaz], como decía el Exmo. Sr. de la Mora, obispo de San Luis Potosí, desconectados de nosotros y sin sentir esa fe y devoción exuberantes. El culto mismo era más fervoroso en nuestras catacumbas que lo es actualmente en nuestros templos. Mientras que ahora, a cambio de que nos dejaron abrir nuestras iglesias al culto público [...] y de una migaja de libertad [...] venimos sufriendo estos males inmensos e imponderables [...] Es cierto que todos estos males comenzaron a sentirse hace mucho tiempo y que por aquí comenzó el Conflicto Religioso en 1926. Pero antes había resistencia de los Obispos y del pueblo. Había lucha, había libertad siquiera para protestar a la faz del mundo. Mientras que ahora, desde que en los Arreglos de 1929 se reconoció, al menos de facto, que la Iglesia Católica, de la casi totalidad de los ciudadanos mexicanos, no tenía ningunos derechos dentro de la Legislación que nos rige desde 1917, ni tenemos derechos de ciudadanos para defendernos, y se nos repite a cada rato que no debemos decir ni una palabra de protesta para no disgustar al Gobierno ni turbar esa paz inicua que nos adormece y nos

> embota. Vivimos de limosna y sin tener ni siquiera el derecho de quejarnos. Los animales sacrificados en el abasto de la ciudad son en esto más libres y felices que nosotros, porque al menos gritan. A nosotros no se nos permite gritar.

Así se expresaba un obispo lleno de celo, lucidez y coraje. Quisiéramos, asimismo, destacar la fibra guerrera del gran obispo de Huejutla, Manriquez y Zárate, de quien hablamos páginas atrás. Cuando se estaban bosquejando los Arreglos, desde Los Ángeles, California, así le escribía a Miguel Palomar y Vizcarra el 17 de junio de 1928: "En estos últimos días la prensa nos ha servido noticias muy halagadoras acerca de un posible arreglo de la cuestión religiosa. Francamente yo no creo en tales arreglos debido a que una de las partes –el llamado gobierno– no tiene palabra. Pero, si es que conviene entrar en discusiones con estos señores, ha de ser a base de la derogación de las leyes persecutorias. ¿No le parece? Porque si los actuales políticos se burlan de las leyes –que tanto dicen venerar–, ¿no se burlarán de los simples compromisos? Y yo pregunto: ¿Vamos a aceptar una simple promesa de que no se aplicarán las llamadas leyes, como única conquista de los católicos en esta lucha apocalíptica en que se ha hecho derroche de valor, de abnegación y de heroísmo?" Palabras contundentes de un pastor celoso a uno de los laicos más comprometidos en favor de la Realeza de Cristo. Al día siguiente, le escribía al obispo de San Luis Potosí, monseñor de la Mora: "¿Quién ha nombrado Representante de los Obispos ante el Vaticano a monseñor Ruiz? Y sin embargo él se dice representante de 19 obispos".

Poco después, volvió a desahogarse epistolarmente con los miembros del Comité Directivo de la Liga, otra vez en la persona de Palomar y Vizcarra:

> Es realmente lamentable el arreglo a que han llegado los señores obispos con Portes Gil, si nos atenemos únicamente a lo que habla la prensa, porque casi nada favorable para la Iglesia ha podido obtenerse. Efectivamente, existe el almodrote [la ley] de Querétaro, el almodrote de Calles y todos los demás almodrotes que el jacobinismo ha creado precisamente para atormentar y esclavizar a la Iglesia. Por otra parte, Monseñor Ruiz [...] ha declarado que ejerceremos el ministerio dentro de las leyes, lo cual –si no me engaño– significa sujeción a las leyes impías. ¿No es esto algo desconcertante? Yo he hablado aquí con muchas personas de diversos matices las cuales se hallan también sumamente extrañadas y desconcertadas. En cuanto a nosotros, no solamente estamos desconcertados, sino sencillamente con el alma hecha pedazos.
>
> Acaso existe un pacto o convenio oculto entre estos bandidos y el Episcopado Mexicano –yo me inclino a creerlo–, pero por el momento estamos en una situación pésima en presencia del ejército del mal, que ahora se ufana de habernos llevado a una deshonrosa capitulación. Ello es terrible, señores, y yo, que por gracia de Dios, raras veces he sentido desfallecimiento y zozobra en medio de la lucha, ahora me encuentro embargado en un tedio profundo y de una tristeza mortal [...]

> Quisiera que esta carta fuese una elegía: algo así como una lamentación inmensa que resonase en los ámbitos del mundo, semejante a la de Jeremías, llorando y gimiendo amargamente sobre las ruinas y escombros de la antes dichosa Jerusalén. Yo deseo que todos ustedes que aman a Jesucristo y a la Patria desahoguen su inmenso dolor llorando también, y con gemidos inenarrables, deplorando las desdichas de la Religión y de la Patria. Si Jesucristo lloró por la ruina futura de Jerusalén, ¿no nos será lícito a nosotros llorar amargamente por las desdichas de nuestra Religión y los indecibles quebrantos de nuestra Patria? Yo me explico perfectamente el gozo de la inmensa masa del pueblo al ver abiertos de nuevo sus templos y escuchar los alegres tañidos de las campanas; el pueblo no puede penetrar tan hondamente en los males de la Patria como la gran mayoría de los mortales no alcanzan a comprender ni siquiera su propia desgracia. Pero lo que yo no entiendo, y será para mí un misterio, es el considerar cómo los que pueden medir el alcance de nuestros males, se entregan desaforadamente a la alegría y aparentan sentir satisfacción ante las desdichas de la Iglesia y de la Patria [...] ¿Cómo podrán explicarse las naciones católicas este desenlace de la tragedia mexicana, tan pródiga en sangre, en santos heroísmos? ¿Cómo puede ser el final de una lucha heroica y casi sublime, por mil títulos, una transacción con los enemigos de Cristo, que tiene al menos todas las apariencias de apostasía?

Se ve que este celoso obispo siguió rumiando en su interior la santa indignación que lo consumía. El 12 de diciembre de 1929, meses después de la firma de los Arreglos, pronunció un valiente discurso en Lovaina, que luego sería impreso por los miembros de la Liga. Allí leemos, entre otras cosas:

> El pueblo mexicano, que conserva íntegra y pura la fe de sus antepasados, sabe perfectamente que el Papa es el vicario de Jesucristo en la tierra, y que quien a él escucha, escucha al mismo Cristo. De allí nace ese amor tierno y filial, esa profunda veneración y obediencia rendida al Pontífice Romano, que viene a ser uno de los rasgos más salientes de la fisonomía moral de nuestro pueblo. Los enemigos de Jesucristo fueron extremadamente astutos al acudir a Roma para quebrantar la muralla inconmovible de la resistencia armada. Vieron que el pueblo rendiría sus armas a la primera señal del Vicario de Jesucristo, y por eso, arteramente, mañosamente acudieron algunos prelados excesivamente inclinados a la condescendencia haciendo mil ofrecimientos para lo por venir, pero no quitando en realidad ni una coma de las monstruosas leyes que hieren de muerte a la santa Iglesia y estrangulan los derechos sagrados del hombre y de la sociedad.

A nuestro juicio, el gran error de los Arreglos consistió en convenir un tratado por el cual se abrían las puertas de los templos para el culto –cosa que podían haberlo resuelto los obispos por su cuenta, sin necesidad de concertar tratado alguno con el gobierno, ya que eran ellos quienes los habían cerrado– pero sin la condición de que se derogaran las leyes inicuas y persecutorias. Por el tratado se abrieron esas puertas, sí, pero quedaron las leyes en espera de una posible reforma, que en los hechos nunca llegaría a consumarse. Es lo que en un memorandum de 1938, es decir, varios años después de haberse concretado los Arreglos, afirmó de manera categórica el gran obispo al que acabamos de citar extensamente, a saber, que tanto él como los prelados amigos "no se oponían a que se celebraran arreglos con el gobierno. Sosteníamos que, en caso de que se hicieran arreglos, debían tener como base la efectiva derogación de las leyes que tantas veces había condenado el Papa".

IV. Los generales Gorostieta y Degollado Guízar

Señala Meyer que mientras el gobierno y los obispos llevaban adelante las tratativas para concertar un arreglo, las cosas no iban mal para los cristeros. Su comandante en jefe, el general Gorostieta, conocía bien, es cierto, las dificultades del momento: sus combatientes no tenían dinero ni municiones, y sin ello les era difícil contrapesar el apoyo financiero, político y militar que Estados Unidos prestaba al gobierno. Sin embargo, en aquellos momentos, según anteriormente lo hemos relatado, Gorostieta creía ver en las próximas elecciones presidenciales una salida posible al ya largo conflicto. En enero de 1929 le había pedido a Navarrete que fuera a hablar con Vasconcelos, quien se encontraba de paso en Guadalajara, para considerar con él la posibilidad de una alianza. Es cierto que Gorostieta lo hacía con las reservas del caso, ya que podía preverse, casi sin duda alguna, un fraude electoral. Luego diría Vasconcelos que Morrow, Portes Gil y Calles se apresuraron a hacer la paz con la Iglesia "para restarle, en la hora decisiva de la violación del voto, el elemento aguerrido de disensión católica". A Gorostieta le parecía, prosigue Meyer, que Vasconcelos hubiera debido dirigirse inmediatamente al monte, uniéndose a ellos, pero el caudillo político juzgaba preferible movilizar al pueblo durante la campaña, ganar las elecciones, y luego, al ver anulados sus resultados, recurrir al inevitable levantamiento, tras haberse demostrado que la tiranía no podía ser derribada más que por la fuerza. Sea lo que fuere, acota Borrego, al no concretarse la alianza del vasconcelismo con los cristeros, se evitó que se aglutinaran todas las fuerzas de la nación en una lucha electoral, con el brazo armado de los cristeros, lo que fue, a su juicio, el mayor logro del embajador Morrow para proteger a Calles y lo que él representaba.

"El gobierno –concluye Meyer– presentía el peligro de esta conjunción entre el elemento popular urbano, las clases medias políticamente activas y los campesinos en armas. La debilidad política y por ende militar de los cristeros procedía de su aislamiento, de la ausencia de aliados urbanos. El vasconcelismo iba a proporcionárselos, recibiendo a cambio el medio militar de vencer. Era preciso, pues, desmovilizar a los cristeros antes de las elecciones, y para eso hacer la paz con la Iglesia".

Cuando Gorostieta se enteró de que se estaban urdiendo "arreglos" a sus espaldas, el 16 de mayo de 1929 envió a los prelados esta larga, enérgica y conmovedora carta:

Desde que comenzó nuestra lucha, no ha dejado de ocuparse periódicamente la prensa nacional, y aun extranjera, de posibles arreglos con el llamado gobierno y algún miembro señalado del Episcopado mexicano, para terminar el problema religioso. Siempre que tal noticia ha aparecido han sentido los hombres en lucha que un escalofrío de muerte los invade, peor mil veces que todos los peligros que se han decidido a arrostrar, peor, mucho peor, que todas las amarguras que han debido apurar. Cada vez que la prensa nos dice de un obispo posible parlamentario con el callismo, sentimos como una bofetada en pleno rostro, tanto más dolorosa cuanto que viene de quien podríamos esperar un consuelo, una palabra de aliento en nuestra lucha, aliento y consuelo que con una sola honorabilísima excepción, de nadie hemos recibido [...]

Ahora que los que dirigimos en el campo necesitamos de un apoyo moral por parte de las fuerzas directoras, de manera especial de las espirituales, vuelve la prensa a esparcir el rumor de posibles pláticas entre el actual Presidente y el Sr. Arzobispo Ruiz y Flores [...]

No sé lo que haya de cierto en el asunto, pero como la Guardia Nacional es institución interesada en él, quiero de una vez por todas, y por el digno conducto de ustedes, exponer la manera de sentir de los que luchamos en el campo a fin de que también sean ustedes servidos en tomar las providencias que sean necesarias para que llegando hasta Roma obtengamos de nuestro Santo Vicario un remedio a nuestros males, un remedio que no es otro que el de obtener el nombramiento de un nuncio o el de un primado, que venga a poner fin al caos existente, y que unifique la labor político-social de nuestros obispos, príncipes independientes.

Creemos los que luchamos en el campo que los obispos, al entrar en plática con el gobierno, no pueden presentarse sino aprobando la actitud asumida sin género de duda por más de cuatro millones de mexicanos, y de cuya actitud es producto la Guardia Nacional, que cuenta por ahora con más de veinte mil hombres armados y con otros tantos que sin armas pueden seguramente ser considerados en derecho como beligerantes.

Creemos también que el gobierno al tratar con ellos lo hace en la creencia de que su voz es capaz de terminar esta contienda, de hacer que la Guardia Nacional, que ya constituye una seria amenaza para su seguridad, entregue las armas que tiene, armas arrebatadas al mismo gobierno. Prueba de esto es que nunca quiso oírlos con antelación a nuestro movimiento. Prueba de ello el desprecio con que recibió el memorial de los prelados y más tarde el calzado con millones de firnas de católicos.

Ahora bien, si los obispos al presentarse a tratar con el gobierno aprueban la actitud de la Guardia Nacional, si están de acuerdo en que era ya la única digna que nos dejaba el déspota, tendrán que consultar nuestro modo de pensar y atender nuestras exigencias; nada tenemos que decir en este caso, por tal camino, en labor conjunta y con la ayuda de Dios, algún bien hemos de lograr para nuestra patria, y los mismos señores obispos se convencerán al fin del poco común desinterés, tal vez único en la historia de México y que ha constituido la médula de nuestra organización y de nuestra existencia.

Si los obispos al presentarse a tratar con el gobierno desaprueban nuestra actitud, si no toman en cuenta la Guardia Nacional y tratan de dar solución al conflicto independientemente de lo que nosotros anhelamos, y sin dar oídos al clamor de la enorme multitud que tiene sus intereses y sus ideales jugándose en la lucha, si se olvidan de nuestros muertos, si no se toman en consideración nuestros miles de viudas y huérfanos, entonces levantaremos airados nuestra voz y en un nuevo mensaje al mundo civilizado rechazaremos tal actitud como indigna y como traidora, y probaremos nuestra aseveración. Personalmente haré cargos a los que ahora aparecen como posibles mediadores.

Muchas y de muy diversa índole son las razones que creemos tener para que la Guardia Nacional, y no el Episcopado, sea el que resuelva esta situación. Desde luego el problema no es puramente religioso, es éste un caso integral de libertad, y la Guardia Nacional se ha constituido de hecho en la defensora de todas las libertades y en la genuina representación del pueblo, pues el apoyo que el pueblo nos imparte es el que nos ha hecho subsistir; esto es innegable.

Por contra, los señores obispos, alejados por cualquier motivo del país, han vivido estos años desconectados de la vida nacional, ignorantes de las transformaciones que en esta etapa de amarga lucha ha sufrido el pueblo, y por tanto incapaces de representarlo en acto de tamaña trascendencia [...]

No son en verdad los obispos los que pueden en justicia ostentar esa representación. Si ellos hubieran vivido entre los fieles, si hubieran sentido en unión de sus compatriotas la constante amenaza de su muerte por sólo confesar su fe, si hubieran corrido, como buenos pastores, la suerte de sus ovejas, si siquiera hubieran adoptado una actitud firme, decidida y franca en cada caso, para estas fechas fueran en verdad dignísimos representantes de nuestro pueblo. Pero no fue así o porque no debió ser o porque no quisieron que así fuera. Ahora será difícil, más bien nos parece imposible, que el Episcopado tome sin faltar a su deber una representación que no le corresponde, que nadie le confiere [...]

Pero aún hay más. Nuestra fuerza está constituida por un pequeño ejército pobre en armas, riquísimo en virtudes militares, que lucha cada día con más éxito para liberarse de una jauría rabiosa que lo esclavizaba [...]

Lo que nos hace falta en fuerza material no lo pedimos al Episcopado; lo obtendremos por nuestro esfuerzo; sí pedimos al Episcopado fuerza moral que nos haría omnipotentes, y está en sus manos dárnosla, con sólo unificar su criterio y orientar a nuestro pueblo para que cumpla con su deber, aconsejándole una actitud digna y viril propia de cristianos y no de esclavos.

Si desde un principio esta hubiera sido la labor de nuestros obispos, si no se hubieran producido las fatales discrepancias de Querétaro, Tabasco, etc., que impidieron una acción conjunta y pujante, quizás en estos momentos el pueblo hubiera castigado ya a sus verdugos y se hubiera constituido en nación libre y soberana.

Creo de mi deber declarar de una manera enfática y categórica que el principal problema que hayamos tenido que afrontar los directores de este movimiento no sea el de los pertrechos. El principal problema ha sido y sigue siendo eludir la acción nociva y fatal que en el ánimo del pueblo provocan los actos constantes de nuestros obispos y la más directa y desorientada que realizan algunos señores curas y presbíteros, siguiendo los lineamientos que a ellos señalan sus prelados. Nosotros hubiéramos contado con pertrechos y contingentes abundantísimos si en vez de cinco estados de la República responden al grito de muerte lanzado por la patria treinta o más diócesis. El decantado poder del tirano que nosotros estamos tan capacitados para medir hubiera caído hecho añicos al primer golpe de maza, tal vez con que se hubiera logrado que por primera y única vez en la historia de nuestros martirios nacionales los príncipes de nuestra Iglesia hubieran estado de acuerdo únicamente para declarar que: "La defensa es lícita y en su caso obligatoria..."

Aún es tiempo de que, enseñándonos el camino del deber y dando pruebas de virilidad, se pongan francamente en esta lucha del lado de la dignidad y del decoro [...] ¿Acaso no los ata ya a nosotros la sangre de más de doscientos sacerdotes asesinados por nuestros enemigos? ¿Hasta cuándo se sentirán más cerca de los victimarios que de las víctimas?

Estas y otras muchas razones que sería interminable considerar aquí, nos hacen exigir, no solicitar, que se nos deje en nuestras manos la solución de un problema en cuyo planteo hemos trabajado más que nadie; que se deje al pueblo, a este pueblo mexicano que ha querido y sigue queriendo ser católico, a este pueblo que ha demostrado al mundo entero que es generoso con su sangre, su dinero y sus más caros intereses cuando se trata de defender su religión, a este pueblo abandonado por los aristócratas del dinero y del pensamiento, terminar su obra de liberación [...]

Creo de mi deber hacer del conocimiento de Uds. que vamos a sufrir en los próximos meses la más dura prueba de toda esta epopeya; que tenemos que hacer frente a una agudísima crisis que señalará nuestro triunfo o nuestra derrota, y se hace necesario que todos pongamos a contribución nuestro mayor esfuerzo, y aprontemos la mayor ayuda. Yo aseguro a Uds. que la Guardia Nacional cumplirá con su deber pero pido que no se nos exija ir más allá del deber.

Cuenta Navarrete, adjunto de Gorostieta, que a aquel gran general el tema lo exasperaba, sin que por ello perdiese la compostura. Con frecuencia reiteraba su propósito de seguir la lucha contra el gobierno aun en el caso de que se retomara el culto público y se declarara resuelto el problema religioso. A veces Navarrete le decía que algunos sacerdotes afirmaban que ya la cosa se arreglaría. "Mire, mi Mayor –le contestaba–, yo no voy a discutir con los padres, pero quiero que ustedes entiendan nuestra situación. Si los señores Obispos logran acabar con nuestro movimiento, sépase que habremos dejado pasar la única oportunidad que tuvimos en nuestras manos para rehacer el orden y establecer un régimen de derecho en México". No basta con reanudar el culto, agregaba, si no se resuelve el problema de la libertad en el país. "¡Yo peleo por la conquista de todas las libertades! –decía–. Se atropella sistemáticamente el derecho de propiedad, se burla la justicia, estamos los mexicanos a merced de un grupo de bandoleros que se enriquecen a costa del trabajo de una gran mayoría de gente honrada. Y cuando ya estábamos fortificándonos para echar a esa canalla del poder, una falaz alianza con ellos hará sofocar nuestro movimiento. Si esto no fuera una insigne torpeza, yo lo llamaría una bribonada [...] Lo único que quiero saber es si habrá hombres que me sigan en la campaña hasta que obliguemos al Gobierno a modificar las leyes y enseñemos al pueblo a hacerse respetar a balazos, cuando fallan las razones [...] Por lo demás, la tirantez de relaciones entre el clero y el Gobierno va a volver, no lo duden ni un momento. La hora de las desilusiones para los Obispos llegará pronto".

Quince días después de haber escrito aquella carta, moriría Gorostieta, asesinado por sus enemigos, a unos treinta kilómetros de Atotonilco el Alto, Jalisco. El hecho de que hubiese caído en una emboscada hizo que algunos atribuyeran su muerte a una traición. ¿No era él uno de los principales obstáculos para la concertación de los arreglos? No lo podemos saber de cierto. Lo que sí nos consta es que su muerte constituyó un duro golpe para los cristeros, que tanto lo querían y admiraban por su caballerosidad y sus relevantes dotes militares. Tras su deceso, fue nombrado jefe supremo del movimiento el general Jesús Degollado Guízar. Pocos días después se anunció oficialmente la firma de "los Arreglos" tan cuestionados. Al conocerse dicha noticia varios grupos cristeros comenzaron a desintegrarse. ¡Algunos sacerdotes llegaron a decir que era pecado mortal seguir dándoles de comer! El general Degollado juzgó que frente a los hechos consumados el proseguir la lucha habría sido estéril. Sólo atinó a poner condiciones para llevar a cabo el licenciamiento de sus tropas, entre otras: garantía para los jefes, oficiales y soldados de la Guardia Nacional, con la consiguiente licencia para retornar a sus hogares; lo mismo para los civiles que colaboraron; libertad para los presos por la cuestión religiosa, etc. Portes Gil no tuvo empacho en aceptar estas bases a sabiendas de que no las cumpliría. He aquí el último mensaje del general Degollado a sus cristeros:

> Compañeros de lucha: en un momento doloroso y trágico, cuando el invicto organizador de la Guardia Nacional, general Enrique Gorostieta, caía heroicamente bajo las balas del enemigo, tuve que recibir la bandera que él, con tanto valor, había empuñado para conducirnos a la victoria. Acepté decidido el cargo que, superior a mis fuerzas, se me ofrecía, pero entonces estaba muy lejos de pensar que me habría de enfrentar con el más grave de los problemas: el de la cesación de las hostilidades, el de la terminación de la lucha. Es muy probable que si hubiera sabido que tal determinación había de ser tomada por mí, no hubiera resuelto ponerme al frente de la Guardia Nacional. Pero, gracias a Dios, soy hombre de fe, y jamás he eludido responsabilidades cuando han pesado sobre mí cargas y honores que ni he buscado ni he apetecido. Por eso, inmediatamente que supe por la prensa que el Excmo. Sr. Delegado Apostólico y el Lic. Portes Gil habían concertado una especie de armisticio en el conflicto religioso, con toda resolución me enfrenté con el problema en el que aquel acto colocaba al Jefe Supremo de la Guardia Nacional, y cuya solución me había de llevar a un sacrificio tal vez más amargo que el de mi propia vida. En el acto comisioné a una persona que investigase el estado del problema cerca de los que mandan; pero advirtiendo que urgía una solución y que era indispensable que estuviese yo cerca del lugar en donde debían practicarse las negociaciones, sin vacilación de ninguna especie me trasladé a la capital de la República, y allí mismo estuve gestionando por medio de personas de mi confianza, ajenos a la lucha, la terminación de las hostilidades.

Para llegar a esta resolución, he hecho mías las consideraciones que la Liga Nacional Defensora de la Libertad Religiosa aduce en manifiesto del día 12 de julio de este año, para declarar que ha llegado el momento de que cese la acción bélica. Pero como militar, como hombre aleccionado por la dura experiencia de una lucha sin descanso que hemos sostenido durante cerca de tres años, debo hacer mérito de otras razones, que nuestros compatriotas deben conocer, y que apoyan eficazmente la resolución adoptada.

Nuestra resistencia ha sido un hecho cuya magnitud no pueden aún comprender los que no la han vivido. En México, digan lo que quisieran los que se gozan en deturparnos siempre, en estos tres años, el heroísmo se ha convertido en cosa vulgar. Bien sabemos, compañeros, que aunque se han tenido que dar pruebas repetidas y constantes de bravura y tenaz perseverancia, que soportar por larguísimo tiempo acerbísimas penas, han sido nuestro sostén en la conciencia, no sólo el valor y el desinterés que los combatientes nos hemos comunicado, sino, de modo especial, la cooperación que sin descanso y con una abnegación que no tiene límites, nos han prestado los habitantes de las comarcas en que hemos luchado, y en forma asombrosa, miles y miles de personas desde muchos puntos del país [...]

El patriotismo, el mismo amor que profesamos a la santa causa por la cual hemos combatido sin tregua, nos exigía, a pesar de que nos desgarraba el alma, el procurar que desde luego cesase la contienda bélica. En realidad, el arreglo inicial concertado entre el Excmo. Sr. Delegado Apostólico y el Lic. Portes Gil, nos ha arrebatado lo más noble, lo más santo que figuraba en nuestra bandera, desde el momento en que la Iglesia ha declarado que, por lo pronto, se resignaba con lo obtenido, y que esperaba llegar por otros medios a la conquista de las libertades que necesita y a las que tiene legítimo derecho. En consecuencia, la Guardia Nacional ha asumido toda la responsabilidad de la contienda, pero esa responsabilidad no le será imputable desde el 21 de junio próximo pasado: la actual situación no ha sido creada ni apetecida por ella.

Estoy cierto de que algunos de mis compañeros, tal vez los más aguerridos, estimarán que el temor y la propia conveniencia me han impelido a la determinación que he tomado. Juro ante Dios que se equivocan, si tal piensan: aunque no puedo ni debo despreciar el juicio de los hombres, declaro que me entrego al juicio de Dios, y ante Él estoy seguro de que he consumado la acción laudable, si no heroica, algo tan amargo y doloroso como el holocausto del ser que es carne de mi carne y hueso de mis huesos [se refiere a su esposa, que en aquel momento el gobierno tenía secuestrada].

Debemos, compañeros, acatar reverentes los decretos ineluctables de la Providencia: cierto que no hemos completado la victoria, pero nos cabe como cristianos una satisfacción íntima mucho más rica para el alma: el cumplimiento del deber y el ofrecer a la Iglesia y a Cristo el más preciado de nuestros holocaustos, el de ver rotos, ante el mundo, nuestros ideales, pero abrigando, sí, ¡vive Dios!, la convicción sobrenatural, que nuestra fe mantiene y alimenta, de que al fin Cristo Rey reinará en México, no a medias, sino como Soberano absoluto, sobre las almas.

Como hombres, cábenos también otra satisfacción que jamás podrán arrebatarnos nuestros contrarios: la Guardia Nacional desaparece, no vencida por nuestros enemigos, sino, en realidad, abandonada por aquellos que debían recibir, los primeros, el fruto valioso de sus sacrificios y abnegaciones.

> ¡Ave, Cristo, los que por Ti vamos a la humillación, al destierro, tal vez a una muerte ignominiosa, víctimas de nuestros enemigos, con todo rendimiento, con el más fervoroso de nuestros amores, te saludamos y una vez más te aclamamos Rey de nuestra Patria!
>
> ¡Viva Cristo Rey! ¡Viva Santa María de Guadalupe!
> Jesús Degollado Guízar
> Soldado de Cristo Rey.

Y así, comenta Rius Facius, sin rendirse, abandonaron los cristeros su lucha, convencidos de que acataban un deseo de Pío XI. Entonces el Delegado Apostólico informó al Santo Padre que el gobierno había admitido su amnistía, sin puntualizar que dicha decisión se limitaba a una simple promesa verbal del Presidente, que no fue ni siquiera estipulada en las declaraciones.

Un dato complementario, sumamente doloroso. Después de los Arreglos, el general Degollado Guízar fue a visitar a monseñor Díaz, quien lo trató con extrema dureza: "Yo no sé –le dijo–, ni me interesa saber en qué condiciones van a quedar ustedes". Ello acrecentó aún más la indignación de los cristeros, llegando a perder el poco respeto que les quedaba por el personaje. En una carta abierta a los Prelados se decía: "Suplicamos a las personas que lean la presente, recen un Padre nuestro y un Ave María al Corazón de Cristo Rey, para que el Santo Padre ordene el retiro de los Señores Leopoldo Ruiz y Flores y Pascual Díaz y Barreto". Y en un volante se pedía al pueblo que obtuviera la liberación de la Iglesia en México mediante la intercesión de San Judas Tadeo, abogado de los casos desesperados, a quien se le pedía el retiro o una piadosa muerte de los mismos Prelados.

V. Obediencia heroica

Cuatro días después de firmadas las declaraciones que pusieron fin a la suspensión del culto público en los templos, el Delegado Apostólico dirigió al clero y al pueblo mexicanos una carta pastoral, tratando de llevar consuelo a quienes se sentían profundamente apesadumbrados: "La solución definitiva se conseguirá sin duda alguna, pero sin apresuramientos indebidos, porque los males de un siglo no han de curarse en un día". Luego se supo que esta carta había sido conocida y aprobada previamente por el mismo Portes Gil quien, estimulado con el fácil éxito que había obtenido, anotó con lápiz al margen del documento: "Convendría decir algo reprobando el recurso de las armas", a lo que le respondió el prelado "que ya no podía hacerlo porque el Papa mismo había dicho que estaban en su derecho los alzados en armas".

Lo que al parecer resultó más lacerante fue que, a juicio de no pocos, los arreglos se habían concertado justamente cuando había expectativas de victorias contundentes de parte de los nuestros. "De ganada, la perdimos", decían los cristeros. Así opina María Abascal: "Nunca un ejército débil, con pocas esperanzas de supervivencia, se opone a una amnistía como se opuso el ejército cristero". Meyer señala que la Liga, a pesar de su aceptación forzosa del tratado, no pudo evitar la reluctancia de no pocos de sus miembros, quienes hacían propia esta cita del obispo alemán Guillermo Manuel von Ketteler, gran luchador contra el *Kulturkampf*: "Las más sangrientas persecuciones han causado menos daño a la Iglesia que el servilismo cortesano de los obispos". En un volante dirigido a monseñor Ruiz y Flores se decía: "¿Su Excia es representante del Santo Padre o de la tiranía imperante en nuestra patria? ¿Ordenó el Pontífice que en los llamados «arreglos» de 1929 se pactase el destierro de los Ilmos. Prelados de Guadalajara y de Huejutla? ¿Por orden de Su Santidad los obispos mexicanos no protestan por los frecuentes asesinatos de sacerdotes y fieles católicos? [...] ¿Preocupa más a Su Excelencia los ataques que con toda justicia dirige el pueblo a los tiranos que las ofensas que éstos hacen al pueblo católico, a la Iglesia, a la Santísima Virgen y a Cristo Nuestro Señor? [...] ¿Ha ordenado Su Santidad que V.E. y el señor arzobispo de México se conviertan en los más fieles defensores de la revolución y de la tiranía imperante y que no sólo impidan a los católicos mexicanos el atacarlas, sino que tratan de obligarlos a que cooperen con ellas? [...]"

Muchos años después, en agosto de 1964, en que al parecer seguían frescas las heridas, Palomar y Vizcarra entregó al cardenal Tisserant un memorial donde se decía: "Cuando se estaba a punto de conquistar institucionalmente la libertad de la Iglesia [...], prevaleció, por el apoyo del gobierno de los Estados Unidos, la tendencia conformista o derrotista, y con la intervención de ese mismo gobierno se presentó en esta capital [...] Mons. Ruiz, en compañía de Mons. Díaz, e hicieron como que celebraban con el Lic. Portes Gil [...] unos «arreglos» sin forma jurídica ni canónica de ningún género, determinándose que se reanudasen los cultos «de acuerdo con las leyes vigentes» [...]". Era sobre todo esto último lo que más desconcertó a los católicos, acota Meyer, porque todos entendían que se había combatido por la supresión de esas leyes, y cuando parecía que estaban a punto de vencer a la tiranía, aquellos prelados les habían impuesto el conformismo derrotista.

A pesar de estas y otras objeciones, la Liga, y con ella los cristeros, según lo señalamos más arriba, acabaron por acatar los arreglos. Como anota Carlos Pereyra en su magnífico libro *México falsificado,* "dando un heroico ejemplo de obediencia, los católicos levantados en armas las depusieron, sin dejar de comprender que el arreglo era un paso decisivo para la descatolización de México". Cuenta Navarrete que cuando, conversando en cierta ocasión con monseñor Orozco, se quejó de lo acontecido, el gran obispo le dijo: "Mira, Navarrete, no me reclames a mí. Ya te dije que yo no sé cómo se arregló esto. A mí me lo dieron todo hecho". En frase lapidaria diría el padre Joaquín Cardoso S.J. que "por amor a la paz, la Iglesia sacrificaba casi todo; el Estado prometía ¡casi nada!".

Como se puede ver, la aceptación de lo decidido en altas instancias no bastó, por cierto, para disipar el malestar de los cristeros, sistemáticamente dejados al margen de las negociaciones. Sus objeciones seguían en pie. He aquí, según Meyer, los interrogantes que no cesaban de ponerse: ¿No había dicho el gobierno en los años 1925 y 1926 que no podía tratar con los obispos porque no reconocía a la Iglesia como tal? ¿Cómo entonces trataba ahora con una Iglesia que jurídicamente no existía? ¿No había rechazado el Congreso, en 1926, el memorial que elevaron los obispos, alegando que ellos no eran verdaderos ciudadanos mexicanos? ¿Cómo tratar pues, con un gobierno que así los ignoraba, sin haber tenido en cuenta a quienes se habían batido por la Iglesia? Tal fue, señala, la prueba mayor de los cristeros en toda esta guerra, una paz que los entregaba a sus enemigos, atados de pies y manos, una paz en la que no habían tenido nada que ver, siendo así que era el fruto de su combate.

No eran pocos los sacerdotes que, sin duda con buena voluntad, querían convencer a los cristeros de que se quedasen tranquilos, que las cosas ya se habían "arreglado", que se presentasen sin temor a las autoridades militares para ser amnistiados. "Si pelean por la religión, sepan que el diferendo quedó superado". A veces era la gente común la que los impulsaba a deponer las armas y aceptar los "arreglos", agrega Meyer. El pueblo estaba satisfecho. ¿Acaso no se había reanudado el culto y los sacerdotes podían volver a sus parroquias? ¿Qué más queremos? Ya somos libres. Ya podemos gritar sin temor ¡Viva Cristo Rey! ¡Viva Nuestra Señora de Guadalupe! Y así, "mientras sonaban las campanas echadas a vuelo y el pueblo celebraba su triunfo, los cristeros pasaban por los momentos más amargos de toda la guerra". Su argumento les parecía incuestionable: ¿Cómo entregar nuestras armas y nuestros caballos al enemigo, al mal gobierno, enemigo de la Iglesia...? Mas ahora, al parecer, nada se podía objetar. Había llegado el cese de las hostilidades, con la consiguiente entrega de las armas por parte de los combatientes cristeros, que recibirían salvoconductos y la amnistía, tras lo cual podrían volver a sus campos.

Meyer nos ha transmitido el conmovedor testimonio de un cristero de Durango, Francisco Campos, donde con la ingenuidad de un campesino, resume el desarrollo de la Cristiada y su desenlace:

> El 31 de julio de 1926, unos hombres hicieron que Dios nuestro Señor se ausentara de sus templos, de sus altares, de los hogares de los católicos; pero otros hombres hicieron de modo que volviera. Éstos no vieron que el gobierno contaba con innumerables soldados, armas y dinero incalculables; no lo vieron, lo que vieron fue la defensa de su Dios, de su Religión, de su Madre, la Santa Iglesia. Esto fue

> lo que vieron. No les importaba a esos hombres dejar a sus padres, a sus hijos, sus mujeres y cuanto tenían; marcharon al campo de batalla, a buscar a Dios nuestro Señor. Los torrentes, las montañas, los bosques, las colinas son testigos de que esos hombres hablaban a Dios nuestro Señor gritando el Santo nombre "¡Viva Cristo Rey!, ¡Viva la Santísima Virgen de Guadalupe! ¡Viva México!". Los mismos lugares son testigos de que esos hombres regaron el suelo con su sangre y que, no contentos con esto, dieron su misma vida para que Dios nuestro Señor volviera, y Dios nuestro Señor, viendo que esos hombres lo buscaban de verdad, tuvo la bondad de volver a sus iglesias, a sus altares, a los hogares de los católicos, como podemos verlo hoy.

Con todo, la objeción de fondo seguía en pie, si bien de manera latente. Las leyes anticlericales no se derogaban, pero los cristeros debían entregar las armas con que habían defendido la Causa. En el fondo de todo este drama, los jefes de los combatientes, ellos, sobre todo, intuyeron una traición.

VI. ¿Un triunfo de la masonería?

Hemos ya aludido al papel de la masonería en la persecución a la Iglesia que padeció el heroico México. En su espléndida biografía del padre Pro, el padre Rafael Ramírez Torres, incluye, a modo de apéndice, un revelador documento fechado en San Antonio Texas el 28 de agosto de 1928, en plena guerra cristera:

A los altos jefes del Gobierno de México. A los señores Gobernadores de los Estados, a los Diputados, Senadores y Magistrados de las dos Cortes, Jueces y Procuradores. A los valientes Jefes Militares de México: los que suscribimos somos ciudadanos de la gran Unión Americana que se formó con Estados Libres, gracias al talento y la fuerza de héroes como George Washington; y nos dirigimos a ustedes todos, en un mensaje fraternal, porque vemos con entusiasmo que va llegando la hora en que se acaben las divisiones en América del Norte, desde Panamá hasta el Polo, y todos seamos una sola y gran Nación, más grande que la Roma de que tanto habla la historia del pasado.

¡Mexicanos! Los hijos de los Estados Unidos de América hemos esperado con ansia más de cien años a que hubiera en el poder, en el territorio del viejo México, hombres de verdadero patriotismo americano, de amplia visión del porvenir de nuestro Continente; hombres en fin como lo han sido el Sr. Gral. de División, Plutarco Elías Calles, el Sr. General Aarón Sáenz, el Sr. General Joaquín Amaro y todos ustedes, capaces de comprender que no había razón ninguna para que México siguiera viviendo con dos siglos de retraso, empeñado en tener tradiciones españolas de la Edad Media, en vez de unificarse con la patria de Lincoln, y aprovecharse de nuestras instituciones políticas y religiosas, que son las más adelantadas. Los Estados Unidos nunca perdieron la esperanza de que una ocasión como ésta tendría que llegar andando el tiempo.

Varias veces ha habido entre los patriotas del viejo México hombres extraordinarios que tuvieron idea clara de la conveniencia de los mexicanos; pero no se sintieron desgraciadamente con el valor necesario para destruir los prejuicios ignominiosos que separaban a nuestros pueblos. Eso sucedió con los políticos que hace más de un siglo emprendieron la destrucción de la Iglesia Católica Romana, con la cual los Estados Unidos nunca hubieran podido aceptar la unión de los Estados Unidos Mexicanos; políticos entre los que se destacan con mucho brillo, don Valentín Gómez Farías [...], el gran Benito Juárez, cuya grandeza tuvimos que ayudar al pueblo mexicano a hacer que conocieran y respetaran todos los pueblos de la tierra, porque los tradicionalistas no querían reconocerla; y años más tarde el Sr. General don Álvaro Obregón, gran amigo de nosotros, y el Ilustre Gobernante de hierro que ha puesto el pie en la cabeza de las tradiciones, el Sr. General Plutarco Elías Calles.

En el pasado, a pesar de aquellos hombres distinguidos, no había sido posible aproximar a nuestros dos pueblos para que acaben de formar una sola gran nación; pero en cambio ahora, el Gobierno Progresista que por fortuna tiene México ha dado un paso enorme de aproximación y ha dispuesto perfectamente la situación de este país, sus instituciones, sus leyes, sus ideas, para que los Estados Unidos lo admitan en su seno en un abrazo estrecho, bajo una sola bandera. ¡Somos un país grande, rico y fuerte, y el orgullo de esto debe extenderse a todos los habitantes de la América del Norte, desde Panamá al Polo, para provecho de la humanidad! Así lo ha comprendido el sabio gobernante de México, que será considerado en lo futuro como uno de los ciudadanos más grandes de Norte América, pues que hizo posible la fusión de los dos pueblos al unificar sus tendencias, su filosofía, sus principios religiosos y sus intereses materiales. Nosotros vemos un hecho muy simbólico: el nieto del Presidente de México es ciudadano americano, ciudadano de los Estados Unidos. Hacemos votos para que los nietos de todos los ciudadanos de México tengan también el privilegio de ser ciudadanos de los Estados Unidos, porque pronto se acabarán las fronteras inútiles que nos dividen.

Deben ustedes estar orgullosos del gran faro luminoso que los ha traído al lugar que ocupan como pueblo, ya que los ha puesto en aptitud de unirse por fin con nosotros para formar una potencia de primer orden, como lo había ya soñado nuestro Gobierno de los Estados Unidos cuando apenas el libertador Miguel Hidalgo y Costilla estaba empeñado en rebelarse contra la Iglesia Católica que tenía en ignorancia a los indios y en la pobreza y vasallaje. Deben ustedes glorificar a este gran hombre en el Sr. General Calles que ha roto el obstáculo único que había para que nos uniéramos todos los del Norte del Continente. Sin el catolicismo de Roma, que se empeñaba en hacer que hubiera odios entre nuestros dos pueblos, ya podemos admitirlos a ustedes en nuestro seno con amor cristiano y brindarles los beneficios de nuestra civilización y nuestras religiones modernas y progresistas.

Nuestro Mensaje para ustedes, señores funcionarios del viejo México, es que secunden con fe y patriotismo la obra del gran estadista General Plutarco Elías Calles, recordando que todos los más grandes hombres públicos de México han sido partidarios de que nos unamos, como lo fue el gran indio Benito Juárez, como lo fue don Melchor Ocampo, como han sido siempre los más altos jefes de la ilustre Masonería Mexicana y todos aquellos que por su educación y su talento rechazan las supersticiones católicas y se adhieren a las grandes religiones avanzadas. ¡Gloria a esos liberales que tanto hicieron por aproximar el día de nuestra unión bajo una sola bandera! Tengan ustedes fe en su ilustre Presidente y en todos los hombres que lo rodean, a los cuales apoyará siempre el Gobierno de esta gran República del Norte, por conducto del más apto y talentoso de sus Embajado-

> res, el apóstol de las modernas doctrinas religiosas, el Hon. Dwight Morrow, gracias a cuyo esfuerzo se verán coronadas con éxito las viejas aspiraciones de los Estados Unidos. El obstáculo único para que los dos países, indebidamente divididos, constituyeran una sola Potencia de primer orden, se ha destruido al golpe de hierro del Sr. General Plutarco Elías Calles [...] Glorifiquemos a hombres como al actual Mandatario del viejo México por progresistas, por amplios de criterio, por su clara visión del porvenir de su pueblo y por su patriotismo americano que se ha sobrepuesto a mezquinos patriotismos locales.

Cuando Portes Gil, asesorado por Calles, entró en contacto con la Iglesia para gestionar su plan de arreglos, se topó con un enemigo quizás inesperado, los "radicales" de su bando. Poco antes de firmarse el tratado, recibió un telegrama de un relevante miembro de aquel grupo, Adalberto Tejeda, que había sido Secretario de Gobernación en tiempo de Calles y luego Gobernador de Veracruz, donde deploraba la vuelta inminente del "cochino clero que quiere reanudar su tarea monstruosa de deformar las conciencias y la moralidad del pueblo [...] No vayáis a permitir que las Leyes de Reforma y la Constitución sean violadas". En los días previos a la firma del acuerdo, la masonería y la CROM multiplicaban telegramas en el mismo sentido. Portes Gil, entonces, para dejar en claro su posición, y así quedar "blanqueado" ante los suyos, hizo una declaración a la prensa donde se afirmaba que no había ni que hablar de transigir, que su Gobierno había exigido a los Delegados de la Iglesia el sometimiento incondicional a la Constitución y a las leyes vigentes, "y por ningún motivo admitió la discusión sobre tales leyes, mucho menos hizo concesión alguna que no estuviese determinada en la propia Constitución, admitiendo que no se reconocía personalidad alguna a la Iglesia, ya que nuestra Carta Magna es terminante en este sentido. Tampoco hubo, fuera de las declaraciones publicadas, nada que significara pacto secreto ni compromiso alguno por parte del Gobierno. Lo publicado es todo, y, fuera de esto, no existió ningún otro documento de carácter confidencial o reservado". En su libro *La lucha entre el Poder Civil y el Clero,* aparecido en 1934, Portes Gil lo reitera con toda claridad: "Su aparente capitulación [de los obispos], a la que dieron el nombre de un arreglo con el Gobierno, no fue otra cosa que someterse incondicionalmente a la Ley".

El Lic. Víctor Velázquez, famoso penalista mexicano, que fuera consejero jurídico de la Casa Blanca, nos ha dejado el siguiente testimonio: "En varias ocasiones discutí con Morrow la situación de los católicos en México [...]; él decía que la Iglesia finalmente habría de someterse al Gobierno [...]. Quejándome de los atentados personales que sufrían los católicos, me dijo Morrow que se trataba de medidas de guerra, que él consideraba justificadas [...] Días después, hablé con el embajador, quien me ratificó su gran aprecio por el obispo Díaz [...], a quien calificaba de hombre liberal, de gran tolerancia y de miras anchas. El embajador me confirmó cuanto me había dicho su consejero. De esta manera supe, con gran pena, que se había cumplido el vaticinio del embajador Morrow, de lograr la paz religiosa mediante la capitulación (*surrender*) incondicional de la Iglesia Mexicana. De mis conversaciones con el consejero privado del embajador, y con el mismo Morrow, obtuve, concretamente, esta declaración: «El arreglo religioso se hizo sin pacto alguno, sometiéndose la Iglesia a las leyes vigentes»".

El 27 de junio de 1929, con motivo del solsticio de verano, Portes Gil fue invitado a un banquete de los masones, y a su término pronunció un largo discurso "a sus reverendos hermanos", en que dijo:

> Mientras el clero fue rebelde a las Instituciones y a las Leyes, el Gobierno de la República estuvo en el deber de combatirlo como se hiciese necesario. Mientras el clero negara a nuestro País y a nuestro Gobierno el derecho de hacer sus Leyes y de hacerlas respetar, el Gobierno estaba en el deber de destrozar al clero. Y hay que ver que el clero en todos los tiempos ha negado siempre la existencia del Estado y el sometimiento a las Leyes. Y por fórmulas artificiosas y hábiles ha sabido introducirse. Y ahora, queridos hermanos, el clero ha reconocido plenamente al Estado y ha declarado sin tapujos que se somete estrictamente a las Leyes (*Aplausos*).
>
> Y yo no podía negar a los católicos el derecho que tienen de someterse a las Leyes, porque para eso está el imperativo categórico que como gobernante me obliga a ser respetuoso de la Ley. *La lucha no*

> *se inicia. La lucha es eterna. La lucha se inició hace veinte siglos.* Yo protesto [...] ante la masonería, que mientras yo esté en el Gobierno, se cumplirá estrictamente con esa legislación (*Aplausos*).
>
> *En México, el Estado y la masonería, en los últimos años, han sido una misma cosa: dos entidades que marchan aparejadas, porque los hombres que en los últimos años han estado en el poder han sabido siempre solidarizarse con los principios revolucionarios de la masonería.*

Como se ve, no es fruto de imaginaciones calenturientas atribuir a la masonería el hecho de haber constituido uno de los puntales de la persecución religiosa en México. Así como que dicha persecución no fue sino uno de los jalones de la incesante lucha de las Dos Ciudades de San Agustín y las Dos Banderas de San Ignacio, confrontación que permite explicar el devenir histórico desde la teología.

Ni monseñor Ruiz y Flores ni monseñor Díaz y Barreto, comenta López Beltrán se atrevieron a desmentir al Presidente masón, a pesar de que su discurso salió publicado en la revista *Crisol*. Los dos monseñores se limitaron a hacerle una visita de cortesía. Y he aquí lo que entonces sucedió, según lo relata el mismo arzobispo de Morelia en sus *Memorias*: "Yo le pedí al Señor Presidente una audiencia y le reclamé semejante frase y le recordé que habíamos acordado no publicar en nombre del Gobierno o de los Obispos reclamación de ninguna clase porque acabarían de pleito, pero [al guardar silencio] el Señor Obispo Díaz se encargó de contestar por el Señor Presidente diciéndome: «Pero, Señor Ruiz: ¿no ve que un masón tenía que hablarle a los masones, sus hermanos, en su lenguaje, y que no había que entrar con ellos en discusiones?». Así que, en vez de reclamarle, al contrario, lo disculpó y absolvió de toda culpa".

Así era Portes Gil, a quien Vasconcelos, como lo dijimos más arriba, no vacilaba en llamarlo "Portes Vil". Cuando murió, en 1978, sin retractarse jamás de lo por él actuado, en la esquela mortuoria correspondiente, firmada por la Masonería, se pudo leer: "La Muy Respetable Gran Logia «Valle de México» [...] participa el deceso acaecido el 10 del actual [diciembre], de su Gran Maestro 1933-1934, Licenciado Emilio Portes Gil, Miembro Activo y Gran Capitán de Guardia de este Supremo Consejo del Grado 33".

VII. Trágicas consecuencias de los Arreglos

Hemos visto cómo en muchos lugares la reiniciación del culto en los templos fue saludado no sólo con numerosos *Te Deum,* sino también con repiques de campanas, fuegos artificiales y procesiones. Un despliegue de alegría y de emoción. Nada parecía impedir el festejo o sofrenarlo. Los gobernadores recibieron la orden de poner en libertad a todos los prisioneros, los generales del ejército federal de dar fin al combate y conceder salvoconductos a todos los cristeros que se presentaran para solicitarlo. Por si quedaban algunos desconfiados, varios aviones dejaron caer sobre los campamentos millares de volantes para anunciar a los que habían luchado y todavía permanecían en sus trincheras el término de las hostilidades. Los obispos, por su parte, enviaban sacerdotes para que exhortaran a los recalcitrantes a deponer las armas. Porque no eran pocos los ex-combatientes que sentían verdadera repugnancia ante lo que estaba aconteciendo. Uno de ellos confiesa que la noticia causó "un escandalazo brutal que nadie quería", y que para todos fue un "calvario". ¿No se trataría, como dijo el párroco de Tapalpa, de "una jugada masónica para dar muerte al ejército libertador"? Los cristeros conocían demasiado bien, por reiterada experiencia propia, a "los hombres de la revolución", y estaban convencidos de que jamás cumplirían las promesas que quizás les hubieran hecho a los prelados. ¿Sería posible que una tan copiosa hemorragia humana tuviera semejante culminación? Las acuciantes palabras del arzobispo de Durango, monseñor González y Valencia, poco antes de que se hiciese público el contenido de los Arreglos, no han de haber dejado de impresionar a los cristeros: "¿Creeis que después de tanta sangre y de tantas lágrimas, de tantos heroísmos y de tantos sacrificios, íbamos a ser nosotros los que cerráramos las puertas a la plena victoria de Cristo? Si tal hiciéramos, nuestros mártires y nuestros héroes se levantarían de sus tumbas para reclamar contra el despilfarro de su sangre gloriosa [...] ¡No, y mil veces no!"

Reiterémoslo, porque ello es fundamental. Por los "Arreglos" lo único que el Gobierno "permitió" es que se reanudara el culto. Pero he aquí que la clausura de los templos, tres años atrás, no había sido dispuesta por el gobierno sino por la Iglesia, de acuerdo con el Papa, como una medida de protesta contra la política oficial. No se derogaron, en cambio, lo que hubiera correspondido hacer al gobierno, los artículos persecutorios que habían provocado el alzamiento. Al parecer, sólo era la Iglesia la que había cedido... ¿De qué arreglos se podía hablar si no hubo cancelación alguna de los atropellos de la autoridad política? El gobierno otorgaba lo que no se le había pedido y que ni siquiera era de su competencia. Por lo demás, como acertadamente lo recuerda el padre José María Iraburu, los dos obispos de los arreglos no satisficieron las "Normas" que el papa Pío XI había dado por escrito, pues entre otras cosas no tuvieron en cuenta la opinión de los otros obispos, ni la de los cristeros o de la Liga Nacional, ni se incluyó en el tratado la derogación de las leyes persecutorias de la Iglesia, y ni siquiera hubo garantías escritas que protegieran la suerte de los cristeros que depusieran las armas. Solamente consiguieron del presidente unas "palabras" de conciliación y buena voluntad.

Recordemos cómo, cuando monseñor Orozco y Jiménez, ya en el destierro, se encontró con el padre Edmundo Walsh S.J., que tuvo un influjo tan grande en la conclusión del *modus vivendi*, le preguntó cuál había sido la garantía que acabó por convencer a Roma para aceptar los Arreglos, Walsh respondió: "Morrow. ¡Pero Morrow se nos murió!". Al parecer se pensaba que Morrow presionaría sobre el Presidente de México para que cumpliera su parte. Se dice que el mismo Morrow había quedado muy sorprendido al enterarse de que "la Santa Sede hubiera aprobado un arreglo en que quedaban renunciadas todas las anteriores exigencias del Episcopado", y en el que los puntos 2 y 4 del telegrama romano del 20 de junio, eran objeto de un simple compromiso verbal. Por lo que el diplomático dedujo lógicamente que "el arreglo religioso se hizo sin pacto alguno, sometiéndose la Iglesia a las leyes". Es aquello de lo que se ufanó Portes Gil en el famoso banquete con los masones, al que nos referimos en el apartado anterior. Dos meses después de haber pronunciado aquel discurso, el 1° de septiembre de 1929, el Presidente decía la misma cosa que Morrow y así hablaba tanto a los parlamentarios como a los masones: La Iglesia ha capitulado sin condiciones y los arreglos "han traído como consecuencia la terminación de la revuelta que los fanáticos habían emprendido contra el gobierno de la República". A lo que Meyer acota: "Desde el punto de vista de la *Realpolitik*, Calles había ganado: los cristeros habían depuesto las armas, porque la Iglesia lo quería así y el gobierno no había cedido en nada. La intervención oficiosa pero primordial de los Estados Unidos había servido, a fin de cuentas, a sus intereses".

Es cierto que el gobierno no aplicaría inmediatamente y en todo su vigor, los artículos persecutorios de la Constitución. Pero siempre los tendría a su alcance, cuando la masonería ordenase ponerlos en vigor. Con todo, el gobierno entendió que había llegado el momento de ir desmantelando las instituciones que más se habían distinguido en su combate contra el gobierno como la Liga, la ACJM, las Brigadas Femeninas, etc., que gozaban de general simpatía. Ello formaba parte de la obra de "pacificación", en la que colaborarían eficazmente los dos obispos de los Arreglos. Y así el Delegado Apostólico hizo saber a los dirigentes de la Liga su deseo de que pensaran en un nuevo nombre para la institución –el mismo nombre de la Liga implicaba un reto al gobierno–, así como en el reemplazo de sus actuales dirigentes. Con motivo de una Convención de dicho movimiento, para tratar si seguiría adelante con el mismo nombre o con otro, y cuáles serían sus jefes, Miguel Palomar y Vizcarra le envió una carta a René Capistrán Garza, invitándolo a asistir. El antiguo presidente de la ACJM declinó la invitación, "porque a mí me parece –escribió– que de lo que se trata es sencillamente de sacrificar a los hombres con la misma ferocidad con que se han sacrificado los principios, pese a todas las patrañas y tonterías que se refieren neciamente a futuras modificaciones de la ley

[...] El cambio de nombres y el cambio de jefes en estos momentos, no es propiamente un cambio de cosas accidentales, constituye una transformación radical del fondo mismo de la cuestión". La Convención resolvió rechazar el cambio de nombre de la institución y dio un voto de plena confianza a los que tan heroica como desinteresadamente habían conducido a la Liga entre los escollos de la lucha. Sólo consintieron en suprimir de su título completo –Liga Nacional Defensora de la Libertad Religiosa–, el adjetivo "religiosa" para evitar la frontal oposición del arzobispo de México.

En cuanto a la ACJM se cambiaron sus estatutos creándose en su reemplazo la Acción Católica Mexicana. Monseñor Díaz apreciaba poco a la ACJM y al meritorio padre Bergöend. No queremos decir que la nueva institución fuese mala en sí misma. Lo lamentable es el espíritu con que se hizo la sustitución. La ACJM quedó así integrada a la Acción Católica Mexicana, como una especie de rama de la misma.

También se desmanteló lo que quedaba del vasconcelismo. Pocos meses antes de las elecciones, sus sedes partidarias habían sido clausuradas y sus jefes locales asesinados o desterrados. Contra viento y marea Vasconcelos continuó como pudo su titánica lucha cívica. Pero era un político realista. Según él mismo confiesa en su libro *La Flama:* "Cuando cayó el último cristero, el candidato de la oposición comprendió que su derrota estaba sellada", y declaró que se retiraba de la lucha para evitar constituirse en cómplice de un sangriento fraude, como lo fue realmente el que se consumó.

Los cristeros se sintieron abandonados, aun por la Iglesia. Así lo reconoció uno de sus enemigos, para vergüenza nuestra, el general Cristóbal Rodríguez, quien dijo: "El clero siempre trabaja en las sombras, esperando que el triunfo de sus luchas lo obtengan otros para él y pagando siempre con la mayor ingratitud a quienes lo sirven para sus siniestros fines. A los cristeros que se sacrificaron en la rebelión les desconoció sus méritos, negó que los habían autorizado a la lucha armada y, dejándolos abandonados a su suerte, después de los arreglos [...]". Un cristero de Santiago Bayacora, don Francisco Campos, le hizo a Meyer la siguiente confesión: "No debían haber admitido a que entregáramos las armas, porque estas armas costaron muchas vidas, mucha sangre, nosotros expusimos nuestras vidas para quitar esas armas y no es posible ni justo que después de tantos sacrificios y trabajos como los que pasamos vayamos a entregar las armas; pero por obedecer las órdenes de los sacerdotes fuimos a entregar las armas y les dijimos a nuestros enemigos: aquí están las armas que les quitamos en los campos de batalla; no nos las pudieron quitar, ahora nosotros se las venimos a traer". Era el lamento del cristero que se sentía abandonado por sus jefes. Y el testigo agregaba: "Nuestros enemigos sedientos de venganza luego empezaron la guerra contra los indefensos jefes cristeros". Así fue que durante varios años se perpetró un asesinato sistemático y premeditado de numerosos jefes cristeros con el fin de impedir cualquier posible reanudación del alzamiento.

Para los antiguos combatientes, las cosas no tenían ni pies ni cabeza. Así argumentaba un sacerdote desencantado: monseñor Ruiz había dicho en su momento que no se podía admitir las condiciones que ponía el gobierno perseguidor. Y al hacerlo no pecaban, tanto él como los otros obispos. ¿Pero no pecan ahora, sometiéndose al mismo gobierno? "Una cosa no puede ser al mismo tiempo buena y mala a la vez como aquí sucede [...] Si hace tres años no era justo someterse, ¿por qué ahora sí lo es?"

Lo que en la práctica sucedió fue el comienzo de una matanza de cristeros. Un sacerdote jesuita, el padre Joaquín Cardoso, había previsto que "los martirios se seguirían quizás en mayor número, porque ya no temerían a los cristeros los verdugos de la Iglesia". El mismo Degollado Guízar nos dice que cuando los hombres a su mando entregaron las armas "fueron vilmente asesinados muchos jefes, oficiales y soldados. Tengo la seguridad de que después de los arreglos fue mayor el número de muertos del ejército cristero que durante los tres años de lucha". Bien se ha afirmado que el *modus vivendi* del 21 de junio de 1929, fue, en definitiva, el *modus moriendi* de los cristeros. Por eso, agrega Meyer, los arreglos fueron, a la postre, "una capitulación dispuesta por la Iglesia a un ejército victorioso", un arreglo "padecido como una prueba peor que la guerra misma y llevada como una cruz, misterio incomprensible al cual se sometían por amor al Papa y a Jesús, Cristo Rey".

La amnistía no fue, pues, acatada por parte del gobierno, escribe Rius Facius, tomándose venganza de quienes se habían levantado en armas a pesar de haberse rendido. Entre los primeros caídos, una semana después de los arreglos, estuvo el general y sacerdote Aristeo Pedroza, quien comandaba la importante brigada "Enrique Gorostieta", según lo señalamos en su momento. ¿Cómo sucedió este hecho tan aciago? Resulta que al fin de los enfrentamientos, una partida de cristeros, que nada sabían de los arreglos, arrojaron unos tiros contra el enemigo, que repelió el ataque. Fue entonces cuando el sacerdote fue herido y hecho prisionero. Antes del amanecer, el jefe de los federales lo hizo fusilar. Era el 1° de julio de 1929. Otra víctima fue el general cristero José María Gutiérrez, quien luego de licenciar a sus tropas, fue asesinado a mansalva el 8 de diciembre. Poco después, en los meses de enero y febrero de 1930 mataron a 41 cristeros amnistiados. Y así, numerosos jefes y oficiales de la Guardia Nacional, e incluso de la simple tropa cristera, fueron asesinados en diversas partes del país.

Duró meses este festín de sangre, escribe Salvador Borrego. En ciudades, poblados, villas y rancherías los ex combatientes eran buscados y muertos, sobre todo los que se habían distinguido en alguna acción de guerra. Si no se los había podido abatir en el combate, ahora era fácil liquidarlos, ya rendidos y sin armas, aunque hubiesen recibido salvoconductos oficiales. La amnistía u olvido del pasado la había prometido Portes Gil, pero no se cumplió. Un campesino refugiado en el Cerro Grande decía: "Vivimos desde los Arreglos remontados en estas soledades cuidando de nuestra vida y de nuestros bienes. No podemos acudir a determinados pueblos sin ser amenazados de muerte por los agraristas, que al vernos sin armas y sin garantías, cobardemente se aprovechan. ¿No se habrán enterado los señores Obispos que tuvieron los Arreglos con el Gobierno, de la matanza que éste hace de nuestra gente cada vez que se le presenta la oportunidad? Se nos dijo que lo pasado se olvidaba y que ahora todo el mundo iba a vivir tranquilo en su trabajo. No hay derecho que nos tengan viviendo esta vida de zozobra y que como a perros rabiosos nos venga a matar todo un Gobierno que ha ofrecido garantías". El derramamiento de sangre cristera siguió mes tras mes y año tras año, hasta 1935. Cada tanto el cadáver de algún cristero aparecía colgado en el atrio del templo o en una plaza principal del lugar. Se dice que en la posguerra más de 1.500 cristeros murieron asesinados. Aquí viene al recuerdo lo que, refiriéndose a Morrow, gestor de estos terribles "arreglos", escribiera el Lic. Nemesio García Naranjo, a saber, "que en realidad no sólo fue protector de asesinos, sino también jefe de asesinos del pueblo mexicano, ya que fue el promotor de los Arreglos".

En los hechos, fue muy poco lo que ganaron los católicos, más allá de la apertura de los templos. Los padres de familia se veían ahora obligados a enviar a sus hijos a las escuelas, donde la enseñanza era no sólo laica sino laicista. A raíz de ello, un grupo de madres de Guadalajara, fueron a ver a los dos obispos de los arreglos para preguntarles si Portes Gil no había concedido al menos la libertad de enseñanza. ¿Qué vamos a hacer con nuestros hijos, si debemos confiarlos al ateísmo oficial? Nada podían hacer ya que en los arreglos firmados por ambas partes se decía: "En lo que respecta a la enseñanza religiosa, la Constitución y las leyes vigentes prohíben de manera terminante que se imparta en las escuelas primarias y superiores, oficiales o particulares".

De hecho, los amnistiados quedaron sin trabajo y por consiguiente sin dinero para solventar las más apremiantes necesidades de sus familias, que debieron así vivir en la miseria. He aquí un lamento que apareció en los periódicos de la época: "Esta región de Los Altos de Jalisco presenta un aspecto completamente desconsolador y triste, puesto que ha sido completamente abandonado por sus moradores. Las casas se ven completamente solas, ya casi en ruinas, y los centros de población, antes tan florecientes y hermosos, tienen un aspecto desolado y catastrófico".

Un autor anónimo escribió los siguientes versos bajo el título ***Ya se arregló.*** Es una de las más de cien piezas literarias que se pueden encontrar en el libro titulado *La literatura cristera,* de Alicia Olivera de Bonfil, editado en 1970 en México. Sólo incluimos algunas de sus estrofas:

1

Que repiquen las campanas.
La aurora ya despuntó:
pónganse su ropa nueva
que el conflicto terminó.
Por doquiera el regocijo
cielo y tierra dominó.
Y ¿por qué tanto alboroto?
Pues porque ya se arregló.

2

¿En qué consistió el arreglo?
¿Nuestro partido triunfó?
¿O viéndola ya perdida,
el Gobierno se rindió?
¿Se reformó nuestra ley?
¿La libertad ya nació?
No le importa nada de eso.
No más que ya se arregló.

3

El sacerdote en el templo
a oficiar ya empezó:
cumpliendo los requisitos

que la ley le señaló.
Pero si ese era el pleito,
entonces ¿qué sucedió?
Que se calle usted la boca:
¿No ve que ya se arregló?

4

Al enemigo un abrazo
Tal como Dios lo mandó.
A vivir ya como hermanos
que la guerra terminó.
Si siguen las balaceras
porque alguno se rindió:
A morir como borregos...
Que ya todo se arregló.

6

Que salgan los sacerdotes.
La Ley los garantizó.
Que vuelva el culto a los templos.
Ya Portes Gil lo pactó.
Pedroza, Galindo, Orozco...
Santa Cruz también murió...
Si siguen matando Padres,
es porque ya se arregló.

7

Por doquiera paz, concordia
el arreglo nos brindó.
Sólo que la dicha paz
en balazos consistió.
Ni el pacífico se escapa
del guacho que lo alcanzó:
También pacíficos matan
hoy que todo se arregló.

10
Justo que todos se rindan
hoy que todo se arregló.
Si por eso se mueren
seguro ya les tocó.
Desde el cerro estoy mirando
lo que a muchos les pasó.
¿Que todos ya se rindieron...?
Mentiras. Les falto yo.

Los católicos, digamos para ir cerrando este apartado con un esquemático resumen de los acontecimientos, habían obrado en plena comunión con Roma para emprender la Cristiada. En junio de 1927, los tres obispos que integraban la Comisión Episcopal ante la Santa Sede, le dirigieron una carta al arzobispo de México, José Mora y del Río, diciéndole que el papa Pío XI, a través de su Secretario de Estado, el cardenal Gasparri, "nos hizo dos observaciones. Primera, que tuviéramos en cuenta que los católicos estaban en todo su derecho para defenderse con las armas de esa injusta agresión de que son víctimas; y en segundo lugar, no perdiéramos de vista que a la Liga corresponde la dirección de su organización, debiendo el Episcopado apoyarla". Años más tarde, el secretario de la citada Comisión referiría un hecho puntual, muy significativo. Y es que, en cierta ocasión, uno de los miembros de dicha Comisión le dijo al Santo Padre, en la idea de que así dejaría bien parado al Episcopado de México, que éste, siguiendo la norma pontificia de permanecer fuera y sobre todo partido político, se mantenía fuera y sobre la Epopeya Cristera. Al oír eso el Papa, continúa aquel monseñor, se levantó de su asiento y dando un puñetazo sobre el escritorio expresó indignado que la Epopeya Cristera no era un movimiento político, sino de defensa armada del catolicismo en México, una Cruzada que él bendecía, lamentando sólo no poder financiarla para que alcanzara más rápidamente la victoria, y que debía ser ayudada económicamente por los obispos en cuanto les fuera posible. Así nos lo relata López Beltrán. Agreguemos un dato al testimonio del esclarecido autor recién citado, y es el elogio que el mismo Papa, en el Consistorio secreto del 20 de junio de 1927, pronunció emocionado: "Vuela también nuestro pensamiento hacia otra nación que, casi entera, está derramando su sangre por la libertad del nombre cristiano. El martirio que hace ya largo tiempo sufren el Episcopado, el clero y el pueblo mexicano para dar testimonio de su lealtad al Divino Fundador de la Iglesia, no sólo ha de llamarse ilustre sino que ha de figurar entre los más gloriosos fastos de nuestros anales para perpetua memoria".

Cuando Pío XI conoció los lamentables resultados de estos funestos "arreglos", manifestó un profundo dolor. "Yo mismo –confiesa Ruiz y Flores en su libro *Recuerdo de Recuerdos,* aparecido en México en 1942 – he visto llorar al Papa cuando trata el asunto de los arreglos de México". Y agrega: "Lo mismo le dijo el cardenal Boggiani *–l'ho* *visto piangere–* al vicepresidente de la LNDLR, don Miguel Palomar y Vizcarra, allá en la ciudad de Roma, en el año de 1930". El tema de México persistió en la agenda del Santo Padre, ya que el 29 de septiembre de 1932 se quejó del incumplimiento por parte del gobierno mexicano del *modus vivendi* concertado.

VIII. Coletazos

El prestigio de la Iglesia por aquellos años quedó muy afectado. En 1932 el arzobispo de Durango respondió en estos términos a la invitación de Roma de que trazara un cuadro de situación. Helo aquí:

> 1) Juzgo que se ha perdido por completo entre los católicos mexicanos la tradicional estima de los obispos, más aún, el simple respeto. Y esto no es de maravillar si se atiende al cambio absoluto del dignísimo modo de obrar que tuvo el Episcopado al principio del conflicto para venir al actual modo de comportarse, que según todo parece totalmente opuesto al primero, no obstante las explicaciones dadas [...]
>
> 2) Observo y aviso con gran dolor que las murmuraciones y quejas se extienden ya a la misma Santa Sede, fenómeno éste gravísimo y hasta ahora nuevo y desacostumbrado entre nosotros.
>
> 3) Confieso que no veo cómo no procedemos ilícitamente los obispos, cómo no sometemos totalmente la Iglesia al Estado [...]

> 4) Pero aunque no se tratara de cosas intrínsecamente malas, no veo, sin embargo, la utilidad del modo actual de proceder [...] el gobierno tiene pésima voluntad y quiere la ruina de la Iglesia [...]
>
> 5) Al menos el escándalo entre el clero y el pueblo es grave y puede temerse con seriedad que sobrevenga un cisma o que muchos pierdan la fe.

Comenta Meyer que de hecho hubo quienes perdieron la fe, y aun en aquellos ambientes donde no se conocía ningún ateo, ni masón, ni protestante, habían proliferado logias y sectas, basándose, como dijo el cristero Aurelio Acevedo en "las muy elocuentes paradojas que pusieron en sus manos los arreglos". Ya lo ven, añadió, muy suelto de lengua, "ustedes que adoraban y creían en sus obispos, el pago que les dieron; mientras ustedes combatían, ellos en sus bellos palacios en el extranjero, y cuando les pareció mejor les quitaron la bandera que ellos mismos habían abandonado y se acomodaron dejándolos con un palmo de narices". Es cierto que, como atestigua Meyer, desde 1932 Roma cambió finalmente de política, y reconoció los frutos amargos del *modus vivendi* para condenar, en la encíclica *Acerba animi*, la reanudación de la persecución, así como la violación de los acuerdos de 1929. En marzo de 1931 así le escribía monseñor Azpeitia a Palomar y Vizcarra: " Sería imposible enumerar los actos tiránicos [del gobierno] y la opresión terrible a la Iglesia [...], es una tiranía espantosa y tanto más alarmante cuanto más nos impide cumplir con nuestros deberes sacerdotales con el escaso número de sacerdotes que nos permiten tener [...]; en fin, el propósito es estorbar el ejercicio del ministerio, la recepción de los sacramentos y la enseñanza de la doctrina". Un mes atrás, Ceniceros y Villarreal podía decirle al padre W. Persons S.J., venido a México para indagar cómo se encontraba la Iglesia: "Hoy es peor que nunca". Y, en 1935, el mismo monseñor Díaz llegó a lamentar... la muerte de la Iglesia mexicana.

Como puede advertirse, el paso del tiempo fue permitiendo constatar con mayor claridad el fracaso de la pseudo-solución que fueron los Arreglos. En la *Acerba animi* lamentaba el Papa el incumplimiento del tratado: muchos edificios del culto no habían sido devueltos, permaneciendo cerrados o destinados a usos civiles; continuaba la persecución de sacerdotes, el destierro de obispos, y toda clase de atropellos por parte de los caciques regionales o estatales. En una palabra, Portes Gil no había cumplido las genéricas promesas del gobierno. Su sucesor, Abelardo L. Rodríguez, se puso furioso ante la intervención del Santo Padre: México no podía permitir, hizo publicar en un periódico de la capital, que se inmiscuyese en asuntos del Estado una entidad –el Estado del Vaticano– a la que no se le reconoce existencia dentro de los principios legislativos de México, país que establece la separación absoluta de la Iglesia y el Estado. El gobierno actual, añade, emanado de la Revolución, entre cuyos propósitos se encuentra la liberación espiritual del pueblo y su desfanatización, cuenta con el apoyo de las masas del país, que no pueden tolerar el dominio de un poder extraño, respondiendo a la abierta incitación que se le hace al clero para provocar la agitación. A la menor manifestación de desorden, amenazó, el Gobierno procederá con toda energía y resolverá definitivamente este problema que tanta sangre y sacrificio ha costado a la nación. Declaró, finalmente, que estaba resuelto a que si continuaba la actitud altanera y desafiante que trasuntaba la reciente encíclica, "se convertirán los templos en escuelas y talleres, para beneficio de las clases proletarias del país". Tomando base en tales declaraciones, los gobernadores de varios Estados del país comenzaron a "legislar" sobre la cuestión religiosa en el sentido que se les indicaba.

Al conocer las afirmaciones del sucesor de Portes Gil, monseñor Ruiz y Flores creyó conveniente dar una explicación de lo acontecido: los arreglos se hicieron en base a la convicción de que no sería conveniente para el bien de las almas que continuase la suspensión del culto público, lo que habría podido causar graves daños a los fieles. Al obrarse así, añadió, no se entendía aceptar las leyes persecutorias mexicanas, ni cancelar las protestas hechas contra las mismas leyes, sino abandonar, antes de que pudiera ser nocivo para los fieles, uno de los medios de resistencia, recurriéndose a otros que parecían más adecuados.

Tal era la situación en que se encontraba el sufrido pueblo católico mexicano. En 1932 se reanudó la persecución religiosa, que se retomaría luego en 1934, sobre todo en el ámbito cultural. He aquí, a modo de ejemplo, la declaración o juramento que todo profesor debía firmar en el estado de Yucatán:

> Yo, ante esa Dirección de Educación Federal, declaro solemnemente aceptar sin taxativa de ninguna clase el programa de la Escuela Socialista, y ser su propagandista y defensor. Declaro ser ateo, enemigo irreconciliable de la religión católica, apostólica, romana, que haré esfuerzos por destruirla, desligando de la conciencia todo culto religioso; y estar dispuesto a luchar contra el clero en el terreno y la forma que sea necesario. Declaro estar dispuesto a tomar parte principal en las campañas de desfanatización y atacar a la religión católica, apostólica y romana donde quiera que se manifieste. Igualmente no permitiré en mi casa habitación se hagan prácticas religiosas de ningún género ni permitiré la existencia de imágenes; no permitiré que asista ninguno de mis familiares que esté bajo mi patria potestad a ningún acto de carácter religioso.

Al decir de Graham Greene, los católicos habían perdido todo, "excepto la desesperación". Fue entonces, más precisamente, en la primera mitad de la década del 30, cuando numerosos excombatientes, por su cuenta y riesgo, se fueron lanzando por oleadas a una Segunda Guerra Cristera, dirigidos por varios coroneles supervivientes, declarando que no se someterían jamás mientras el gobierno persistiese en perseguir a la Iglesia. Fue una especie de operación al estilo "kamikazi", o, como dice Díaz

Araujo, una búsqueda de la muerte. "En nuestras manos esto se acaba –había dicho uno de ellos–. Dios tenga misericordia de nosotros". No eran sino unos pocos grupos que al advertir cómo los enemigos habían asesinado cobardemente a la mayoría de los jefes, viéndose perseguidos como alimañas, optaron por vender caro el pellejo. Se fueron entonces a los cerros, donde retomaron la guerra de un modo más singular, por cierto, que la primera vez, en condiciones de extremo aislamiento, pues ya no contaban con el apoyo popular de antes, ni con el aval de los hombres de Iglesia, ni de ninguna organización urbana. Porque las Brigadas Femeninas, la ACJM, la Liga habían sido desmanteladas por la Iglesia. Es curioso, pero se interesó, aunque vagamente, por esta tentativa, la Italia de Mussolini, y en mayor proporción la católica Polonia que, al parecer, ofreció armas y municiones en cantidad a los rebeldes. Un cristero, Florencio Estrada, le decía al sacerdote que quería convencerle de su reintegro a la vida civil: "¿Quién puede impedirme que me levante en armas para escapar de ser asesinado en mi propia casa? Por lo menos que se nos permita defendernos".

Así, pues, comenzaron a levantarse partidas en Durango y en Michoacán, en Jalisco y en Morelos. El gobierno no podía permitir una guerra abierta de grandes dimensiones. Porque los movimientos se seguían extendiendo, por ejemplo a Zacatecas, donde fueron salvajemente reprimidos, pero también a

Puebla, Tlaxcala, Veracruz y Oaxaca. En 1935 se rebelaron, asimismo, los indios "mayos", que fueron barridos. En el norte de Puebla hubo partidas hasta 1938, y en Durango hasta 1941. Este nuevo levantamiento fue conocido como "La Segunda", sin que se atrevieran a agregarle "Cristiada", por la falta de apoyo de la Iglesia, o también "el Rescoldo", como si se dijera, una retoma a partir de las brasas mal apagadas y que no acababan de extinguirse del levantamiento anterior.

Si la primera etapa de la Cristiada (1926-1929), comenta Meyer, había sido ya una guerra de pobres, la segunda fue una guerra de miserables, sin medios, sin ayudas. Lo que más les ha de haber dolido es la posición de ana Iglesia impertérrita en su rechazo, actitud que arrastró a la mayoría, aun de los católicos, en contra de ellos. Veintidós declaraciones episcopales, coincidieron con las instrucciones pontificias de enero de 1932, confirmadas en *Acerba animi*, y repetidas regularmente cada año hasta 1938. ¿Por qué seguir luchando si en 1936 los oficiales en Jalisco empezaban a llevar sus tropas a misa? ¿Por qué seguir enfrentando al gobierno? Éste, por su parte, los llamaba bandidos, rebeldes, orgullosos e intemperantes. Por vez primera el poder político y la autoridad religiosa coincidieron en su frontal oposición a los neo-insurrectos.

El hecho de que "La Segunda" fuera llamada también "El Rescoldo", le sugirió a Meyer establecer un ingenioso paralelismo entre dicha palabra y la palabra rusa "raskol". Esta última denomina el movimiento de los llamados "viejos creyentes" que en el siglo XVII se propagó en el ámbito de la Ortodoxia, condenado por la Iglesia y por la Corona. No que exista ninguna relación lógica, afirma, "pero aquellos hombres indomables [los neo-cristeros] que se niegan a someterse al César y a la Iglesia, porque le han dado su palabra a Cristo y a la Virgen de Guadalupe, y no quieren que la Iglesia sea «libre como una prostituta en un burdel», recuerdan a los viejos creyentes de Rusia".

"Tales fueron los últimos cristeros –prosigue Meyer– los compañeros de la imposible fidelidad, quince centenares que con José Pinedo, Florencio Estrada, Trinidad Mora, Laura Rocha, Federico Vázquez y otros más optaron por subir de nuevo a la sierra con la firme intención de morir en ella".

Así se apagó la última brasa del tizón cristero. Enrique Díaz Araujo recuerda, poniendo un colofón a nuestro tema, la aparición de la Unión Nacional Sinarquista, fundada por un grupo de dirigentes católicos, entre los cuales Salvador Abascal, a modo de "contrarrevolución popular", pero renunciando a los métodos violentos. Como sus enemigos no renunciaron a dichos métodos, señala Ycaza Tigerino, "su consigna fue dejarse matar sin agredir jamás, sin defenderse con las armas, consigna tremenda y difícil para cualquiera, y más para un mexicano, que las masas sinarquistas (un millón de adherentes) supieron cumplir fortalecidos en su mística, y que renovó en México, por algún tiempo, el martirio cristiano de los tiempos de Calles".

Volviendo a la epopeya cristera, el mismo Díaz Araujo cree encontrar en ella el mejor antecedente que permite explicar las multitudes que, tras tan larga persecución, sangrienta o incruenta, se congregaron en México cuando la visita de Juan Pablo II, vivando una vez más a Cristo Rey y a Nuestra Señora de Guadalupe para asombro del mundo, y desbordando las calles y las plazas y las leyes y las constituciones del secular régimen anticristiano. "Éste es el milagro que supera la triste historia del *modus vivendi* de 1929".

* * *

Hoy la situación se encuentra en una suerte de *statu quo*, si bien con el peligro de que en cualquier día se reanude el ataque, dado que legalmente se mantienen en vigor todas las leyes persecutorias, aunque sin que *de facto* se exija su cumplimiento. Gracias a Dios, la epopeya de la Cristiada no es ya un tema tabú en México. Hasta hace poco no se hablaba o no se podía hablar de ella. O, como escribe Meyer, "se la despachaba en unas cuantas líneas difamatorias". Hace algunos años, en uno de nuestros viajes a México, tuvimos la enorme satisfacción de bendecir e inaugurar el primer museo cristero que se hizo público en aquella nación, creado y dirigido por don Alfredo Hernández Quezada, quien era desde 1983 Subjefe de la Guardia Nacional Cristera. Es el Museo de la Cruzada en Encarnación de Díaz, Jalisco.

No fue, por cierto, en vano tanta sangre derramada, tanto heroísmo derrochado, verdadera "semilla de cristianos", al decir de Tertuliano. En efecto, tras aquella gesta se pudo advertir un evidente auge de la Iglesia en México. Ello se nota especialmente en el reflorecimiento de vocaciones al sacerdocio. Hay seminarios repletos de jóvenes aspirantes a las órdenes sagradas, de manera peculiar en algunas diócesis particularmente cristeras, como por ejemplo Guadalajara, cuya casa de estudios aún hoy se encuentra rebosante de candidatos al sacerdocio. Junto a la portería se conserva un conmovedor museo con recuerdos de los mártires que fueron ex-alumnos de dicho seminario. No es casual que a partir de los años cuarenta se haya ido formando una pléyade de excelentes sacerdotes, los cuales tenían siempre ante sus ojos el testimonio multitudinario de aquellos héroes.

El 22 de noviembre de 1992, solemnidad de Cristo Rey, Juan Pablo II beatificó en la basílica de San Pedro, en Roma, a los primeros 25 mártires mexicanos de la persecución religiosa, caídos sobre todo en los años 1927-1928, 22 de los cuales eran sacerdotes. El mismo Papa los canonizó en Roma el 21 de mayo, durante el jubileo del año 2000. En el 2002, aprovechando uno de sus viajes a México, canonizó a Juan Diego. El 20 de noviembre de 2005 beatificó a otros 13 mártires, entre ellos Anacleto, Gómez Loza y José Sánchez del Río, en un estadio de Guadalajara. El haber podido estar allí presente en esa emocionante ocasión es una de las gracias más grandes que Dios nos ha concedido.

Enrique Díaz Araujo, gran admirador de aquellos héroes, ha escrito:

> La actitud de los cristeros fue una gesta, fue una epopeya como la de los "chuanes" franceses; una guerra de resistencia católica a la revolución masónico-socialista: contra la subversión liberal y contra la subversión marxista, y además, y principalmente, una guerra por la independencia de México de la tutela norteamericana [...]
>
> Era, claro, la suya, la rebelión de un pueblo perseguido que ha agotado la legalidad, y pasa a vivir en la Parusía, floreciendo en héroes y en mártires, como nadie lo ha vivido en Hispanoamérica. Pablo Antonio Cuadra, el magnífico poeta nicaragüense, dice que descubrió a México en Europa, cuando la guerra civil española de 1936, porque una madre le dijo que su hijo había muerto por Cristo Rey "como los mártires mexicanos".

A pesar del desacierto que fueron los arreglos, no se puede negar que la Iglesia obtuvo, gracias a aquel glorioso combate, el mínimo de libertades indispensables para poder sobrevivir. Pero este mínimo de libertad, obtenida con el pacto, no fue sino consecuencia de la rebelión cristera, de la sangre de los cristeros. Fue esta la que obligó al Gobierno a transar. El precio de las concesiones gubernamentales se pagó, al fin y al cabo, con sangre cristera. Bien ha afirmado Díaz Araujo que si Hispanoamérica tiene reservado un destino en la historia universal, su fundamento está en los huesos y en la sangre de aquellos mártires, que quisieron morir para que viviera Cristo Rey. En homenaje a uno de sus dirigentes, quizás Anacleto, el padre Julio Y. Vértiz S.J., escribió esta poesía que, creemos, vale para todos ellos:

Poned un crespón fúnebre al pie del asta rota...
que los clarines trémulos inicien el "adiós":
la Guardia está de luto... su enseña ya no flota;
la enseña que no supo de vientos de derrota
fue a desplegar sus ínclitos jirones ante Dios.

Marchósenos el jefe que resumió en sí mismo
la gesta fulgurante de aquella juventud,
la gesta prodigiosa de trágico heroísmo
que desafiara en Méjico al monstruo del abismo,
reposa para siempre... reposa en su ataúd.

Era credo viviente del acejotaemero;
un credo de combate, magnífico y leal;
firme, gallardo, rápido, y limpio como acero...
por eso lo despiden la salva del cristero,
el canto de los mártires y el Himno Nacional.

Redobles de tambores con sones apagados,
un último sollozo desgarre el corazón.
Recíbanlo con júbilo los mártires cruzados...
y guarden reverentes, los campos desolados,
el eco moribundo del último león.

Bibliografía

Mariano Cuevas, *Historia de la Nación Mexicana,* Porrúa, México 1986.

Antonio Dragón, S.J. *Vida íntima del Padre Pro,* 5ª ed., La Buena Prensa, México 1980.

Jean Meyer, *La Cristiada,* T.I. La guerra de los cristeros. 2. El conflicto entre la Iglesia y el Estado 1926-1929. 3. Los cristeros, Siglo Veintiuno Editores, México, España, Argentina, Colombia, 1973-1974.

José Macías S.J., *Iturbide,* 2ª ed., Tradición, México 1986.

Ceferino Salmerón, *En defensa de Iturbide.* Tres artículos periodísticos, 2º ed., Tradición, México 1985.

Enrique Díaz Araujo, *La Epopeya Cristera,* Biblioteca Aquinas, Cuaderno I, Ed. Fasta 1987.

Antonio Rius Facius, *México cristero,* Guadalajara, México, vol. I y II, 2º ed., 1966.

Miguel Ángel León, *La persecución contra la Iglesia Católica en México,* Iction, Buenos Aires 1982.

Andrés Azcue, *La Cristiada. Los cristeros mexicanos* (1926-1941), Historia Viva, Barcelona 2000.

Silviano Hernández, *Cristera Guadalajara,* APC, Guadalajara, México 2002.

En la Ruta de los Mártires Cristeros, APC, Guadalajara, México 2000.

Luis Alfonso Orozco, *El martirio en México durante la persecución religiosa,* Porrúa, México 2006.

Rafael Ramírez Torres, S.J., *Miguel Agustín Pro,* Tradición, México 1976.

Salvador Abascal, *Juárez marxista,* 2° ed., Tradición, México 1999.

José Bravo Ugarte, *Compendio de Historia de México* (hasta 1964), 10° ed., Jus, México 1968.

Heriberto Navarrete S.J., *"Por Dios y por la Patria",* Memorias, 4ª ed., Tradición, México, 1980.

Lauro López Beltrán, *La persecución religiosa en México,* 2ª ed., Tradición, México, 1991.

Salvador Abascal, *El Cura Hidalgo de rodillas,* Tradición, México 1996.

Francis Clement Kelley, *México, el país de los altares ensangrentados,* Ed. Polis, México 1945.

Salvador Borrego, *América peligra,* 5ª ed., México 1973.

Adro Xavier, *Temple ignaciano,* Buena Prensa, México 1940.

Antonio Gómez Robledo, *Anacleto González Flores. El maestro.* 2ª ed., Ius, México 1947.

Luis Manuel Laureán Cervantes, *Los gallos de Picazo o los derechos de Dios. Biografía de José Sánchez del Río,* El Arca, México 2007.

Tiberio Munari, *El beato José Sánchez del Río,* Ed. Xaveriana, Guadalajara, México 2005.

Impreso en Editorial Baraga
del Centro Misional Baraga
Colón 2544, Remedios de Escalada
Buenos Aires, República Argentina

Noviembre de 2012

Made in the USA
Las Vegas, NV
24 November 2024